Frauen am Bauhaus

Frauen am Bauhaus

Wegweisende Künstlerinnen der Moderne

Patrick Rössler
& Elizabeth Otto

KNESEBECK

Die Autoren

 **Patrick Rössler** ist Professor für Kommunikationswissenschaft an der Universität Erfurt mit einem Schwerpunkt zur Geschichte der visuellen Kommunikation. Er beschäftigt sich seit vielen Jahren mit den Biografien von Bauhaus-Angehörigen und veröffentlichte u. a. *Das Bauhaus am Kiosk, The Bauhaus and Public Relations* und *bauhaus.typographie*.

 **Elizabeth Otto** ist Professorin für moderne und zeitgenössische Kunstgeschichte an der State University of New York in Buffalo, USA. Sie hat zahlreiche Bücher mit dem Schwerpunkt Bauhaus veröffentlicht, u. a. *Tempo, Tempo! The Bauhaus Photomontages of Marianne Brandt* und *Bauhaus Bodies: Gender, Sexuality, and Body Culture in Modernism's Legendary Art School*.

Titel der Originalausgabe: *Bauhaus Women: A Global Perspective*
Erschienen bei Palazzo Editions Ltd, London 2019
Copyright © 2019 Palazzo Editions Ltd
15 Church Road, London, SW13 9HE
www.palazzoeditions.com

Design and layout: Copyright © 2019 Palazzo Editions Ltd
Text © 2019 Patrick Rössler & Elizabeth Otto
Designed by Becky Clarke for Palazzo Editions

2. Auflage 2019
Copyright © 2019 von dem Knesebeck GmbH & Co. Verlag KG, München
Ein Unternehmen der La Martinière Groupe

Projektleitung: Susanne Caesar, Marc Schmid, Knesebeck Verlag
Koordination: Gerdi Killer, bookwise GmbH
Übersetzung aus dem Englischen: Birgit van der Avoort
Lektorat: Lilly Bandulet

Umschlaggestaltung: Fabian Arnet, Knesebeck Verlag
Satz: satz & repro Grieb, München
Herstellung: Arnold & Domnick, Leipzig
Printed in China

ISBN 978-3-95728-230-9

www.knesebeck-verlag.de

UMSCHLAGBILDER
VORDERSEITE: Nachlass Margaret Camilla Leiteritz © Heinrich P. Mühlmann // Burg Giebichenstein Kunsthochschule Halle // Klassik Stiftung Weimar, Fotothek © v. Bodelschwinghsche Stiftungen Bethel // Dirk Urban/Stadt Erfurt © Nachlass Margarete Marks. Alle Rechte vorbehalten, DACS 2018.
RÜCKSEITE: Marinko Sudac Collection // Bauhaus-Archiv Berlin, Nachlass Gertrud Arndt © DACS 2018

Inhalt

Einleitung

Das Bauhaus ist die wohl einflussreichste Kunstschule überhaupt. Es wollte die Kunstlehre verändern und die Rolle von Kunst und Design in der Gesellschaft völlig neu denken. Ein Jahrhundert nach seiner Gründung wird die zentrale Stellung der Bauhaus-Frauen als Studentinnen und Lehrerinnen ebenso wie als Künstlerinnen und Designerinnen noch immer sträflich verkannt. *Frauen am Bauhaus* möchte diese historischen Ungerechtigkeiten korrigieren und stellt 45 der wichtigsten weiblichen Bauhäusler, wie sich die Bauhaus-Mitglieder – Schüler wie Lehrer – nannten, vor. Dabei konzentriert sich dieses Buch auf die wichtigsten Bauhäuslerinnen – jene Frauen, die den Gedanken der Schule hinaus in die Welt trugen.

Zwischen 1919 und 1933 besuchten 462 Frauen das Bauhaus an einem der drei Standorte in Weimar, Dessau und Berlin. Somit waren rund ein Drittel der Bauhaus-Schüler Frauen und dieser Anteil blieb relativ konstant. Im Deutschland der Zwischenkriegszeit wurde die Gleichstellung der Frauen in der neuen Verfassung der Weimarer Republik (1919 bis 1933) festgeschrieben und man förderte zunehmend auch weibliche Talente. Bauhäusler kamen in den Werkstätten und in der Schulmensa zusammen. Einige von ihnen hatten Wohnateliers im Prellerhaus – einem Gebäude neben den Klassenräumen; all das zog junge Leute aus aller Welt, die ein anderes Leben als ihre Eltern führen wollten, magisch an.

Kurz nach dem Ersten Weltkrieg gegründet, bot das Staatliche Bauhaus in Weimar der ersten Generation von Schülern und Meistern – wie die Professoren dort genannt wurden –, eine neue Heimstatt. Sie hatten unter dem bewaffneten Konflikt gelitten und die Brutalität des Krieges kennengelernt. Die folgenden Jahre der Weimarer Republik boten der Schule schwierige und sich ändernde Rahmenbedingungen. Die frühe Phase der Republik war gekennzeichnet von der schwierigen Lage Deutschlands nach dem verlorenen Ersten Weltkrieg und dramatischen Schwankungen der Aktienkurse, die den Handel beinahe zum Erliegen brachten. Mitte der 1920er-Jahre fand das Land in bescheidenem Maße zu politischer und finanzieller Stabilität zurück, wobei Letztere vor allem durch den Außenhandel begünstigt wurde. Doch der Bör-

UNTEN Weberinnen auf der Bauhaus-Treppe, 1927. Von oben: Gunta Stölzl (links), Ljuba Monastirskaja (rechts), Grete Reichardt (links), Otti Berger (rechts), Elisabeth Müller (hell gemusterter Pullover), Rosa Berger (dunkler Pullover), Lis Beyer-Volger (Mitte, weißer Kragen), Lena Meyer-Bergner (links), Ruth Hollós (ganz rechts), Elisabeth Oestreicher.

senkrach an der New Yorker Wall Street im Oktober 1929 hatte auch für Deutschland verheerende Konsequenzen, da der Zustrom von ausländischem Kapital versiegte. Menschen verloren ihre Arbeit und eine schnell zunehmende politische Polarisierung war die Folge. Rückblickend war der Aufstieg der Nationalsozialisten das erschreckendste Resultat dieser Krise, wenngleich die meisten Zeitgenossen sich stärker um den Aufwärtstrend der kommunistischen Partei sorgten, seit sich die Sowjetunion als größte Bedrohung am Horizont abzeichnete.

Das Bauhaus spiegelte eine Vielzahl der politischen und sozialen Themen seiner Zeit. Der angesehene Architekt Walter Gropius gründete die Schule 1919 und prägte sie bis zu seinem Weggang im Jahre 1928 maßgeblich. Unter seiner Führung verabschiedete sich die Einrichtung von einer der mittelalterlichen Steinmetzzunft und der damals vorherrschenden expressionistischen Ästhetik verhafteten Ideologie und fand zu jenem Ideal, das zum Inbegriff der Bauhauslehre werden sollte: das Zusammenführen von Kunst und Technik zu einer neuen Einheit. In den ersten Bauhaus-Jahren war das Leben ein berauschender Mix aus esoterischem und okkultem Experimentieren, der das zentrale Anliegen der Schule, Kunst und Gebrauchsgegenstände für eine neue Nachkriegszeit zu schaffen, förderte. Zu Beginn war kein Bauhaus-Meister so einflussreich wie Johannes Itten. Sein Unterricht beschränkte sich nicht auf die künstlerische Praxis. Als Anhänger der Mazdaznan-Bewegung bekannten sich Itten und die Mehrheit seiner Schüler zu einem neuen hybriden Glauben, der aus den USA kam und sich östlicher und westlicher Spiritualität, der Meditation und dem Gebet verschrieben hatte. Anhänger dieses Kults wurden darin unterwiesen, positiv zu denken, das Licht der Dunkelheit vorzuziehen, regelmäßig zu fasten und eine spezielle vegetarische Ernährung einzuhalten – die praktischerweise auch in der Bauhausmensa angeboten wurde.

Der grundlegende ideologische Wandel am Bauhaus wurde bei der ersten großen Schulausstellung *Staatliches Bauhaus in Weimar* im Sommer 1923 offenbar. Bereits Gropius' Reden im vorausgegangenen Jahr und Ittens Weggang von der Schule im Frühjahr 1923 hatten diese Entwicklung angekündigt, da Ittens expressionistische Ästhetik nicht länger einer Vision von einem konstruktivistischen Bauhaus dienlich war. Funktionalität und Neue Sachlichkeit wurden zu den Leitprinzipien einer Institution, die sich immer mehr der Entwurfsarbeit für die Serienproduktion verschrieb. In den Tischler- und Wandmalereiwerkstätten, aber auch in der Werkstatt für Druck und Reklame sowie in der Weberei wurden Möbel – einschließlich der berühmten Stahlrohrstühle –, Tapeten, Stoffe und grafische Designs in einem Stil entworfen, der das Bauhaus zu einem Markenzeichen der damaligen Avantgarde werden ließ. Als die Stadt Weimar dem Bauhaus die finanzielle Unterstützung versagte, sicherte sich Gropius eine neue

UNTEN Bauhaus-Party im Gasthaus »Ilmschlösschen« in Weimar am 29. November 1924.

Heimat in Dessau und manifestierte die klaren Linien der Bauhaus-Funktionalität in einer speziell zu diesem Zweck errichteten Schule, die 1926 ihre Pforten öffnete. Als Gropius 1928 als Direktor zurücktrat, hatte das Bauhaus den Höhepunkt seiner Popularität erreicht – in einem Land, das politisch zunehmend zwischen rechten und linken Strömungen gespalten war. Gropius' Nachfolger, der pro-kommunistische Architekt Hannes Meyer, richtete die Schule auf die Erziehung und Produktion für eine Arbeiterklasse aus, die sich teure Accessoires nicht leisten konnte. Nach ernsten Querelen mit den örtlichen Behörden und auch innerhalb des Bauhauses selbst wurde Meyer 1930 entlassen. Er ging kurz darauf in die Sowjetunion, begleitet von einer sogenannten Bauhaus-Stoßbrigade Rot Front aus ehemaligen Studenten, die das neue stalinistische Regime durch den Bau neuer Sowjet-Städte unterstützen wollten.

OBEN **Studenten auf der Brüstung der Mensaterrasse, um 1931.**

Unter dem dritten und letzten Direktor, dem renommierten modernistischen Architekten Ludwig Mies van der Rohe, wurde alles Politische verbannt und die Baulehre gewann an Gewicht. Trotz Mies van der Rohes Versuchen, Spannungen mit der Stadt Dessau und innerhalb des Bauhauses aufzulösen, wurde die progressive Einrichtung von einer Stadt, die stark zum Nationalsozialismus geschwenkt war, nicht länger toleriert – das Bauhaus musste 1932 sein Gebäude räumen. Mies van der Rohe konnte die Schule mit Erfolg in eine leer stehende Telefonfabrik in Berlin umsiedeln und versuchte sie als Privatschule weiterzuführen. Als die Nationalsozialisten 1933 an die Macht kamen, hatten die Professoren keine andere Wahl, als die Schule in einer letzten unabhängigen Entscheidung aufzulösen, statt sich den Wünschen der Nazis zu beugen, die alle ausländischen Lehrer entfernt sehen wollten. Nach der Schließung befanden sich die Bauhäusler – viele von ihnen jüdischer Herkunft oder linksorientiert – in einer schwierigen Lage und wurden entweder zum Schweigen gebracht oder ins Exil getrieben.

Die Bauhaus-Frauen – als Gruppe neu in der Kunst-, Design- und Architekturszene und in kleinerer Zahl – hatten es unter dem Nationalsozialismus wesentlich schwerer, eine Beschäftigung und einen Zufluchtsort zu finden. Sie waren weitaus angreifbarer als ihre männlichen Kollegen, unabhängig davon, wie erfolgreich sie in der pulsierenden Zwischenkriegszeit gewesen waren. Ihr Erfolg war brüchig – und so erwies es sich für sie häufig als schwierig oder gar unmöglich, ihre zerstörten Karrieren in der Sicherheit einer neuen Heimat oder im Nachkriegsdeutschland wieder aufzubauen.

Im Rückblick kann die Geschichte des Bauhauses mit ihrer Integration von Geschlechtern, Klassen und Nationalitäten als kennzeichnend für die Weimarer Republik begriffen werden. Seit seiner Gründung war das Bauhaus stets Teil einer globalen Vision gewesen, die sich auf Traditionen aus ganz Europa stützte, aber auch auf Ideen aus ferneren Welten einschließ-

RECHTS *»erweite-rung« des preller-hauses*, 1928, Fotomontage von Edmund Collein aus der Abschieds-mappe für Walter Gropius, *9 Jahre Bauhaus – Eine Chronik*.

lich des Primitivismus afrikanischer Kunst, des japanischen Minimalismus und »amerikanischer« Strömungen. Eine Mehrheit der Bauhäusler stammte aus Deutschland, doch einige Lehrende und eine größere Zahl von Studenten kam aus weiter entfernten Teilen Europas und sogar aus den USA und Japan. Außerdem war die Bauhaus-Bewegung buchstäblich gezwungen, sich stärker zu globalisieren, als ihre Mitglieder angesichts des Faschismus in alle Winde zerstreut wurden und den Geist des Bauhauses hinaus in alle Welt trugen.

Obwohl das Bauhaus als globale Bewegung begriffen werden kann, ließe sich die Geschichte der Schule auch nur durch ihre Frauen erzählen. Einen solchen Ansatz formulierte ausführlich erstmals die feministische Kunsthistorikerin Griselda Pollock. Vor allem wenn es um die interne Politik der Schule geht, gilt bis heute Anja Baumhoffs *The Gendered World of the Bauhaus* als maßgebliche Schrift. Baumhoff argumentiert, dass sich die frühe Priorisierung der Handwerkskunst gegenüber all dem, was als Kunstgewerbe und somit als spezifisch weiblich wahrgenommen wurde, gegen die Frauen im Bauhaus richtete. Baumhoff weist nach, dass trotz gegenteiliger Behauptungen, Studenten unabhängig ihres Geschlechts aufzunehmen und zu unterrichten, die Politik des Hauses durch eine »geheime Agenda« Gropius' und des Meisterrats bestimmt wurde, um die hohe Zahl weiblicher Studenten zu reduzieren. 1920 wurde eine spezielle »Frauenklasse« eingerichtet, die kurz darauf mit der Handweberei verschmolz und laut Baumhoff einen »weichen« Bereich darstellte, der Frauen von der »harten« Arbeit in traditionell männlichen Domänen abhalten sollte. Während einige Frauen ganz bewusst – und erfolgreich – Plätze in den von Männern dominierten Werkstätten eroberten, fühlten andere sich in den

Frauenwerkstätten durchaus wohl und konnten so den Wettbewerb mit männlichen Mitstudenten vermeiden.

Insgesamt, so bilanziert Baumhoff, war das Bauhaus ein »pädagogisches Umfeld, das mit Blick auf die Geschlechterfrage nicht sehr progressiv war«, da es »herkömmliche gesellschaftliche Ausdrucksformen und Werte (...) und Hierarchien innerhalb der Schule schützte, die ein Netz aus Paternalismus, Autorität und Geschlechterungleichheit« darstellten.

Andere wissenschaftliche Untersuchungen, die sich vornehmlich auf die Biografien bestimmter Künstlerinnen konzentrierten, haben unser Verständnis für die Bauhaus-Frauen jedoch differenzierter werden lassen. Schon zu ihrer Zeit wurden die Frauen von Experten und der breiteren Öffentlichkeit als etwas Besonderes betrachtet. Der Essay »Mädchen wollen etwas lernen«, 1930 in der auflagenstarken Zeitschrift *Die Woche* erschienen, stellt »den Typ des Bauhaus-Mädels« als ehrgeiziges und kreatives Vorbild für junge Frauen heraus. In jüngerer Zeit haben zahlreiche Ausstellungen, Bücher und Artikel ein neues Bewusstsein für die Kreativität der Frauen am Bauhaus geschaffen, ohne dabei die strukturellen Barrieren außer Acht zu lassen, die sie zu überwinden hatten. *Frauen am Bauhaus* folgt diesem Ansatz und betrachtet die persönlichen, manchmal tragischen Lebenswege der Bauhäuslerinnen und die Fülle ihrer künstlerischen Ausdrucksformen während ihrer Zeit am Bauhaus und danach. Die Arbeiten der Frauen machen deutlich, dass »das Bauhaus« mehr als nur eine Ästhetik oder ein Stil war, sondern eine ganze Reihe von Ideen und Konzepten umfasste, die je nach künstlerischem Ansatz unterschiedlich zur Entfaltung kamen.

OBEN **Ceres und Juno,** Zeichnung für *Amor und Psyche* von Margaret Camilla Leiteritz, 1929.

Frauen am Bauhaus stellt 45 Künstlerinnen und ihre Werke vor. Am bekanntesten sind jene, die am Bauhaus unterrichteten, wie *Gunta Stölzl* (Handweberei) und *Marianne Brandt* (Metallwerkstatt) sowie die Musikpädagogin *Gertrud Grunow*. Die Frauen und Partnerinnen der drei Bauhaus-Direktoren verdienen besondere Aufmerksamkeit, allen voran *Ise Gropius*, die personifizierte »Frau Bauhaus«, aber ebenso die Handweberin *Lena Meyer-Bergner* und die Architektin *Lilly Reich*. Eine dritte einflussreiche Gruppe sind die Ehefrauen der Bauhaus-Lehrer, angefangen bei *Lucia Moholoy*, der eine bedeutende Rolle in der fotografischen Dokumentation des Bauhauses und der Veröffentlichung seiner Buchreihen zukommt, bis hin zu den Ehefrauen der Jungmeister, die ihre Ehemänner während des Studiums kennenlernten: Genau wie ihr Mann Josef war auch *Anni Albers* später in der Wissenschaft erfolgreich, während *Gertrud Arndt, Irene Bayer, Ruth Hollós-Consemüller* und *Lou Scheper* einen Großteil ihres Berufslebens der Unterstützung ihrer Männer widmeten.

Die Handweberei war ein beliebter Berufsweg für Bauhaus-Studentinnen. Eine größere Zahl der in diesem Buch porträtierten Frauen spezialisierte sich auf Textilien und hatte großen Einfluss auf das Design moderner Stoffe und Kleidung. *Benita Otte-Koch* und *Otti Berger* waren Pionierinnen auf ihrem Gebiet. Andere – wie *Grete Reichardt* und *Kitty Van der Mijll Dek-*

OBEN **Wera Meyer-Waldeck bei der Arbeit in der Tischlerei, Bauhaus Dessau. Fotografie von Gertrud Arndt, 1930.**

ker – schufen sich mit ihrer Handwerkskunst langfristige Karrieren. *Margarete Dambeck* und *Lis Beyer-Volger* traten als Models ihrer eigenen Modeentwürfe auf und *Michiko Yamawaki* brachte vom Bauhaus nicht nur ihre Webkunst zurück nach Japan.

Mehr als alles andere wollte das Bauhaus seine Studierenden darin unterweisen, die Häuser der Zukunft zu gestalten. Die Architekturklassen besuchte eine Handvoll Frauen, deren Werke wir erst heute richtig einordnen können – zu ihnen zählen *Katt Both*, *Lotte Stam-Beese* und *Wera Meyer-Waldeck*. Über die Bauten, die *Zsuzska Bánki* vor ihrer Ermordung in Auschwitz plante, wissen wir leider zu wenig. Andere Bauhaus-Studentinnen gehörten zu jener Bauhaus-Generation, die ab 1929 auch formell Fotografie studieren konnte. So entdeckte *Florence Henri* die Fotografie am Bauhaus, genauso wie *Ré Soupault*, *Grit Kallin-Fischer* und *Edith Tudor-Hart*. In Berlin machte sich *Grete Stern* als eine Hälfte des Fotografinnenduos ringl + pit einen Namen, während *Hilde Hubbuch* und *Ricarda Schwerin* nach dem Krieg im amerikanischen beziehungsweise im israelischen Exil erfolgreiche Porträtstudios führten. Seine Studentinnen *Etel Fodor-Mittag* und *Ivana Tomljenović* lichteten Szenen aus dem Alltagsleben ab, während sich *Judit Kárász* und *Irena Blühová* vor allem mit sozialen Themen beschäftigten.

Nur wenige Bauhaus-Frauen verstanden sich als Malerinnen und Bildhauerinnen, und trotz ihrer Schaffenskraft sind Namen wie *Ilse Fehling*, *Margaret Leiteritz*, *Lore Leudesdorff*, *Bella Ullmann-Broner* oder *Stella Steyn* fast nur Bauhaus-Experten geläufig. *Friedl Dicker* unterrichtete Kinder im Malen und Zeichnen im jüdischen Ghetto und im Konzentrationslager Theresienstadt, bevor sie in Auschwitz ermordet wurde. Währenddessen versuchte *Lydia Driesch-Foucar* im Nazi-Deutschland mehr schlecht als recht über die Runden zu kommen, indem sie Lebkuchen verkaufte. Schließlich hatten auch zwei der bedeutendsten Keramikerinnen des 20. Jahrhunderts, *Marguerite Friedlaender-Wildenhain* und *Margarete Heymann-Loebenstein*, die Töpferwerkstatt des Bauhauses in Dornburg besucht.

Die 45 in diesem Buch porträtierten Karrieren stehen stellvertretend für die *Frauen am Bauhaus*, doch enthält dieser Korpus lediglich zehn Prozent aller weiblichen Angehörigen der Schule. Die Auswahl orientiert sich an der Qualität ihrer erhaltenen Werke, den überlieferten biografischen Informationen und der Vielseitigkeit ihres Lebens und Schaffens vor und nach dem Bauhaus. Sicherlich gäbe es über jede der Frauen noch weiteres zu erzählen, weshalb das Literaturverzeichnis wichtige weiterführende Quellen benennt. In ihrer Gesamtheit bieten die Biografien einen facettenreichen Blick darauf, was es für Frauen im 20. Jahrhundert bedeutete, eine Bauhäuslerin gewesen zu sein.

Elizabeth Otto und Patrick Rössler
Buffalo (USA) und Erfurt (D)

Friedl Dicker

Das Leben einer der außergewöhnlichsten Künstlerinnen des Bauhauses endete grausam: Friedl Dicker wurde 1944 im Alter von nur 46 Jahren in Auschwitz-Birkenau ermordet. Sie war, neben Otti Berger, Zsuzska Bánki und Lotte Rothschild (Mentzel) eine von mindestens neun Bauhaus-Frauen, die im Holocaust ihr Leben verloren. Zu Lebzeiten war Dicker eine vielseitig talentierte Bauhaus-Künstlerin und Dozentin, deren Arbeiten viele Menschen, vor allem Kinder, sehr berührten.

Friederike Dicker, stets »Friedl« genannt, wurde 1898 in eine jüdische Familie in Wien hineingeboren und vom Vater, einem Papierwarenverkäufer, allein großgezogen. Die beiden waren stets knapp bei Kasse, aber ihr Vater brachte ihr von der Arbeit Zeichenmaterial mit. Von 1912 bis 1914 absolvierte Friedl Dicker eine Fotografenlehre an der Graphischen Lehr- und Versuchsanstalt in Wien und besuchte ab 1915 die Textilklasse der Wiener Kunstgewerbeschule. In dieser Zeit tauchte sie ein in die Kultur der Stadt und besuchte Theateraufführungen und avantgardistische Konzerte. Sie schrieb sich in Arnold Schönbergs Kompositionsklasse ein und trat als Puppenspielerin auf. 1916 führten sie ihre Studien an die Privatschule des an mystischen Lehren interessierten Johannes Itten. Als dieser drei Jahre später als Meister an das neu gegründete Bauhaus Weimar berufen wurde, nahm er eine Gruppe Wiener Studenten mit, darunter auch Dicker, ihre Freundin Anni Wottitz und ihren Freund und Kollegen Franz Singer.

Dicker blühte während ihrer vier Studienjahre am Bauhaus regelrecht auf. Den Vorkurs schloss sie nach einem Semester ab und vom Meisterrat wurde sie in ihrem ersten Jahr als erste Studentin ausgewählt, um Mitstudenten zu unterrichten. Sie konnte an den Lehrveranstaltungen kostenlos teilnehmen und erhielt eines der äußerst seltenen Stipendien. Dicker studierte Druck, Weberei, Architektur und Innenarchitektur und baute ihre Kenntnisse in den Bereichen Malerei, Zeichnen, Buchbinderei, Bühnen- und Kostümbildnerei weiter aus. Während ihrer Jahre am Bauhaus teilten sich Dicker und Singer die künstlerische Leitung der in Berlin und Dresden ansässigen Theatergruppe Die Troope und entwarfen Bühnenbilder und Kostüme.

Ittens von spiritualistischen Traditionen geprägte Lehrtätigkeit hatte einen starken Einfluss auf Dickers Arbeiten. Dies wird unter anderem in ihrer Zeichnung und Collage *Form- und Tonstudien* offenbar, einer reinen Abstraktion, die sich der Untersuchung von Balance und Harmonie widmet und in der das Licht über die Dunkelheit triumphiert. Zeit seines Lebens und

Geboren: Friederike Dicker, 1898 in Wien (Österreich-Ungarn)
Gestorben: 1944 in Auschwitz-Birkenau, Polen
Immatrikuliert: 1919
Stationen ihres Lebens: Österreich-Ungarn, Deutschland, Tschechoslowakei, Polen

OBEN LINKS Friedl Dicker mit Brosche von Noam Slutzky, 1930. Fotografie von Lily Hildebrandt.

OBEN RECHTS Friedl Dicker, *Form- und Tonstudien*, ca. 1919–1923, Kreide auf schwarzem Papier.

RECHTS Friedl Dicker, *Anna Selbdritt*, Metallskulptur, vermutlich zerstört; Glasfuß, Stoff, Figuren mit Nickel, Eisen, Messing und Farblack, 240 cm hoch, 1921.

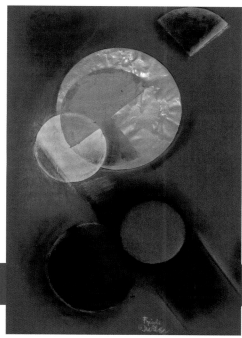

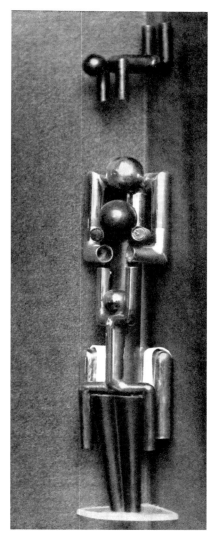

noch lange nach ihrem Tod sollte Itten Dicker stets als eine seiner besten Studentinnen bezeichnen und ihre Werke in seinen pädagogischen Publikationen abdrucken.

Neben Itten zählten Paul Klee, Wassily Kandinsky und Oskar Schlemmer zu ihren Lehrern, wobei sich der Einfluss von Letzterem in Dickers vom Maschinenzeitalter geprägten, futuristischen Skulptur *Anna Selbdritt* (1921) zeigt. Mit ihren drei ineinander verschränkten Figuren, die ursprünglich in Silber, Schwarz, Rot und Weiß lackiert waren, steht diese Skulptur für eine reine Vision von mystischer Liebe und Selbstaufopferung. Der Kunsthistoriker Hans Hildebrandt bildete *Anna Selbdritt* in seiner Publikation *Die Frau als Künstlerin* (1928) ab und beschrieb die Skulptur als Gesamtkunstwerk, das Architektur mit emotionaler Sinnlichkeit zu verbinden weiß; Dicker selbst zählte für ihn »zu den vielseitigsten und originalsten Frauenbegabungen der Gegenwart«.

Dicker machte sich schon bald einen Namen als Architektin und gilt heute als erste Bauhaus-Studentin, die ein Flachdachgebäude entwarf – der typische Baustil des Bauhauses: 1922 konzipierten Dicker und Singer ein kleines Flachdachhaus in Berlin. In seinem 1924 erschienenen Werk *Die Kunst des 19. und 20. Jahrhunderts* lobt Hildebrandt die beiden Architekten dieses Projektes für die »Rationalisierung der Innenarchitektur und der Möbel, die höchste Zweckmäßigkeit, Sparsamkeit mit reiner, edler, ganz aus der Funktion abgeleiteter Form vereint.«

Dicker und ihre Freunde, Singer – der nicht mehr ihr Liebhaber war – und Wottitz, verließen 1923 das Bauhaus und gingen nach Berlin, wo sie die Werkstätten Bildende Kunst GmbH gründeten. Dort verkauften sie selbst gefertigte Stoffe, Lithografien, Bücher und Dickers handgewebte Wandteppiche. Sie nannten ihr Unternehmen »Bauhaus (Weimar) Zweighaus Berlin«. Dicker und Wottitz kehrten 1925 nach Wien zurück, kurze Zeit später folgte ihnen Singer. 1926 eröffnete das Atelier Singer-Dicker, eine Firma für Architektur, Inneneinrichtung und Modedesign. Ihre Projekte setzten auf formschöne Funktionalität und waren aus dem Zeitgeist heraus geboren.

Während die Kunden des Ateliers Singer-Dicker eher wohlhabend waren, galt die Sympathie der beiden Künstler den Armen und der Arbeiterklasse. In den frühen 1930er-Jahren trat Dicker der kommunistischen Partei bei, deren Ideologie in ihren Arbeiten immer deutlicher hervortrat. Als Konsequenz wurde die Multifunktionalität zum Markenzeichen des Ateliers Singer-Dicker. Entsprechende Entwürfe – einschließlich umbaubarer Möbel und vielseitig nutzbarer Räume – entsprachen Dickers politischen Überzeugungen, da sie den Nutzer zum gemeinsamen Handeln aufforderten und ihn mit geringen Mitteln viel erreichen ließen. Ein Zentrum des sozialistischen Wiens war der Montessori-Kindergarten namens »Goethehof«, dessen Innenausstattung – 1930 von Dicker und Singer entworfen – Kinder auf verschiedene Weise ansprach: Gemeinsam konnten die Kinder ihren Ruhebereich eigenständig in einen Spielbereich umwandeln. Nur folgerichtig begann Dicker in den frühen 1930er-Jahren auch Kunst zu unterrichten.

Sie setzte ihr politisches Engagement in einer Serie von mindestens neun antifaschistischen Fotocollagen um, die an Arbeiten von John Hartfield und László Moholy-Nagy erinnern. *So sieht sie aus, mein Kind, diese Welt* prangert den Kapitalismus, den Faschismus und die Wiederaufrüstung an. Im Vordergrund erscheinen Kinder und Arme als die unvermeidlichen Opfer weltweiter Ungerechtigkeit. Dickers Anliegen ähneln dabei denen ihrer Bauhaus-Weggefährtin Edith Tudor-Hart: Tatsächlich zeigt der obere rechte Teil dieser Fotomontage zwei Fotografien Tudor-Harts von Not leidenden obdachlosen Familien. Laut Duncan Forbes gibt es keinen Hinweis darauf, dass diese Fotografien zu jener Zeit veröffentlicht worden waren; Dicker verwendete wahrscheinlich Originalabzüge, was vermuten lässt, dass die beiden Frauen sich persönlich kannten. Auf jeden Fall bewegten sie sich im selben kommunistischen und von der Montessori-Pädagogik geprägten Milieu in Wien. Angesichts der unverhohlen linken und pro-sowjetischen Positionierung dieser Fotomontagen überrascht es kaum, dass sie nur in den Fotografien überdauerten, die Dicker aufnahm, bevor sie später die Werke zerstörte. 1934 wurde sie wegen des Besitzes gefälschter Papiere, die während einer Polizeirazzia in ihrem Atelier gefunden wurden, verhaftet. Mithilfe von Franz Singer kam sie auf freien Fuß und floh nach Prag, wo sie sich erneut mit Antifaschisten verbündete und gleichzeitig eine intensive Psychoanalyse bei Anna Reich begann. Hier traf sie auch Pavel Brandeis, einen Cousin, den sie 1936 heiratete. So kam sie zu einem neuen Nachnamen und wurde tschechische Staatsbürgerin. Obwohl ihr ein Visum für Palästina angeboten wurde, lehnte sie ab, da es ihrem Ehemann verwehrt wurde. 1938 und 1939 wurde die Tschechoslowakei in zwei Schritten von den Nazis annektiert. Das Ehepaar war inzwischen in das kleine Städtchen Hronov, nordöstlich von Prag, gezogen, doch 1939 verloren sie als Juden ihre Arbeitserlaubnis. Im selben Jahr wurde Dickers Kunst in einer Ausstellung in der Londoner Arcade Gallery gezeigt – eine weitere Möglichkeit, dem von den Nazis besetzten europäischen Festland zu entkommen, aber erneut lehnte sie ab.

Im Dezember 1942 informierte man das Ehepaar über seine unmittelbar bevorstehende Deportation ins Ghetto und Konzentrationslager Theresienstadt, wo Dicker-Brandeis ihre letzten beiden Lebensjahre verbringen sollte. Sie packte, abgesehen von ihren Materialien für den Kunstunterricht, nur wenig ein. In Theresienstadt, wo kein regulärer Schulunterricht stattfand, widmete sich Dicker-Brandeis dem Unterrichten von Kindern im Rahmen eines von erwachsenen Insassen heimlich organisierten Lehrprogramms.

»Das Papier war nicht von guter Qualität, manchmal nur Papierabfall oder Packpapier von alten Verpackungen. Aber in diesen Momenten fühlte ich mich als freier Mensch.«

Helga Pollack, Schülerin von Friedl Dicker

RECHTS **Friedl Dicker,** *So sieht sie aus, mein Kind, diese Welt,* undatiert/frühe 1930er-Jahre. Fotomontage und Collage, Fotografie eines zerstörten Werks.

Wie der Historiker Rainer Wick zeigt, griff Dicker-Brandeis dabei auf das Bauhaus und Ittens Lehrmethoden zurück, »von den elementaren geometrischen Übungen über Rhythmusübungen, Naturstudien und Stillleben bis hin zu Farbstudien und Analysen von Bildcollagen der Werke von Cranach, Tizian, Vermeer, Cézanne, van Gogh, Matisse und anderen«. Helga Pollack, die bei Dicker-Brandeis in Theresienstadt Unterricht nahm, beschrieb die gemeinsamen Stunden folgendermaßen: »Es gab nur einen großen Tisch mit Zeichenutensilien, und auch das Papier war nicht von guter Qualität, manchmal nur Papierabfall oder Packpapier von alten Verpackungen. Aber in diesen Momenten fühlte ich mich als freier Mensch.« 1943 hielt Dicker in Theresienstadt einen Vortrag zum »Kinderzeichnen«, in dem sie erklärte, dass selbst in einem Konzentrationslager, wo kaum Material zur Verfügung stand, der Kunstunterricht es den Kindern ermöglichte, geistige Freiheit zu erfahren, ihre eigene Individualität zu entdecken und Beobachtungen und Gefühle auf ihre Art auszudrücken.

Dickers Schülerin Edith Kramer, die mit ihr in Wien und Prag mit Flüchtlingskindern gearbeitet hatte, nannte sie später die »Großmutter der Kunsttherapie«. Kramer emigrierte in die USA und wurde ihrerseits Mitbegründerin der dortigen Kunsttherapie-Bewegung, eine Kunstpraktik, die nur wenige mit dem Bauhaus in Verbindung bringen. Dicker brachte die Bauhaus-Methoden in ein Konzentrationslager und nutzte sie, um das Leben der mehr als sechshundert Kinder dort erträglicher zu machen. Später schrieb Kramer über Dicker-Brandeis, dass »es verschiedene Formen des Überlebens gab«, dass ihre Kunst und Pädagogik zur Entstehung einer Kunsttherapie beitrug und eine dieser möglichen Formen darstellte.

Dicker-Brandeis malte und zeichnete in Theresienstadt weiter, darunter das Aquarell eines wunderschönen Kindergesichts, das aus dem weißen Hintergrund hervorzutreten scheint.

Sie wurde im Oktober 1944 auf ihren eigenen Wunsch hin deportiert, da sie bei Pavel sein wollte, der Ende

Friedl Dicker, *Kindergesicht*, 1944, Aquarell auf Papier, entstanden im Konzentrationslager Theresienstadt.

September abtransportiert worden war. Vor ihrer Abfahrt packte Dicker-Brandeis zwei Koffer mit über fünftausend Zeichnungen ihrer Schüler aus Theresienstadt und versteckte sie auf dem Dachboden des Mädchenschlafsaals, wo sie erst nach dem Krieg entdeckt wurden. Nachdem sie ihre Schätze in Sicherheit gebracht hatten, bestiegen Dicker-Brandeis und einige ihrer Schüler einen Zug mit unbestimmtem Ziel. Er brachte sie nach Auschwitz, wo sie am 9. Oktober 1944 in den Gaskammern umgebracht wurde. Ihr Ehemann überlebte, bis die Lager nur vier Monate später befreit wurden.

Marguerite Friedlaender-Wildenhain

Durch ihre Arbeit und Lehrtätigkeit in Deutschland, den Niederlanden und den USA war Marguerite Friedlaender führend in der Umsetzung einer neuen Art von Bauhaus-Keramik – haltbar, praktisch und von eleganter Einfachheit – und der Weitergabe dieser Ideen an nachfolgende Generationen. In Frankreich als Tochter eines deutschen Vaters und einer englischen Mutter geboren, war sie seit jeher Weltbürgerin. Sie wurde dreisprachig erzogen und besuchte weiterführende Schulen in Lyon, Berlin und die britische Folkstone School für Mädchen. 1914 kehrte sie nach Berlin zurück, um an der Hochschule für Angewandte Kunst zu studieren, bevor sie dann 1916 als Porzellangestalterin für eine Manufaktur im thüringischen Rudolstadt arbeitete. Nachdem sie im Frühjahr 1920 den Vorkurs am Bauhaus bestanden hatte, wurde Friedlaender eine der ersten Keramikschülerinnen. Wie sich Lydia Driesch-Foucar später erinnerte, war die Weimarer »Werkstatt« lediglich ein trister kleiner Raum in einer Ofenfabrik – ausgestattet mit einer einzigen Töpferscheibe und einer Tonkiste. Gemeinsam mit fünf weiteren Studenten ging Friedlaender im zwanzig Kilometer entfernten Dornburg bei dem Töpfermeister Max Krehan in die Lehre. Krehan forderte lange Arbeitszeiten, damit die Lehrlinge ihr Handwerk vernünftig lernten; Friedlaender war ihm für die hohen Anforderungen und die ausgezeichnete Lehrtätigkeit ewig dankbar. Krehan starb 1924 und erst die postume Veröffentlichung von Friedlaenders Briefen an Krehan im Jahr 2007 enthüllte, dass die beiden ein Liebespaar gewesen waren. Der Bildhauer Gerhard Marcks, Formmeister der Werkstatt, hatte ebenfalls einen starken Einfluss auf Friedlaender und wurde ihr lebenslanger Freund. Nur wenige Arbeiten aus dieser Zeit haben überlebt, doch ein Steinkrug mit Engobendekor, *Kuh und Stier*, zeugt von ihrer frühen Beherrschung eines erdverbundenen Expressionismus. Sie widmete sich gänzlich ihrer Lehre in Dornburg und legte im Juli 1922 die Gesellenprüfung ab. Als das

OBEN **Porträt von Marguerite Friedlaender-Wildenhain an der Töpferscheibe bei der Dekoration einer Schale. Keramikstudio Het Kruikje in Putten, Niederlande, Mitte 1930er-Jahre.**

Geboren: Marguerite Friedlaender, 11. Oktober 1896 in Lyon (Frankreich)
Gestorben: 24. Februar 1985 in Guerneville, Kalifornien (USA)
Immatrikuliert: Herbst 1919
Stationen ihres Lebens: Frankreich, Deutschland, Schweiz, Niederlande, USA, Zentral- und Südamerika

PORZELLAN
FÜR DIE NEUE
WOHNUNG

STAATL. PORZELLAN-MANUFAKTUR BERLIN
NW 87, WEGELYSTR.1, W9, LEIPZIGERSTR. 2
ZUR MESSE IN LEIPZIG: GOETHESTRASSE 7

LINKS Marguerite Friedlaender-Wildenhain, Henkelkrug mit Schlickermalerei,
1922/1923.

OBEN »Porzellan für die neue
Wohnung«. Reklame in der Zeitschrift
Die Schaulade 6, 1930.

Bauhaus Weimar verließ, bedeutete das auch für die Keramikwerkstatt das Ende.

Eine andere progressive Einrichtung, die Kunsthochschule Burg Giebichenstein in Halle, engagierte Friedlaender auf Vorschlag von Gerhard Marcks, der ebenfalls dort tätig war. 1926 bestand sie ihre Meisterprüfung und wurde als erste Töpfermeisterin in Deutschland Leiterin der Keramikabteilung. Ab 1929 konzentrierte sie sich auf die serienmäßige Herstellung von Porzellan und orientierte sich damit an einem Prinzip des Bauhauses. Sie ließ einen Testbrennofen für Porzellan in der Werkstatt errichten und begann eine Zusammenarbeit mit der Königlichen Porzellanmanufaktur Berlin (KPM), die im selben Jahr Friedlaenders Service *Hallesche Form* produzierte. In einer Anzeige wird das Service als »Porzellan für die neue Wohnung« beschrieben, ein den damaligen Zeitgeist widerspiegelndes Schlagwort, das den dringenden Bedarf an bezahlbaren modernen Wohnungen mit einer funktionalen Inneneinrichtung betonte und auch in Hans Richters Film *Die neue Wohnung* seinen Ausdruck fand. Friedlaenders ornamentlose Oberfläche beschwört das Funktionale und unterstreicht die Schönheit der Form. Trotz Friedlaenders jüdischer Herkunft wurde das zeitlose Tischgeschirr auch während der Nazizeit von der KPM weiterproduziert, jedoch ohne Nennung ihres Namens. Daneben entwarf sie innovative Designs für die aufstrebende Luftfahrtindustrie.

Friedlaender heiratete 1930 Franz Wildenhain, einen ehemaligen Bauhäusler und ihr Student und Assistent in Halle. 1933 verlor sie ihre Stelle auf Burg Giebichenstein. Sie reiste zu ihren Eltern, die inzwischen in der Schweiz lebten, und zog auf deren Rat hin in die Niederlande, wo sie und Franz in Putten die Keramikwerkstatt Het Kruikje eröffneten. Ihre Produkte verkauften sich gut und wurden auch an das Amsterdamer Stedelijk Museum geliefert. 1937 ging Marguerite Wildenhain erneut eine Kooperation mit der Industrie ein: zusammen mit De Sphinx in Maastricht entwarf sie das Teeservice *Five O'Clock*, das die niederländische Regierung für die Pariser *Exposition Internationale des Arts et Techniques* (»Internationale Ausstellung für Kunst und Technik«) in Auftrag gegeben hatte und das dort eine Silbermedaille gewann. Mit dem Einmarsch der Nazis in den Niederlanden im Jahr 1940 musste Marguerite Wildenhain erneut fliehen. Ihre Emigration in die USA wurde durch ihre französische Staatsbürgerschaft erheblich vereinfacht. Als deutscher Staatsbürger konnte Franz sie nicht begleiten. Beide sollten sich erst 1947 wiedersehen und sich dann 1950 scheiden lassen.

Marguerite Friedlaender zog nach Kalifornien, wo sie am California College of Art and Crafts in Oakland und später in der Künstlerkolonie Pond Farm unterrichtete. Für ihre Arbeit wurde sie 1954 und 1963 als »Outstanding West-Coast Potter of the Year« (Ausgezeichnete Westküsten-Keramikerin des Jahres) ausgezeichnet und man verlieh ihr die Ehrendoktorwürde des Luther College. Sie schrieb Bücher über ihr Leben und ihre Studien, besuchte 1952 das Black Mountain College und unternahm Reisen nach Zentral- und Südamerika. Bis 1980 unterrichtete sie Schüler in der Drehscheibenkeramik auf der Pond Farm, wo sie bis zu ihrem Tod lebte.

Gertrud Grunow

Obgleich das Bauhaus nicht durch seine Musikerinnen bekannt geworden ist, zählt doch eine von ihnen, Gertrud Grunow, zu seinen einflussreichsten frühen Lehrenden. Statt sich auf künstlerische oder kompositorische Arbeiten im engeren Sinne zu konzentrieren, hatte Grunow mit ihrer »Harmonisierungslehre« ein ganzheitliches Kreativitätskonzept entwickelt. Es zielte auf die vollständige Einbeziehung aller Sinne durch Bewegungsübungen und eine bewusste Wahrnehmung der synästhetischen Verbindungen zwischen Ton, Farbe, Form und Bewegung. Die Bauhäuslerin Else Mögelin erinnerte sich später an Grunows begeisterte Unterrichtsanweisung, »die Farbe Blau zu tanzen!« Eine Serie von Fotografien zeigt eine von Grunows Studentinnen, die verschiedene Posen einnimmt. Es sind von links nach rechts: die Note »e« und die Farbe Weiß; die selbe Note in einer anderen Beziehung zur Farbe Grünblau, und schließlich die Note »a« zusammen mit einem Blauviolett, welches die Bewegung auslöst. Obwohl wenig von Grunows Vermächtnis überlebt hat, finden sich überall Spuren ihres Einflusses auf das frühe Bauhaus. Eine weit verbreitete Grafik zur Bauhaus-Lehre – veröffentlicht 1923 im Katalog der Ausstellung *Staatliches Bauhaus Weimar* – zeigt, dass ihre Kurse die Grundlage für alle weiteren Studien bildeten.

Grunow wurde in Berlin geboren und studierte Musik bei bekannten Komponisten, Dirigenten und Pianisten, unter ihnen Hans Guido von Bülow und die Brüder Philipp und Xaver Scharwenka. 1914 begann sie, ihre eigenen Theorien zu entwickeln, die sie ab 1919 zunächst in Berlin und Jena lehrte, bevor sie auf Empfehlung von Johannes Itten zum Bauhaus kam. Grunow hatte einen Lehrauftrag, fungierte aber in vielerlei Hinsicht als Meisterin. Sie wohnte einigen Sitzungen des Meisterrates bei, in denen sie darüber mitentschied, wer nach dem Vorkurs sein Studium fortsetzen durften. Im Katalog von 1923 war sie alphabetisch unter den Meistern der Form aufgeführt, direkt nach dem Direktor Walter Gropius. Paul Klees Sohn Felix, der ab dem Alter von 14 Jahren im Umfeld der Schule aufwuchs, erinnerte sich an Grunow als »Seelenhüterin« des Bauhauses.

Grunow war die einzige weibliche Dozentin, die mit einem Essay im Begleitkatalog der Ausstellung *Staatliches Bauhaus Weimar* vertreten war: *Der Aufbau der lebendigen Form durch Farbe, Form, Ton* schloss direkt an einen Text von Walter Gropius an und rangierte damit noch vor den Aufsätzen von Paul Klee und Wassily Kandinsky. Darin führt Grunow aus, dass Sehen und vor allem Hören die wichtigsten Sinne seien und der mensch-

Geboren: 8. Juli 1870 in Berlin (Deutschland)
Gestorben: 11. Juni 1944 in Leverkusen (Deutschland)
Eingestellt: 1919
Stationen ihres Lebens: Deutschland, Großbritannien, Schweiz

liche Körper ein Wahrnehmungsinstrument sei, das in Harmonie gebracht werden müsse. Farben, so erklärt sie, seien nicht bloße, für das Auge wahrnehmbare Erscheinungen, sondern »lebendige Kräfte«, und der Kreis stelle die wohl universellste und elementarste aller Formen dar. Weiter schreibt sie: »An einem Ort wie dem Bauhaus, wo alle Anstrengungen auf Umstrukturierung und Gemeinschaftssinn in lebhafter Wechselwirkung mit der Welt gerichtet sind, wird die Erziehung zur Unabhängigkeit, welche dem Unterbewusstsein entsprungen ist, als Anfang und ständige Hilfe, unerlässlich sein«.

Mit dem Kurswechsel des Bauhauses vom Spirituellen zum Technischen und dem damit verbundenen Weggang von Grunows größtem Verbündeten Johannes Itten verlor Grunow an Zustimmung und der Meisterrat entschied sich im Frühjahr 1924 gegen eine Verlängerung ihres Vertrags. In späteren Jahren unterrichtete Grunow in Hamburg, Großbritannien und der Schweiz, bevor sie nach Deutschland zurückkehrte. Anhand der wenigen Veröffentlichungen Grunows und ihrer Studenten ist es möglich, ihre Theorien von Körper, Wahrnehmung und Kreativität zu rekonstruieren, die das frühe Bauhaus so wesentlich beeinflussten.

OBEN Porträt von Gertrud Grunow, ca. 1940.

UNTEN Eine Schülerin von Gertrud Grunow, 1917 oder 1922.

Gunta Stölzl

von Ulrike Müller & Ingrid Radewaldt

Gunta Stölzl geht in die Kunstgeschichte als die einzige Frau ein, die am Bauhaus eine vollwertige Führungsposition als Meisterin erlangte. Von 1926 an war sie zunächst Werkmeisterin, von 1927 bis 1931 dann technische und künstlerische Leiterin der Webwerkstatt am Bauhaus Dessau. Sie führte den am wenigsten angesehenen kunsthandwerklichen Bereich des 19. Jahrhunderts, die Weberei, zum industriellen Textildesign der Moderne und entfaltete damit am Bauhaus eine unerhörte Produktivität. Grundlage dafür waren ihre lebenslange »Lust zu weben – aus dem Material heraus zu gestalten« und ihre besondere Begabung, komplexe Kompositionen zum einen in anspruchsvollste Handweberei, zum anderen in innovative Prototypen für die maschinelle Produktion umzusetzen. Darüber hinaus bahnte sie als Lehrerin einer Reihe später international erfolgreicher Weberinnen und Textilgestalterinnen den Weg. Sie erhob Improvisation und Experiment zu festen Bestandteilen des Unterrichts und motivierte ihre Schülerinnen immer wieder, mit Teamgeist und Leidenschaft für die Sache »das Seil der Betriebsamkeit« zu ergreifen, wie sie das 1920 als Bauhausstudentin formuliert hatte und selbst immer wieder tat. Ihr erzwungener Weggang vom Bauhaus 1931 sorgte, im Zusammenwirken mit ihrer persönlichen Situation als Emigrantin angesichts der heraufziehenden NS-Herrschaft, für einen Bruch in ihrer beruflichen Biografie.

Was bewegte eine Frau wie Gunta Stölzl damals, nach Weimar ans Bauhaus zu gehen? Nach dem Ersten Weltkrieg lagen nicht nur Häuser und Straßen in Trümmern, sondern auch Hoffnungen und Lebensentwürfe; es gab zu viel Leid, zu viel Kriegselend, zu viele Tote. Stölzls Generation war zu früh erwachsen geworden, sah die Welt mit kritischen Blicken. Die Kunstgewerbeschule in ihrer Heimatstadt München erschien der jungen Frau jetzt eng und konservativ. Das Bauhaus in Weimar hingegen offerierte in seinem Manifest ein ganz anderes Lebens- und Arbeitsideal, das sich mit den Neuerungen verband, die auch die eben gegründete Weimarer Republik den Frauen verhieß. Gunta Stölzl setzte auf einen Neuanfang und bewarb sich.

In der Familie der 1897 als Adelgunde Stölzl in München geborenen jungen Frau besaß Bildung einen hohen Stellenwert: Ihr Urgroßvater war selbst Webermeister gewesen, ihr Vater engagierte sich in der Reformpädagogik. Sie hatte an der Höheren Töchterschule in München 1913 die Reifeprüfung abgelegt – damals noch die Ausnahme – und bereits sieben Semester an der Kunstgewerbeschule in München studiert, unter anderem Glasmalerei

Geboren: Adelgunde Stölzl, 5. März 1897 in München (Deutschland)
Gestorben: 22. April 1983 in Küsnacht (Schweiz)
Immatrikuliert: 1919
Stationen ihres Lebens: Deutschland, Schweiz

und Keramik. Leiter der Schule und ihr wichtigster Lehrer war der Reformer Richard Riemerschmid.

Die Zeichnungen ihrer Bewerbungsmappe für das Bauhaus zeugten von Gunta Stölzls Beobachtungsgabe und ihrer künstlerischen Begabung. Viele Arbeiten galten dem Kriegsgeschehen und speisten sich aus ihrer leidvollen Anschauung als Rotkreuzschwester 1917/1918. Gropius nahm sie 1919 ohne Zögern auf, und die Studentin schrieb begeistert in ihr Tagebuch: »… nichts Hemmendes ist an meinem äußeren Leben, ich kann's mir gestalten wie ich will. Ah, wie so oft träumt ich davon und nun ist's wirklich wahr geworden, kaum faß ich es noch …« Sie hatte schon als junges Mädchen leidenschaftlich gern geschrieben. Dass ihre Tagebuchnotizen und Briefe heute so wertvoll sind und so authentisch wirken, ist ihren lebenslangen Bemühungen darum zu verdanken, die Außenwelt ebenso offen, wahrhaftig, differenziert und kritisch wahrzunehmen wie die reiche, aber auch widersprüchliche Welt ihrer eigenen Gefühle. Dabei tritt ein feines Gespür für gesellschaftliche Stimmungslagen zu Tage: So war sie eine der ersten, die sich kritisch zu den antisemitischen Auseinandersetzungen am frühen Bauhaus äußerten.

OBEN Gunta Stölzl, Dessau Bauhaus, 1927–1928.

LINKS Gunta Stölzl, Ohne Titel, 1920, Aquarell, Tusche und Deckweiß über Bleistift auf Papier.

Die von Gropius 1920 zur »Frauenklasse« erklärte Werkstatt war nicht gerade das Lieblingsprojekt der Bauhaus-Meister. Während der Formmeister Georg Muche stolz darauf war, nie einen Faden in die Hand genommen zu haben, wurde die als Werkmeisterin eingesetzte Helene Börner von den jungen Frauen gnadenlos als »Handarbeitslehrerin ältesten Stils« verachtet. Stölzls Kommilitonin Anni Albers erinnerte sich später: »Zu Beginn lernten wir überhaupt nichts. Ich habe viel von Gunta gelernt, die eine großartige Lehrerin war. Wir saßen da und haben es einfach probiert.« Kreative Eigeninitiative war also gefragt, ganz im Sinne des Vorkurslehrers Johannes Itten, der alle Sinne ansprechen und die individuellen Kräfte der Studierenden fördern wollte.

1920 verliebte sich Gunta Stölzl in den Kommilitonen Werner Gilles, von dem sie sich aber bald wieder trennte. Ihre Tagebucheinträge zeigen, welche Konflikte eine junge Frau, die in einer Umgebung wie dem Bauhaus in vielfacher Hinsicht aus Konventionen ausstieg, damals in sich auszutragen hatte. Traditionelle Rollenbilder ließen sich mit dem Bedürfnis nach Ehrlichkeit und Selbstfindung nicht mehr vereinbaren: »Wir Menschen von heute haben einfach noch nicht die Form gefunden für Liebe und Ehe, dasselbe Suchen, das sich in allen unseren Werken ausdrückt, ist eben das verzweifelte Sehnen nach einer neuen Lebensform ...«, wie sie Ende Mai 1928 in ihrem Tagebuch notierte. Sie überwand die Krise, indem sie sich erst recht am Bauhaus engagierte, und wurde zunehmend zur prägenden Persönlichkeit der Textilwerkstatt. Im Winter 1920 erhielt sie eine Schulgeldfreistellung, später ein Stipendium.

Als Paul Klee 1921 ans Bauhaus wechselte, belegte Gunta Stölzl sofort sein Unterrichtsfach Bildnerische Formlehre. Für sie und viele andere Weberinnen (wie ihre Freundin Benita Otte, mit der sie 1922 einen Kurs für Färberei in Krefeld absolvierte) wurde Klee zum wichtigsten künstlerischen Theorielehrer am Bauhaus. Als Resultat der verstärkten Zusammenarbeit verschiedener Werkstätten schufen Gunta Stölzl und Marcel Breuer Stühle mit Stoffbespannungen – als erstes den *Afrikanischen Stuhl* aus lackiertem Holz und einem farbenfrohen Textilgewebe. 1922 webte Gunta Stölzl ihr Gesellenstück, einen Smyrnaknüpfteppich, und für die Bauhaus-Ausstellung 1923 einen der Teppiche für das Musterhaus Am Horn. Im Jahr darauf wurde Stölzl als erste Gesellin in der Bauhausweberei angestellt.

In Dessau wurde Gunta Stölzl zunächst Werkmeisterin, dann übernahm sie nach der von den Studierenden erzwungenen Entlassung Georg Muches als Jungmeisterin die Gesamtleitung der Weberei. Unter ihrer Führung wurden in den Folgejahren die Stoffe und Prototypen der Weberei zu einer der wichtigsten Einnahmequellen der Schule. Im Gegensatz dazu sah ihr Vertrag mit dem Magistrat der Stadt eine schlechtere Entlohnung als die der männlichen Kollegen vor und weder einen Rentenanspruch noch den Professorentitel; auch ihr Vertrag von 1930 enthielt nur geringfügig verbesserte Konditionen.

Da mit der Eröffnung der Bauabteilung 1927 auch von der Weberei technisch perfekte, moderne Produkte gefordert wurden, entwickelte Stölzl neue Lehrpläne, die Webtechniken, Werkstattunterricht sowie Mathematik und Geometrie stärker gewichteten. Sie ließ die Studierenden verstärkt mit synthetischen Materialien experimentieren, die auf Eigenschaften wie

LINKS Gunta Stölzl, Wandteppich mit Streifenmuster, 1923/1925, Kopie von Helene Börner, Original verschollen, Leinen, Wolle und Viskose.

RECHTS Gunta Stölzl, Entwurf für einen Gobelinteppich, ca. 1926, Gouache, Tusche und Bleistift auf Papier.

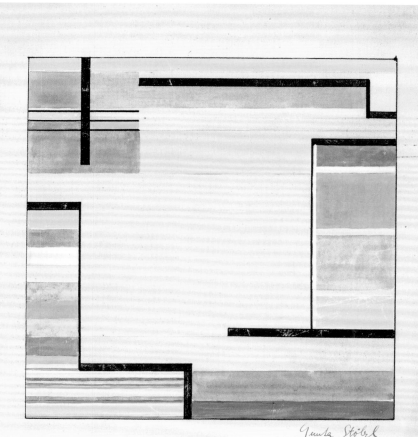

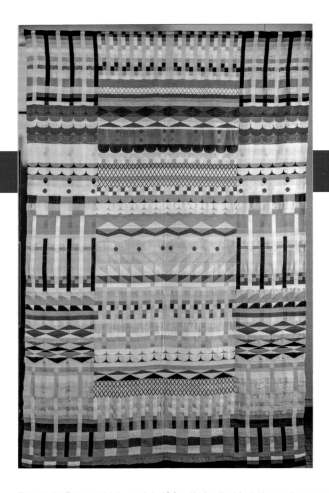

Flexibilität und Verschleißfestigkeit, Lichtbrechung oder Schallabsorption getestet wurden. Die Werkstatt erhielt größere Aufträge; so schloss sie 1930 einen Vertrag mit der Berliner Textilfirma Polytex.

Politisch war Gunta Stölzl zu dieser Zeit vermutlich, wie die Mehrzahl der Studierenden und Lehrkräfte am Bauhaus, links orientiert. Im Mai 1928 verliebte sie sich auf dem internationalen Architekturkongress in Moskau in den aus dem galizischen Judentum stammenden Arieh Sharon, der seit 1926 Bauhausstudent war und vorher sechs Jahre in Palästina gelebt hatte. Als beide Anfang August 1929 heirateten, erhielt Gunta Stölzl anstelle ihrer deutschen Staatsangehörigkeit den British Passport Palestine. Im Oktober kam ihre Tochter Yael zur Welt, die schon bald auf einem Werkstatttisch gewickelt wurde. Nicht zur Freude aller Bauhaus-Angehörigen übte Gunta Stölzl auch als Ehefrau und Mutter ihren Beruf weiter aus.

In der Stadt Dessau hatte inzwischen die NSDAP an Unterstützung gewonnen, und mit der Entlassung des »roten« Direktors Hannes Meyer verlor auch Sharon seine Arbeit. Gunta Stölzl geriet nun zunehmend in eine Situation, die heute wohl den Tatbestand des »Mobbings« erfüllen würde. Ihre Widersacher, die Weberei-Studierenden Herbert von Arend, Margaretha Reichhardt und Ilse Voigt, übten Kritik an der Ausrichtung der Werkstatt und stritten (zunächst mit Otti Berger) um Vergütungsanteile für Polytex-Prototypen. Konkurrenz, Neid und, so Stölzl, »persönlicher Machthunger«, dazu die Missbilligung von Stölzls antibürgerlicher Lebensweise und Einstellung, verschärften die Tonlage. Auch Lehrer (darunter Walter Peterhans, damals Partner von Reichardt) mischten kräftig mit; Stölzl selbst vermutete Kan-

GANZ LINKS Gunta Stölzl, *5 Chöre*, 1928.

LINKS Gunta Stölzl, Muster/ Jacquard-Gewebe, Bauhaus Dessau, ca. 1928.

»Ich hoffe, dass in meinen Arbeiten der Puls noch zu spüren ist, das Glück des Webens.«

Gunta Stölzl

dinsky als einen der Drahtzieher. Die Ankläger machten nun auch vor Gunta Stölzls Person und Privatleben nicht mehr halt. In ihrem Schreiben vom 28. Oktober 1930 steigern sie die Anschuldigungen zur Hetzkampagne: »frau sharon hat in pädagogischen, künstlerischen, organisatorischen dingen vollkommen versagt. sie ist absolut unsicher und unwissend in allen technischen fragen, z.b. materiallehre, sie kann wolle nicht von baumwolle unterscheiden. (…). wichtige organisatorische werkstattangelegenheiten werden von frau sharon nur bei kaffee und tee erledigt.«

Der zunehmende Antisemitismus bewirkte ein Übriges; eines Morgens fand Gunta Stölzl ihre Tür mit einem Hakenkreuz beschmiert. Nachdem Klee, Meyer und eine größere Zahl ihrer alten Studierenden gegangen waren, hatte sie kaum noch Rückhalt, wurde am Ende nur noch von der Kommunistischen Studentenfraktion verteidigt. Der neue Direktor Mies van der Rohe rang weiter um einen Kompromiss, und Anfang Januar 1931 erhielt Stölzl immerhin in Bezug auf die Beschwerde von Arend Recht, der angewiesen wurde, die Werkstatt bis zur Klärung der Sache nicht mehr zu betreten. Im März 1931 aber spitzte sich die Situation derartig zu, dass Stölzl ihren Bruder Erwin um juristischen Beistand bat: »der vater eines mädchens hat (…) bei der regierung eine beschwerde gegen mich eingereicht, die vor allem mich in meinem privatleben angreift, mich scheinbar auf sexuellem gebiet verleumdet …« Ihr Bruder riet ihr zu einer Verleumdungsklage, doch sie hatte nur noch eine Antwort: Kündigung noch am selben Tag, um ihrer Entlassung zuvorzukommen. »… ich bin froh, dass ich die sache los bin«, kommentierte sie im Brief an ihren Bruder diesen Schritt. Im Mai 1931 berichtete Stölzl ihm dann: »Die Studierenden haben die drei Hetzer herausgeschmissen – Mies hat sie dann auch entfernt, sämtliche Meister haben seine Tat unterschrieben und am Bauhaus ausgehängt – da kam der Bürgermeister mit einem Deutschnationalen – und – sie wurden wieder aufgenommen! – das ist die mächtige Politik und ich bin gerade zufällig das Opfer geworden.« Am 7. Juli 1931 verließ Gunta Stölzl Dessau und das Bauhaus für immer.

In Deutschland ohne Chance auf Arbeit, gründete sie im Herbst 1931 in Zürich gemeinsam mit den ehemaligen Bauhausstudierenden Gertrud Preiswerk und Heinrich-Otto Hürlimann die Handweberei S-P-H-Stoffe, spezialisiert auf die Produktion von Prototypen für die Industrie und individuellen Textilobjekten für Architekten. Zunächst recht erfolgreich, musste sie das Unternehmen bereits 1933 schließen, nachdem Gropius ihren größten Kunden, die Zürcher Wohnbedarf AG, an Otti Berger vermittelt hatte. Stölzls Situation damals, so Anja Baumhoff, sei durchaus mit dem Exil jüdischer Bauhaus-Emigrantinnen zu vergleichen, auch sie kämpfte in der Schweiz permanent um eine Aufenthaltserlaubnis. 1935 gründete sie mit Hürlimann S & H-Stoffe; 1937 wurde sie alleinige Besitzerin der Handweberei Flora und erhielt auf der Pariser Weltausstellung als bedeutende internationale Auszeichnung das Diplome Commémoratif *der Exposition Internationale des Arts et des Techniques*. 1936 wurde ihre Ehe mit Sharon geschieden, sechs Jahre später heiratete sie den Autor Willy Stadler und erhielt die Schweizer Staatsbürgerschaft, 1943 brachte sie ihre zweite Tochter, Monika, zur Welt. In den folgenden Jahrzehnten arbeitete Gunta Stölzl weiter in ihrer Handweberei, stellte vor allem Textilien für die Innenausstattung her. 1967 löste sie das Geschäft auf und widmete sich der Herstellung von Wandteppichen. »Ich hoffe, dass in meinen Arbeiten der Puls noch zu spüren ist, das Glück des Webens«, erklärte sie als 78-Jährige. 1983 starb Gunta Stölzl in Küsnacht.

Lydia Driesch-Foucar

von Magdalena Droste

Überleben mit Formgebäck: So ungewöhnlich dies klingen und so ausgefallen Lydia Driesch-Foucars Lebensweg verlaufen sein mag – so exemplarisch können sie und ihr Werk für manche Aspekte in der Designgeschichte der NS-Zeit stehen. Als Bauhaus-Angehörige nur Eingeweihten ein Begriff, kam sie schon als ausgebildete Keramikerin an das Staatliche Bauhaus Weimar. An der Münchner Kunstgewerbeschule hatte sie 1919 ihr Abschlusszeugnis erhalten, dann bis 1921 Modelle für die Porzellanfabrik Hutschenreuther in Selb entworfen. Noch in München hatte Lydia Foucar den Kunststudenten Johannes Driesch kennengelernt, dessen begeisterte Briefe aus Weimar sie bald nachreisen ließen. Beide verpflichteten sich im Mai 1920, für zwei Jahre in der Bauhaus-Keramikwerkstatt in Dornburg zu arbeiten, geleitet von dem Bildhauer Gerhard Marcks, der Driesch als Lehrer, Freund und Förderer wie seinen eigenen Sohn behandelte. Das junge Paar heiratete Pfingsten 1921 und bekam im September seinen ersten Sohn Michael. Von nun an besorgte Lydia Driesch nur noch die Küche für die acht bis zehn Werkstattmitglieder; in den etwa vierzig erhaltenen Arbeiten des Paars aus dieser Zeit schlug sich der Einfluss des Bauhauses so stark nieder, dass Hutschenreuther die Zusammenarbeit aufkündigte. Johannes Driesch wandte sich in dieser Zeit allerdings von den modernen Bauhausideen ab und verließ die Keramikwerkstatt, um »der beste Maler Deutschlands« zu werden. Bis 1930 zieht das Ehepaar vier Kinder auf und lebt häufig getrennt. Während sich seine Frau überwiegend im Haus ihrer Eltern in Friedrichsdorf aufhielt, waren Drieschs wichtigste Lebens- und Wirkungsorte Weimar, Erfurt, Dresden und Frankfurt/Main. Aus dem Briefwechsel des Paars wird auch die bittere Armut deutlich, die den Lebensalltag der Familie bestimmte.

Nach dem frühen Tod ihres Mannes im Februar 1930 war Lydia Driesch praktisch mittellos. Der Verkauf von handgenähten Ledertieren, den sie nebenbei zur Erhöhung des Haushalteinkommens betrieb, eignete sich nicht für die rationelle Massenproduktion und auch von ihr konzipierte Kinderbücher fanden keinen Verleger; lediglich ein Schnipp-Schnapp-Spiel wurde (ohne großen Erfolg) hergestellt. Ihr früherer Kommilitone Wilhelm Wagenfeld, seit Frühjahr 1931 künstlerischer Mitarbeiter bei der Firma Schott in Jena, erteilte der jungen Witwe im November 1932 schließlich den Auftrag, einen Prospekt für Milchflaschen sowie Einwickelpapier zu entwerfen. Gewünscht waren Verse in Sütterlin, also ziemlich das genaue Gegenteil einer modernen Gestaltung. Lydia Driesch-Foucar lieferte, wie verlangt,

Geboren: Lydia Foucar, 18. Februar 1895 in Friedrichsdorf (Deutschland)
Gestorben: 1980 in Friedrichsdorf (Deutschland)
Immatrikuliert: 1920
Stationen ihres Lebens: Deutschland

OBEN RECHTS **Die Familie Driesch im Garten ihres Hauses in Friedrichsdorf.**

den Prospekt als Leporello in Postkartengröße, der später tatsächlich gedruckt und bezahlt wurde. Zwei Designs für das Einwickelpapier vom Januar 1933 wurden dem neuen Werbeleiter der Firma László Moholy-Nagy vorgelegt, Ittens ehemaligem Nachfolger am Bauhaus. Mit dessen Werbestrategien war ihr Kindergartenstil kaum vereinbar, weshalb diese Entwürfe zwar entlohnt, aber nie realisiert wurden. »Nichts gelang«, bilanzierte Lydia Driesch wenig später ihre vergeblichen Bemühungen, Einkünfte als Künstlerin zu erzielen.

Lydia Drieschs dritter Versuch galt schließlich der Produktion von Lebkuchen – auch als Honigkuchen, Pfefferkuchen, Formgebäck oder Form-kuchen bezeichnet. Den familiären Hintergrund dieser Geschäftsidee beschrieb sie später so:

»Zum ersten Mal auch versuchte ich mich im Lebkuchenbacken, d. h. ich schnitt allerlei Figuren aus dem braunen Teig und backte sie. Es war sozusagen der Anfang meiner späteren Lebkuchenwerkstatt und dazu eines Brauches, der sich zwischen der Familie Marcks und uns jahrelang erhalten hat: des weihnachtlichen Austauschs von Kuchen mit dazu passenden Sprüchen. Marcksens hatten als besondere Spezialität ein weißes

Dame. Nach einem alten Model ausgeführt

18 Velhagen & Klasings Monatshefte. 54. Jahrg. 1939/1940. 1. Bd.

269

LINKS Lydia Driesch-Foucar,
Honigkuchen-Design, 1939/1940.

RECHTS Werbebroschüre der Werkstatt
für künstlerische Formhonigkuchen,
ca. 1935.

Anisgebäck, zu dem er die Formen schnitzte, und wir hatten unsere Lebkuchenfiguren … mit weißer Zuckerglasur und bunten Zuckerperlen verziert.«

Die Kuchen waren im Freundeskreis ursprünglich also ein Zeichen der Verbundenheit und Freundschaft, zumal essbare Geschenke gerade in wirtschaftlich schwierigen Zeiten besonders wertgeschätzt wurden. Zunächst lohnt sich auch dieser Geschäftszweig nicht, woraufhin Driesch-Foucard einen kleinen Pralinen- und Zigarettenladen eröffnete. Aber im März 1934 gelang ihr unter dem Namen »Werkstatt für künstlerische Formhonigkuchen« der Sprung als Ausstellerin auf die Leipziger Frühjahrsmesse. Eine Fotografie aus dem Archiv des Grassimuseums zeigt ihren wahrscheinlich ersten Stand, der einzig ihren Namen trägt – »Lydia Driesch Friedrichs-

Nr. 1

Nr. 25, 26, 28

Nr. 8

Nr. 12

Nr. 4a

Nr. 21

Nr. 18, 2a 17a

Nr. 6a

Photo: Gertrud Hesse, Duisburg.   Die Tierformen sind gesetzl. geschützt.

dorf«. Das Motiv zeigt einen schlichten Verkaufstisch vor einer kachelartig gestalteten Rückwand, die mit Honigkuchen verziert ist.

Zwischenzeitlich hatte sie die Aufnahme in die Reichskulturkammer (RKK) als Mitglied im Bund Deutscher Kunsthandwerker erhalten. Die Zulassung zur Messeausstellung des Kunstgewerbemuseums hing von der positiven Begutachtung der auszustellenden Ware im Original durch die Direktion ab, denn das Grassimuseum hatte seit 1920 das Ausleseprinzip eingeführt und war damit zum wichtigsten Qualitätsaussteller für Kunsthandwerk geworden. Driesch erhielt die Genehmigung zum Verkauf auf der Messe und damit implizit die Anerkennung ihrer Honigkuchen als Kunstgewerbe, was sich auch in der ungewöhnlichen Benennung als »Werkstatt für künstlerische Honigkuchen« niederschlug. Im Ausstellerverzeichnis der Leipziger Frühjahrsmesse 1936 wurde für sie sogar eine eigene Gruppe »Honigkuchen« geschaffen. Driesch hatte also mit einem Lebensmittel auf einer Messe Fuß fassen können, die ansonsten Haushaltswaren, Textilien und Möbel anbot, und dabei immer die Prinzipien guter Gestaltung und vorbildlichen Handwerks verteidigte.

Die überlieferten Abbildungen zeigen keine klassischen Lebkuchenformen, sondern modernisierte Designs, bei denen sich der künstlerische

Verwandlungsvorgang insbesondere in der Dekoration mit farbigem Zuckerguss und farbigen Zuckerperlen äußerte, was der Form erst ihre Lebendigkeit verlieh.

Dennoch waren diese nicht signierten Honigkuchen als künstlerische Objekte für den Verzehr gedacht, eine Art Vorläufer der Eat Art also. Wie sich Driesch-Foucar später erinnerte, war »der Erfolg unerwartet groß. Ich bekam so viele Aufträge, daß ich sie kaum bewältigen konnte. Im Seitenflügel des Hauses wurde eine Werkstatt eingerichtet und ein paar weibliche Hilfskräfte angelernt. Begüterte Freunde verhalfen mir zu einem größeren Backofen.« Leicht ironisch berichtete sie außerdem vom Besuch Adolf Hitlers an ihrem Stand: »Hitler habe ich dort (auf der Leipziger Messe) einen Nachfolger des Weihnachtskuchenpferdes in die Hand gedrückt. Er freute sich sehr über meinen Stand ...«.

Die Erfolge der ausgebildeten Porzellankünstlerin gingen Hand in Hand mit der zunehmenden Professionalisierung ihrer Werkstatt in Herstellung, Vertrieb, Werbung und Verkauf. Lydia Driesch ließ einen Geschäftsbogen, Prospekte und Preislisten drucken, die für Bestellungen genutzt werden konnten. Konsequent beantragte sie außerdem Gebrauchsmusterschutz, um etwaige Plagiate abwehren zu können, weshalb sie neben dem Logo, das sie 1936 zum ersten mal verwendete, »Gesetzlich geschützt« vermerkte. Die Prospekte zeigen auch ihr Formenrepertoire, darunter alle Zeichen des Tierkreises, und eine hübsche Verpackungsschachtel. Aber: »Kuchen werden nicht zur Ansicht verschickt, da sie alle beschädigt zurückkommen.« Die Vorlagen wurden von Jutta Selle (Berlin) und Gertrud Hesse (Duisburg) fotografiert, den beiden namhaftesten Produktfotografinnen der späten 1920er- und der 1930er-Jahre. Die Fotos der Gebäcke erschienen beispielsweise zum Jahresende 1934 in einer Weihnachtsausgabe der renommierten Zeitschrift *Deutsche Frauenkultur*, wo Lydia Driesch explizit als Künstlerin bezeichnet wird. Zwei Jahre später benachrichtigte sie ihr Förderer Marcks: »Zu Weihnachten war ganz Berlin mit Ihren Kuchen dekoriert. Bei Wertheim allein mehrere Schaufenster. Hat sichs auch für Sie gelohnt? Was für eine reiche Auswahl!« Der Erfolg bewog sie, 1937 eine Lizenz an das Warenhaus Kay Dessau in Kopenhagen zu vergeben, aber mit Kriegsausbruch endeten sowohl die Produktion in der heimischen Werkstatt als auch die in der dänischen Zweigstelle.

Gebäck ist, auch wenn es nicht verzehrt wird, ein vergängliches Gut, das im klassischen Repertoire des Kunstmarktes nicht nur die Frage der Konservierbarkeit aufwirft. Dennoch hat sich schon 1934 das Erfurter Heimatmuseum dafür interessiert, Beispiele des Formgebäcks »unter Glas« zu bringen. Das Berliner Museum für deutsche Volkskunde mit Sitz im Schloss Bellevue zeigte im Folgejahr ebenfalls Interesse, und im Juli 1936 lud sie Walter Passarge, damals Leiter der Kunsthalle Mannheim, ein, an der Sonderausstellung *Deutsche Werkkunst der Gegenwart* teilzunehmen. Im Nachgang schrieb ihr Passarge: »Ihre schönen Kuchen haben natürlich wieder sehr gefallen; sie gehörten mit zu den ›Hauptschlagern‹ der Ausstellung. Der Oberbürgermeister war begeistert. Ein Teil ist verkauft, die übrigen übernehmen wir für die ständige Ausstellung der Werkkunst der Gegenwart, die ich jetzt aufbaue.« Sein Buch *Deutsche Werkkunst* enthält daher ein eigenes Kapitel »Gebäck«, und sowohl die Auflage von 1937 als auch die erweiterte Fassung des erfolgreichen Buches von 1943 zeigen je zwei Abbildungen. In diesem Band konnte sich Driesch in einer Stellungnahme auch als künstlerische Gestalterin präsentieren.

RECHTS **Zwei Honigkuchen von Lydia Driesch-Foucar, ca. 1939/1940.**

»Es war die einzige Unternehmung, mit der ich Erfolg hatte, nur leider nicht finanzieller Art. Für die aufgewandte Zeit und Mühe blieb von dem Verdienst zu wenig übrig.«

Lydia Driesch-Foucar

Letztlich war es also der Messezugang gewesen, der Lydia Drieschs Erfolg in der Museumsszene erst ermöglichte; dann kam ihr die Propagierung der »Volkskunst« durch die Nazis zugute – eine Vereinnahmung, die später ihre Rezeption und auch ihren finanziellen Erfolg als entwerfende Künstlerin beeinträchtigen sollte: »Es war die einzige Unternehmung, mit der ich Erfolg hatte, nur leider nicht finanzieller Art«, bilanzierte sie später; und: »Für die aufgewandte Zeit und Mühe blieb von dem Verdienst zu wenig übrig.« Die Kriegsjahre taten ein Übriges: 1942 fand keine Verkaufsausstellung im Grassimuseum mehr statt, und im Februar 1943 vermeldete sie die Schließung ihrer Werkstatt. »Der Honig meiner Bienen, der Garten und das Lädchen halfen uns im Verein mit einer Ziege über die Kriegsjahre.« Nach 1945 nahm Lydia Driesch-Foucar ihre Bäckerei als Weihnachtshobby wieder auf; sie schickte ihre Honigkuchen 1965 bis zu Walter und Ise Gropius in die USA und erklärte, diese seien »in bester Bauhaustradition« hergestellt. In einer letztmaligen Aktion hat sie Beispiele für die Kunstkuchen verewigt, die heute im Bauhaus-Archiv Berlin verwahrt liegen. So wandelte sich Driesch-Foucars Gebäck von der Freundschaftsgabe zu erwerbsorientiertem Frauenschaffen, dann zu Volks- oder Werkkunst und schließlich zu einem Symbol für das Bauhaus.

Ilse Fehling

Ilse Fehling wuchs in Danzig auf, dem heutigen Gdańsk (Polen). Als Pionierin der dreidimensionalen Kunst schuf sie Skulpturen, Keramiken, Kostüme und Bühnenbilder sowie Zeichnungen und Malereien. Sie ließ ihre innovative Arbeit patentieren, erhielt Auszeichnungen für ihre Skulpturen und wurde für ihre gewagten Filmkostüme berühmt. Doch auch Fehling waren Kampf und Herzschmerz nicht fremd, vor allem in Deutschlands turbulenten Jahren.

1919 registrierte sich Fehling in Berlins berühmter Reimann-Schule, um sich in Kostümentwurf und -herstellung, historischen Kostümen, Bühnenausstattung, Grafikdesign und vor allem Bildhauerei ausbilden zu lassen, wobei Letztere sie auch an die Berliner Kunstgewerbeschule führte. Der Bauhaus-Vorkurs mit Johannes Itten und Georg Muche begann für Fehling 1920. Sie schrieb sich für Kurse bei Paul Klee sowie in die Theaterklasse von Lothar Schreyer und Oskar Schlemmer ein. Im Herbst 1922 ließ Fehling eine drehbare Rundbühne für ein Marionettentheater patentieren, das durch seine Spiralform und seine sich ständig drehende Bühne eine neue Art der Interaktivität mit dem Publikum ermöglichte. Fehling schuf zudem abstrakte Skulpturen wie die *Plastische Formstudie* (1922), die mit ihren reinen konstruktivistischen Formen und der strahlenden Gestaltung die Abkehr des Bauhauses vom Expressionismus ankündigte. Die Öffentlichkeit wurde auf Fehlings bildhauerische Arbeiten aufmerksam, so auch der Kunsthistoriker Carl Georg Heise, ein ehemaliger Student von Aby Warburg und Heinrich Wölfflin und damaliger Direktor des St. Annen-Museums in Lübeck. Er kaufte eine ihre Plastiken für die Museumskollektion.

Fehling verließ das Bauhaus nach drei Jahren und heiratete 1923 Henry S. Witting. Sie arbeitete als freischaffende Bühnenbildnerin in ihrem eigenen Atelier in Berlin, entwarf ab 1926 auch Filmkostüme und schuf Keramik für die Steingutfabriken Velten-Vordamm, wo auch die Bauhäuslerin Margarete Heymann-Loebenstein beschäftigt war, bevor sie die Haël-Werkstätten gründete. 1928 kam Tochter Gaby zur Welt, ein Jahr darauf ließ sich Fehling von ihrem Mann scheiden.

Als Fehling 1932 den Rompreis der Preußischen Akademie der Künste erhielt, schien dies ihr Durchbruch als Künstlerin zu sein. Ihre Arbeiten waren bereits in mehreren Galerieausstellungen zu sehen gewesen und der Preis bescherte ihr ein sorgenfreies Jahr an der Deutschen Akademie in der Villa Massimo in Rom zusammen mit anderen Künstlern, darunter Bauhäusler und Freunde wie Werner Gilles und Max Peiffer-Watenphul. Doch selbst dieser Erfolg konnte eine Frau wie Fehling nicht vor der aggressiven Kultur-

Geboren: 25. April 1896 in Danzig (vormals Deutschland, heute Gdańsk, Polen)
Gestorben: 25. Februar 1982 in München (Deutschland)
Immatrikuliert: 1920
Stationen ihres Lebens: Danzig (vormals Deutschland, heute Polen), Deutschland

OBEN LINKS **Ilse Fehling, 1927.**

OBEN RECHTS *Plastische Formstudie*, Gips, 1922.

politik der Nazis schützen und so wurde sie nach der Rückkehr aus Rom mit einem Ausstellungsverbot belegt.

Fehlings Karriere als Bildhauerin war damit faktisch beendet, doch sie konnte weiterhin beim Film arbeiten. 1936 wurde sie leitende Kostümbildnerin bei der Filmproduktionsgesellschaft Tobis. Als »bekannte Filmausstatterin Ilse Fehling, eine der besten Praktikerinnen auf diesem Gebiet« schrieb sie in einem kurzen Artikel mit dem Titel »Wunder des Fundus« darüber, wie der bestehende Fundus genutzt werden könne, um ein raffiniertes Kostüm nach dem anderen zu entwerfen; ein wichtiges Thema für modebewusste Leserinnen, die sich den Einschränkungen des Zweiten Weltkrieges ausgesetzt sahen. »Jede Frau mit Phantasie (und welche Frau hätte keine?)« könne Altes wiederaufbereiten, argumentierte Fehling. Eine vermeintlich unpolitische Botschaft, die der Nazi-Propaganda gerade recht kam: Frauen müssen sich an den Kriegsanstrengungen beteiligen, können aber dennoch modisch gekleidet sein. Gleichzeitig erinnerten Fehlings extravagante Kostümentwürfe stark an die disharmonischen Figuren des Bauhaus-Theaters, wie Fehling und andere sie unter der Leitung ihres Mentors Oskar Schlemmer entworfen hatten.

Die meisten von Fehlings Skulpturen wurden im Krieg zerstört und 1945 erlitt sie einen Nervenzusammenbruch. In den 1950er- und frühen 1960er-Jahren entwarf sie Kostüme für einige Filme und 1965 realisierte sie die Innenausstattung des Kölner Kinos *Die Lupe*. Man fragt sich, was Fehling noch alles geschaffen hätte, wären die Zeiten nicht derart turbulent gewesen.

Margarete Heymann-Loebenstein

Auf Fotografien erscheint das Bauhaus immer in Schwarz und Weiß und ziemlich geradlinig. Die leuchtenden Farben und spielerischen Entwürfe der Bauhaus-Keramikerin Margarete Heymann-Loebenstein widerlegen diesen Eindruck zweifelsohne. Sie verkörperte wie kaum eine andere den Typus der »neuen Frau« der Zwischenkriegszeit und des Bauhauses. Mit Kurzhaarschnitt, Herrenhemd und Krawatte hatte sie auch den entsprechenden Look, doch ihre Emanzipiertheit ging weit über die äußere Erscheinung hinaus. Am Bauhaus forderte sie jene heraus, die Frauen am liebsten von der Keramikklasse ferngehalten hätten. Im Alter von 24 Jahren war sie Mitbegründerin der Haël-Werkstätten für Künstlerische Keramik, die – ganz im Geiste des Bauhauses – das Ziel verfolgten, die Moderne zu den Menschen nach Hause zu bringen. Heymann-Loebenstein führte das Unternehmen erfolgreich durch persönliche Schicksalsschläge und die Weltwirtschaftskrise. Das NS-Regime und seine Gehilfen sollten sich für sie allerdings als unüberwindlich erweisen.

Margarete Heymann wuchs in einer jüdischen Familie im künstlerisch pulsierenden Köln auf. Sie studierte Malerei an der Kölner Kunstgewerbeschule und an der Kunstakademie in Düsseldorf sowie chinesische und japanische Kunstgeschichte am Museum für Ostasiatische Kunst in Köln. Im Herbst 1922, mit nur 21 Jahren, erhielt sie einen Platz am Bauhaus. Sie schloss das erste Semester ab, doch ihr wurde der Zugang zur Keramikwerkstatt verwehrt: Die Leiter hatten entschieden, keine weiteren Frauen aufzunehmen. Stattdessen bot man ihr die Vertiefung in der Buchbinderei an, doch Heymann ließ sich nicht beirren und wurde schließlich – wenn auch nur probeweise – in der Töpferei aufgenommen. So begann sie im Frühling 1921 ihr Studium in Dornburg, während sie gleichzeitig am Weimarer Bauhaus Kurse bei Paul Klee, Gertrud Grunow und Georg Muche besuchte. Im folgenden Semester verweigerten die Bauhaus-Meister ihr erneut die volle Zulassung zur Werkstatt. Deren Leiter Gerhard Marcks erklärte, dass er und der Form-Meister Max Krehan »sie wohl als begabt, aber nicht für die Werkstatt geeignet« hielten. Heymann legte Protest ein, aber die Leiter gaben nicht nach, weshalb sie das Bauhaus verließ.

1922 nahm Heymann eine Stelle als künstlerische Assistentin im Veltener Werk der Steingutfabriken Velten-Vordamm nordwestlich von Berlin an. Im darauffolgenden Jahr heiratete sie den Ökonomen Dr. Gustav Loebenstein und zusammen mit dessen Bruder Daniel gründeten sie eine Keramikfirma, um moderne, praktische und schöne Haushaltsartikel für den priva-

Geboren: Margarete Heymann, 10. August 1899 in Köln (Deutschland)
Gestorben: 11. November 1990 in London (Großbritannien)
Immatrikuliert: 1920
Stationen ihres Lebens: Deutschland, Großbritannien

OBEN RECHTS **Margarete Heymann-Loebenstein, ca. 1925.**

OBEN LINKS **Haël-Warenzeichen.**

ten Konsumenten zu produzieren – eine Idee wie aus dem Regiebuch des Bauhauses. Sie kauften eine stillgelegte Keramikfabrik in Marwitz, einem Dorf unweit von Velten, und nannten sie, nach den Anfangsbuchstaben ihres Doppelnamens, »Haël«. Heymann-Loebenstein war für die Entwürfe der Teeservices, Vasen, Kaktustöpfe, Rauchutensilien und anderer Objekte zuständig, während sich die Brüder um das Geschäftliche kümmerten.

Neben diesen großartigen Designs besaß Haël etwas, das es den Mitbewerbern voraushatte: ein elegantes Warenzeichen. Jedes Haël-Teil ist an seinem Firmenstempel zu erkennen, ein Emblem aus einem Kreis und Linien, die zusammen die Buchstaben H und L ergeben – vielleicht sogar ein »a«, ein »e« und einen Umlaut. Der Verkauf von Haël-Produkten lief gut,

dank seiner drei jungen Firmeninhaber, die dafür sorgten, dass ihre fröhlichen modernen Keramiken auf Messen und in der Werbung präsent waren. Kritiker und Verbraucher waren begeistert. In einem 1924 veröffentlichten Artikel in *Kunst und Kunstgewerbe* schwärmt Fritz Wendland von diesem neuartigen Ansatz, »auf einfach gefälligen Formen eine recht frische und großzügige Zier zu entwickeln, mit so deutlicher Betonung des handgemalten Striches, daß man unwillkürlich an die kräftigen Hausstücke vergangener Zeiten denkt ... Die volkstümliche Handwerklichkeit, die erstrebt wird, bedient sich durchaus neuzeitlicher Formen, Farben, und Schmuckgedanken«. Wie viele Bauhaus-Mitglieder der Zeit konzentrierte sich auch Heymann-Loebenstein immer stärker auf ein konstruktivistisches Konzept, das auf der Einfachheit der Form beruhte. Ein aus den 1920er-Jahren stammendes Teeservice aus Kreisen und Dreiecken, heute *Scheibenhenkel*-Service genannt, verkörpert diese Einfachheit auf spielerische Weise. Die *Scheibenhenkel*-Tee- und Kaffeeservices waren in einer breiten Palette leuchtender Farben erhältlich. Ihr Design wurde zum Markenzeichen der Haël-Werkstätten, und zwar nicht nur in der Keramik: Heymann-Loebenstein entwarf für eine Nebenlinie auch luxuriöse Metallprodukte.

In den späten 1920er-Jahren hatte Haël rund hundert Beschäftigte und exportierte seine Produkte nach Frankreich, England und selbst bis nach Afrika, Australien, Südamerika und in die Vereinigten Staaten. 1928 kamen Gustav Loebenstein und sein Bruder auf tragische Weise bei einem Unfall ums Leben, als sie auf dem Weg zur Leipziger Messe waren, wo sie Haël vertreten wollten. Heymann-Loebenstein gelang es – neben ihrer Rolle als Mutter zweier Kinder – das Unternehmen allein weiterzuführen, auch während der Weltwirtschaftskrise ab 1929. Ein im selben Jahr in *Die Schublade* erschienener Artikel stellt ihre Begabung heraus: »Die Leiterin der Haël-Werkstätten ist an der künstlerischen und wirtschaftlichen Entwicklung dieses Werkes in wesentlichem Maße beteiligt und ist bestrebt, immer neue und noch weiter verbesserte Ware herausbringen.« Während der Wirtschaftskrise brachte Heymann-Loebenstein die Serie *Norma* heraus. In einer Broschüre wird das Service als »erstes keramisches Serien-Service« beschrie-

»Die volkstümliche Handwerklichkeit, die erstrebt wird, bedient sich durchaus neuzeitlicher Formen, Farben, und Schmuckgedanken.«

Fritz Wendland

OBEN Teeservice von Haël, das
sogenannte *Scheibenhenkel*-Service.
Glasiertes Steingut, Design 181,
Glasur 26. Späte 1920er-Jahre.

RECHTS Der Artikel über »Neue Keramik: Haël-Werkstätten, Velten« in
der Zeitschrift *Haus Hof Garten* zeigt,
von oben nach unten, ein silbernes
Teeservice mit Elfenbein und dunklen
»Knopf«-Griffen, eine Tabakdose mit
einem Schwammhalter, damit der
Tabak frisch bleibt; ganz unten Silber-
schalen und -aschenbecher.

Silbernes Ser-
vice mit dun-
klen Knöpfen
und Elfenbein-
knöpfen. Dose
mit dunkler
Platte

Tabakstopf
mit Schwamm-
einlage zur
Frischhaltung
des Tabaks

Silberne
Schalen
und
Aschen-
becher

NEUE
KERAMIK

Haël-Werkstätten, Velten

S. Frank phot.

ben, das »handlich in der Gestalt, schön im Aussehen, haltbar im Gebrauch« und noch dazu erstaunlich günstig sei. Durch die Standardisierung waren die Produktionskosten recht niedrig. *Norma* war zudem nur in wenigen Farben erhältlich, in einem charakteristischen Sonnengelb, Schwarz oder Grau – aber immer weiß von innen.

Kurz nach der Machtergreifung durch die Nazis Anfang 1933 schien sich für Haël noch alles positiv zu entwickeln. Das Unternehmen gab bekannt, wieder auf der Leipziger Messe ausstellen zu wollen. Im März erschien in *Die weite Welt* ein lobender Bericht über die neuen Produkte, doch das politische Klima änderte sich rasant. Schon im Juli wurde Heymann-Loebenstein von zwei verärgerten Mitarbeitern bei nationalsozialistischen Stellen »wegen Verächtlichmachung und Herabsetzung der Deutschen Staatsautorität« angezeigt. Sie war sich der Gefahr, in der sie schwebte, bewusst und schloss den Betrieb. Ende April 1934 verkaufte Heymann-Loebenstein die Gebäude, Öfen, Keramikformen sowie die komplette Kundenliste für 45.000 Reichsmark an Dr. Heinrich Schild, der das Unternehmen in die Hände der jungen Keramikerin Hedwig Bollhagen legte. Der Preis war derart niedrig angesetzt, dass Heymann-Loebenstein später von der deutschen Regierung zweimal eine Entschädigung erhielt.

Ein im Jahre 1935 in der Nazi-Propaganda-Zeitschrift *Der Angriff* erschienener Artikel »Jüdische Keramik in der Schreckenskammer« feiert die Rückkehr der »deutschen« Keramik nach Marwitz, nachdem »die Juden« ihre Fabrik verlassen und Angestellte brotlos zurückgelassen hätten.

OBEN **Das Service *Norma*, glasiertes Steingut, um 1932 oder 1933**

RECHTS **Vier Keramiken von Margarete Heymann-Loebenstein aus den Haël-Werkstätten, Marwitz, 1923–1934. Drei der Stücke dienten 1935 als Illustration für den Artikel in *Der Angriff*.**

Vierzehn Monate lang suchten Ratten und Fledermäuse hier nächtliches Vergnügen. Bis das große Reinemachen begann. Seit April 1934 hat der Betrieb einen neuen Herrn. Junge Kräfte schufen im Zuge des Aufbaus in wenigen Monaten ein neues Werk. Fast 40 Männer und Frauen aus Marwitz und der nahen Umgebung stehen unter den Symbolen der Deutschen Arbeitsfront, seit dem 1. September 1934 wieder am Werktisch – kneten und drehen, malen und brennen nach altem handwerklichen Brauch. Eine junge Frau zwischen ihnen als Leiterin des Werkes.

Der Artikel stellt viele Details völlig falsch dar, aber am ungerechtesten sei, so Kulturhistorikerin Ursula Hudson-Wiedenmann, die Tatsache, dass mehr als fünfzig Prozent von Bollhagens Arbeiten – einschließlich der meisten in dem Artikel abgedruckten schönen »deutschen« Entwürfe – gar nicht ihre eigenen waren, sondern die von Heymann-Loebenstein. Bollhagen verwendete dasselbe Design, änderte jedoch die Glasuren und stempelte ihre Initialen auf, so wie sie es bei Haël gesehen hatte.

Heymann-Loebenstein blieb noch zwei Jahre in Berlin, bevor sie im Dezember 1936 nach Großbritannien emigrierte. Sie fand durch ihre Ge-

schäftskontakte rasch eine Anstellung bei britischen Firmen und versuchte sogar, manche ihrer Haël-Entwürfe wieder aufzugreifen, einschließlich einer einfacheren Variante ihres *Scheibenhenkel*-Kaffeeservices. 1938 heiratete sie den Briten Harold Marks und nannte sich fortan Grete Marks. Sie gründete mit einigen Mitarbeitern Greta-Pottery, doch als der Krieg ausbrach, schloss das Unternehmen. 1941 wurde ihre Tochter Frances Marks geboren und nach dem Krieg malte und arbeitete Grete Marks als freie Keramikerin in ihrem eigenen Atelier. Haël blieb der Höhepunkt ihres Einflusses auf die breite Bevölkerung, der sie mit ihren einzigartigen Entwürfen die Gelegenheit gegeben hatte, die Moderne zu sich nach Hause zu holen.

Benita Koch-Otte

Die Weberin Benita Otte gehörte zu denjenigen Bauhaus-Studierenden, die sich bereits mit reichlich Berufspraxis an der Kunstschule bewarben. 1908 hatte sie ihr Reifezeugnis am Krefelder Lyzeum erhalten, und fünf Jahre später bestand sie die erste einer ganzen Reihe von Lehrerprüfungen: zunächst am Zeichenseminar in Düsseldorf, dann, 1914, im Frauenbildungsverein in Frankfurt am Main die staatliche Prüfung als Turnlehrerin und im Folgejahr die als Handarbeitslehrerin in Berlin. Ihre Stelle an der Städtischen Höheren Mädchenschule in Uerdingen trat sie also bestens qualifiziert an, und von 1915 bis 1920 arbeitete sie dort als Lehrerin für Handarbeit, Turnen und Zeichnen; die endgültige Lehrbefähigung erhielt sie 1918. Dementsprechend war sie bereits 28 Jahre alt, als sie sich entschloss, eine weitere Ausbildung am Staatlichen Bauhaus in Weimar anzutreten – und im Gegensatz zu vielen ihrer Mitstudierenden fachlich und didaktisch selbst hochqualifiziert. Auslöser war vermutlich eine Ausstellung ihrer Arbeiten 1919 im Museum Weimar, anlässlich derer sie das Bauhaus kennengelernt haben dürfte.

Für das Sommersemester 1920 wurde sie zum Studium zugelassen und absolvierte zunächst Kurse in der Weberei. Zwei Mal belegte sie Weiterbildungsangebote in ihrer alten Heimat: schon 1922 einen Färbereikurs an der der Textilfachschule Krefeld und zwei Jahre darauf einen so genannten »Fabrikantenkursus« in Bindungs- und Materiallehre an der Seidenwebschule in Krefeld. Dies und ihre 1923 angefertigte Gesellenarbeit befähigte sie nicht nur, selbst am Bauhaus zu unterrichten, sondern machte sie zu einer wichtigen Mitarbeiterin bei den Vorbereitungen zur Bauhaus-Ausstellung 1923. Für das Musterhaus »Am Horn« erdachte sie zum einen den abwaschbaren Teppich im Kinderzimmer, insbesondere aber eine »funktionale Küche«, mit der sie die Logik und manche Ideen von Grete Schütte-Lihotzkys »Frankfurter Küche« vorwegnahm. Eine besondere Ehre wurde ihr zuteil, als Walter Gropius sie mit dem Entwurf für einen Teppich in seinem Direktorenzimmer betraute.

Wegen dieser Erfolge machte Otte den Umzug des Bauhauses von Weimar nach Dessau nur kurz mit und trat schon im Herbst 1925 – angeworben von dem früheren Bauhaus-Meister Gerhard Marcks – eine attraktive Stelle an, nämlich als Fachlehrerin und künstlerische Leitung der Werkstatt für Handweberei an der Kunstgewerbeschule Burg Giebichenstein in Halle an der Saale. Unter den zahlreichen früheren Bauhäuslern, die an die »Burg« strömten, war auch ihr früherer Kommilitone Heinrich Koch, der in der Bau-

> **Geboren:** Benita Koch, 23. Mai 1892 in Stuttgart (Deutschland)
> **Gestorben:** 26. April 1976 in Bielefeld (Deutschland)
> **Immatrikuliert:** 1920
> **Stationen ihres Lebens:** Deutschland, Tschechoslowakei

OBEN RECHTS **Benita Koch-Otte,** ca. 1925–1929.

RECHTS **Benita Koch-Otte, Teppich für ein Kinderzimmer, 1923.**

haus-Kapelle Saxophon spielte. Beide heirateten 1929, worauf sich Koch zunächst als Fotografie-Student an der »Burg« einschrieb und später sogar der Abteilung Fotografie vorstand. Wie allen ehemaligen Bauhäuslern in Giebichenstein wurde dem Paar mit der Machtübergabe an das NS-Regime schon im Mai 1933 gekündigt und beide aus dem Hochschuldienst entlassen. Mit dem Umzug nach Prag in Kochs Herkunftsland endete für seine Ehefrau zunächst die Berufstätigkeit als Weberin – Koch fand eine Stelle als Fotograf am Nationalmuseum, um dort ein Fotoarchiv aufzubauen, und verpflichtete seine Frau als Mitarbeiterin.

Als Heinrich Koch 1934 bei einem Unfall ums Leben kam, war Benita Koch-Otte erneut gezwungen, sich eine neue Existenz aufzubauen. Sie aktivierte alte Kontakte und übernahm die Leitung der Weberei in den Von Bodelschwinghschen Anstalten Bethel. Parallel dazu legte sie 1937 ihre Meisterprüfung vor der Handwerkskammer Bielefeld ab. Sie entschied sich für ein Wirken im Dienste der kranken, behinderten und langzeitarbeitslosen Menschen in der Einrichtung, auch wenn dies die Abkehr von der Moderne und eine permanente Gratwanderung – und manchen Kompromiss – im Umgang mit den Machthabern bedeutete. Der neusachliche Fotograf Albert Renger-Patzsch dokumentierte 1937 in einer Fotoserie den W000 und lichtete dabei auch die Kranken ab, die spätestens mit dem Beschluss des NS-Euthanasieprogramms zum Politikum wurden. Koch-Otte blieb der christlich-karitativen Lebenseinstellung immer treu und wandte sich dem Katholizismus zu; ihre therapeutische Arbeit und die Ausbildung von Lehrlingen und Gesellen führte sie auch noch nach ihrer Pensionierung 1957 fort.

Lou Scheper-Berkenkamp

Zauberer und Gaukler, Engel, fantastische Tiere und andere rätselhafte Wesen – der Bilderkosmos der Malerin Lou Scheper-Berkenkamp sprüht vor Ideenreichtum und verleiht dem Werk dieser Bauhaus-Studentin der ersten Stunde seine ganz eigene Faszination. Obwohl sie sich nach den Erinnerungen der Familie »ganz bewusst in den Schatten ihres Ehemannes Hinnerk Scheper gestellt und ihren Ehrgeiz drauf ausgerichtet hatte, dessen Leistungen als Bauhauslehrer, Farbgestalter und Denkmalpfleger von Berlin in das rechte Licht zu rücken«, arbeitete sie Zeit ihres Lebens künstlerisch – mal im Licht der Öffentlichkeit, aber häufiger im Verborgenen. Ihr bekanntes Bonmot von 1930, sie würde es bevorzugen, eher »auf luftlinien zu balancieren als auf dogmen zu sitzen«, verdeutlicht gut ihre Sehnsucht nach Unabhängigkeit.

Geboren als Tochter eines Weseler Tütenfabrikanten wollte Hermine Louise Berkenkamp, genannt »Lou«, ursprünglich Germanistik oder Medizin studieren. Aber ihre Zeichenlehrerin Margarete Schall, später selbst für ein Semester am Bauhaus Dessau eingeschrieben, empfahl ihr eine Ausbildung an der für ihre fortschrittlichen Konzepte bekannten Kunstschule. In Weimar nahm Lou 1920 ihr Studium auf, und ihre ersten, verspielten Skizzen erinnern mit den fein ziselierten, getuschten Schriftelementen deutlich an die Arbeit ihres Lehrers Paul Klee. Allerdings scheint sie genauso an den Privatkursen des de-Stijl-Gründers Theo van Doesburg teilgenommen zu haben, zu dessen streng funktionalistischen Konstruktionen kaum ein größerer Gegensatz denkbar ist als die mystischen Aquarelle der jungen Bauhäuslerin.

Sie wählte zur Vertiefung die Ausbildung in der Werkstatt für Wandmalerei – durchaus außergewöhnlich am frühen Bauhaus, wo Frauen häufig in der als »Frauen-Klasse« eingerichteten Weberei unterkamen. Sie wirkte dort Ende 1921 auch an wichtigen Auftragsarbeiten wie der Ausmalung der Häuser Sommerfeld und Stöckle in Berlin mit. In den Kursen lernte sie Hinnerk Scheper kennen, der als gelernter Malergeselle schon 1922 seine Meisterprüfung abgelegt hatte und den sie am Heiligabend desselben Jahres heiratete. Damit schied sie auch vorübergehend aus dem Bauhaus aus, um Ende des Jahres 1923 den ersten Sohn Jan Gisbert auf die Welt zu bringen. Sie lebte anschließend wieder im Elternhaus in Wesel und entwickelte dort die Gewohnheit, ihrem Ehemann aufwändige Bilderbriefe zuzuschicken, die kalligrafische Elemente und gezeichnete Vignetten zu komplexen Arrangements vereinen.

Geboren: Hermine Louise Berkenkamp, 15. Mai 1901 in Wesel (Deutschland)
Gestorben: 11. April 1976 in Berlin (Deutschland)
Immatrikuliert: 1920
Stationen ihres Lebens: Deutschland, Sowjetunion (UdSSR)

OBEN RECHTS Lou Scheper-Berkenkamp, Illustrierter Brief an Hinnerk Scheper, 1925, Tusche und Aquarell.

RECHTS Lou Scheper-Berkenkamp, ca. 1935.

Mit der Berufung Schepers zum Leiter der Werkstatt für Wandmalerei im Bauhaus-Neubau bezog die Familie zunächst eine Wohnung in Dessau, bevor sie 1927 in das Meisterhaus der Muches einziehen konnte. Obwohl zwischenzeitlich mit Tochter Britta ein zweites Kind geboren wurde, schrieb sich Lou Scheper-Berkenkamp erneut als Studierende ein, und zwar in der Bühnenwerkstatt unter Oskar Schlemmer. Sie entwarf Bühnenbilder und Kostüme, wirkte aber genauso als Darstellerin an den Aufführungen mit. Sie war an der Gruppenausstellung *Junge Bauhausmaler* in Halle an der Saale (1928) beteiligt und begleitete im Sommer 1929 ihren Ehemann für ein Jahr nach Moskau, als dieser vom Bauhaus beurlaubt wurde, um eine Entwurfsabteilung und eine zentrale Beratungsstelle für Farbe in der Architektur aufzubauen. Dabei unterstützte sie ihn, fand aber auch die Zeit, um Artikel für das deutschsprachige Wochenblatt *Moskauer Rundschau* zu verfassen und Skizzen wie die der »Normen-Menschen männlichen und weiblichen Geschlechts« anzufertigen. Beide Kinder waren während dieser Zeit in einem Berchtesgadener Kinderheim untergebracht, bis die Familie 1931 wieder in Dessau vereint war – nur um bald schon die Schließung des Bauhauses, seine Wiedereröffnung in Berlin und die endgültige Auflösung mitzuerleben.

Lou Scheper-Berkenkamp unternahm mit ihrem Mann ausgedehnte Reisen, deren Fotoreportagen das Paar – durchaus erfolgreich – an Agenturen verkaufen konnte. Als Hinnerk Scheper 1934 die Aufnahme in den Reichsverband der Deutschen Bildberichterstatter verwehrt wurde, versiegte auch diese Einnahmequelle. Von Berlin aus nahm er Aufträge für Messestände, Wandmalereien und Farbgestaltungen an, während seine Frau nur gelegentlich künstlerisch tätig war und den 1938 geborenen Sohn Dirk aufzog. In den letzten Kriegsjahren begann sie mit der Anfertigung handgemalter Kinderbücher, die später auch im Leipziger Verlag von Ernst Wunderlich erschienen – leider ohne den erhofften Publikumserfolg. Es entstanden freie Arbeiten, und Lou Scheper-Berkenkamp engagierte sich zunehmend im Kunstbetrieb; zunächst als Mitglied im Zehlendorfer Kunstbeirat, dann im Berufsverband Bildender Künstler und 1951 als Gründungsmitglied der Berliner Künstlervereinigung Der Ring.

Mit dem Tod von Hinnerk Scheper änderte sich 1957 die Situation erneut, und sie kehrte wieder zu den Ursprüngen ihrer Ausbildung am Bauhaus zurück: Lou Scheper-Berkenkamp übernahm Auftragsarbeiten als Beraterin in Farbgestaltungsfragen und wirkte an mehreren Großprojekten mit, darunter der Ausgestaltung des Germanischen Nationalmuseums in Nürnberg, der Berliner Philharmonie und des Flughafens Berlin-Tegel. Ihr überraschender Tod im Alter von 75 Jahren riss sie mitten aus einem Projekt – den Farbkonzepten für Hans Scharouns Staatsbibliothek in Berlin.

Lore Leudesdorff-Engstfeld

Welch Ironie und gleichzeitig Tragik des Schicksals: Jene Augen, die der Berliner Szene-Fotograf Otto Umbehr (»Umbo«) in den 1920er-Jahren unsterblich machte, erloschen viel zu früh und ließen die frühere Bauhaus-Studentin Lore Leudesdorff ihres wichtigsten Sinnesorgans beraubt zurück. Sie blieb aber auch nach dem Verlust ihres Augenlichts weiterhin künstlerisch aktiv, schuf Radierungen und Bronzen, deren Räumlichkeit sie ertasten konnte. Zuvor hatte sie eine Karriere als Textildruck-Designerin begonnen und damit die vom Bauhaus propagierte Hinwendung zur industriellen Berufspraxis erfolgreich gemeistert. Dennoch gehört Leudesdorff, obwohl Walter Gropius sie später einmal als »eine der Ursäulen des Bauhauses« bezeichnen sollte, zu den Studierenden, die von der klassischen Bauhaus-Rezeption weitgehend übergangen wurden – weil von ihr nur wenige Arbeiten überliefert sind und ihr Œuvre eher untypisch ausfällt.

Hortense Lore Leudesdorff wurde in eine wohlhabende Kaufmannsfamilie aus Wuppertal-Elberfeld hineingeboren, die mit dem frühen Tod des Vaters 1908 einen sozialen und finanziellen Niedergang erlebte. Ihre Mutter konnte den gewohnten Lebensstandard erst mit einer zweiten Ehe wiederherstellen, weshalb Lore und ihre Schwester Senta mehrere Jahre in einem Kölner Kinderheim verbringen mussten. August Engstfeld, Prokurist der Essener Steinkohlewerke, nahm die beiden Kinder auf; Lore besuchte das Städtische Mädchengymnasium in Essen, verließ es jedoch Ostern 1920 ohne Abitur. Zuvor war sie, vermutlich aufgrund von Masern und eines Mangels an Vitamin A, schon für rund eine Woche vorübergehend erblindet – während der entbehrungsreichen Kriegsjahre nicht ungewöhnlich. Anschluss fand sie im christlichen Flügel der Jugendbewegung um Johannes Lilje, nach dem Krieg Landesbischof von Hannover, und Adolf Grimme, dem späteren SPD-Kultusminister und NWDR-Direktor.

Nach einem kurzen Intermezzo an der Kunstgewerbeschule Elberfeld siedelte Leudesdorff 1921 nach Darmstadt über, weil sie sich für ein Studium an der Technischen Universität interessierte. Wegen des fehlenden Abiturs wurde sie nicht zugelassen, aber vielleicht hat sie ihr direkter Nachbar, der Architekt Adolf Metus Schwindt, auf die Studienmöglichkeiten am Bauhaus aufmerksam gemacht.

Statt der Hochschulreife entschied dort der Meisterrat über die Eignung, und da Lore Leudesdorff seit ihrer Kindheit gemalt hatte, konnte sie sich zum Wintersemester 1921/1922 am Bauhaus Weimar einschreiben und den Vorkurs bei Johannes Itten besuchen. Die erfolgreiche Teilnahme beschei-

Geboren: Hortense Lore Leudesdorff, 16. August 1902 in Elberfeld (Deutschland)
Gestorben: 26. August 1986 in Berlin-West (Deutschland)
Immatrikuliert: 1921
Stationen ihres Lebens: Deutschland

OBEN LINKS **Otto Umbehr (»Umbo«):** Lores Augen, 1928.

OBEN RECHTS **Lore Leudesdorff,** Schlitzgobelin, 1923.

nigte ihr der Meisterrat in seiner Sitzung am 5. April 1922, worauf sie, wie zu jener Zeit für Frauen üblich, in die Weberei-Werkstatt aufgenommen wurde.

Ihre erste Arbeit am Hochwebstuhl war ein kleiner Schlitzgobelin, der mit seiner konstruktiv-funktionalen Gestaltung die am Bauhaus seinerzeit bevorzugte harmonische Verbindung geometrischer Formen leistete. Eigentlich zu Beginn ihrer Ausbildung als Webprobe angefertigt, zeichnet diesen Entwurf schon eine durchdachte Komposition aus, die sich auf die Gestaltung der Muster und deren Farbigkeit konzentriert, die Qualität der handwerklichen Umsetzung aber eher vernachlässigt. In den Jahren 1922 und 1923 wob Lore Leudesdorff daneben einen großen abstrakten Wandbehang in hellen Pastelltönen, dessen Farbverläufe an Arbeiten von Paul Klee erinnern. Speziell an dessen Unterricht schien sie interessiert zu sein, denn Leudesdorffs Name taucht auf den Teilnehmerlisten zu seinen Vorträgen auf. Im Oktober 1922 beteiligte sie sich an einer Petition ihrer Kommilitonen, in der der Meister gebeten wurde, seine regelmäßigen wöchentlichen Kurse auch im kommenden Wintersemester aufrecht zu erhalten. In den erhaltenen Bauhaus-Alben, die die Arbeit der Werkstätten fotografisch dokumentieren, sind mehrere Schals Leudesdorffs abgebildet, die als Gardinenstoffe wie auch als Industriemuster gedient haben könnten, was ihre schlichte und preiswerte Ausführung nahelegt.

Während ihrer Zeit am Bauhaus entstanden daneben verschiedene, von ihr selbst als »abstrakt« bezeichnete Radierungen. Sie entwickelte eine Mischtechnik aus Aquarell, Tusche und Kohle, die mit ihrem Netzmotiv die am Bauhaus gelehrte textile Technik der Filetstickerei aufgreift.

Ab Februar 1923 arbeitete Leudesdorff in der Reklameabteilung des Bauhauses mit, die zu diesem Zeitpunkt gerade mit den Vorbereitungen zur ersten großen Ausstellung beschäftigt war, auf der unter anderem Leudesdorffs Schlitzgobelin und der besagte große Wandbehang prominent gezeigt wurden. Auf der Postkarte, die Kurt Schmidt zu diesem Anlass entwarf, findet sich dementsprechend auch ihr Name, neben dem anderer Lehrer und Schüler. Die Gebrauchsgrafik war freilich nie eines ihrer zentralen Interessensgebiete – es ist anzunehmen, dass dieses Engagement primär ihrer privaten Beziehung zu dem Kommilitonen Herbert Bayer geschuldet war, mit dem sie seinerzeit eine leidenschaftliche Affäre verband. Ob es sich dabei tatsächlich um ihre erste große Liebe handelte, wie es ihr Sohn später in einem biografischen Versuch festhielt, lässt sich im Nachhinein kaum mehr belegen. Jedenfalls hat sie dieser Liaison in ihrem autobiografisch gefärbten Roman *Unter dem weiten Himmel*, der um 1970 im Düsseldorfer Bour Verlag in kleiner Auflage erschien, einige längere Passagen gewidmet, in der Bayer unter dem Namen »Bruno« auftritt:

> Wenn sie die Augen schloß, sah sie Brunos Gesicht über sich, ganz dicht. Seine grünen Augen mit den schwarzen Wimpern – den vollen Mund mit den blitzenden Zähnen. Sie träumte ihr Gesicht in seine Hände hinein. Sie träumte ihren Körper an den seinen geschmiegt. Sie träumte sich eins mit ihm zu sein. Alle Gefühle ihres Leibes und ihrer Seele waren nur noch auf ihn gesammelt. Bruno! (…) Es waren drei wunderbare Jahre am Bauhaus. Das Studium, die Bauhausluft, Bruno. Wir waren ganz füreinander da.

Die Beziehung endete allerdings schon im Sommer 1923, als Bayer zu seiner einjährigen Wanderschaft durch Italien aufbrach und zuvor seine zukünftige Gattin Irene Hecht kennengelernt hatte, mit der er einen stürmischen Briefwechsel pflegte. Sie tritt in Leudesdorffs Schlüsselroman als herrische Ungarin auf, die ihr am ersten Tag am Bauhaus den Mann wegnimmt – für ihr literarisches Alter Ego der Grund, die Zelte in Weimar abzubrechen.

Tatsächlich unterbrach Lore Leudesdorff ihre Ausbildung am Bauhaus im Herbst 1923, um – ähnlich wie vor ihr schon Gunta Stölzl und Benita Koch-Otte – für ein Semester an der Textilfachschule Krefeld zu studieren. Vermutlich entdeckte sie hier ihre Begabung für Färberei und Textildruck, die später noch eine wichtige Rolle in ihrem Berufsleben spielen sollten. Nach insgesamt acht Semestern, so dokumentieren es spätere Bescheinigungen, verließ Lore Leudesdorff 1924/1925 das Bauhaus – zwar ohne formalen Abschluss, wie es bei Absolventinnen der Weberei üblich war, für die die lokale Handwerkskammer keine Gesellenprüfung anbot, aber mit einer »umfassenden Berufsausbildung«, wie Gropius ihr bescheinigte.

Die spielte in ihrem Leben zunächst keine größere Rolle, denn ab Herbst 1925 lebte Leudesdorff in Berlin als berufliche und private Partnerin des Avantgarde-Filmers Walter Ruttmann. Über drei Jahre hinweg war sie, wie filmhistorische Untersuchungen belegen, maßgeblich an dessen Pro-

»Dann habe ich diese Hintergründe im *Prinzen Achmed* gemacht – die meisten sind von mir – weil Ruttmann die Ideen hatte, aber er konnte die Ausführung nicht machen.«

Lore Leudesdorff

OBEN **Lore Leudesdorff und ihr Sohn René, 1930er-Jahre.** Fotografie von Ré Soupault.

LINKS **Aushangfoto für** *Berlin – die Sinfonie der Großstadt.* Fotomontage, 1927.

duktionen beteiligt, die heute als Klassiker des Genres gelten: Von den abstrakten Formenspielen, die Lotte Reinigers Scherenschnittfilm *Die Abenteuer des Prinzen Achmed* (1926) einleiten, über die Trickfilme *Opus III* und *Opus IV* (1925) bis hin zu der abendfüllenden Dokumentation *Berlin – die Symphonie der Großstadt* aus dem Jahre 1927; auch an mehreren handkolorierten Reklamestreifen im Auftrag von Julius Pinschewers Werbefilm GmbH war sie beteiligt. Gefragt waren hier vor allem ihre zeichnerischen Fähigkeiten, wie sie in einem Interview betonte: »Dann habe ich diese Hintergründe im *Prinzen Achmed* gemacht – die meisten sind von mir – weil Ruttmann die Ideen hatte, aber er konnte die Ausführung nicht machen.« Manche Neuerung, wie etwa die Animation von Textelementen, wird heute Leudesdorff zugeschrieben, und auch die organisatorische Abwicklung des Berlin-Films mit seinem komplexen Produktionsablauf schien in ihren Händen gelegen zu haben.

Künstlerisch und ästhetisch lagen beide auf einer Wellenlänge, weshalb der gesundheitlich oft angeschlagene und wenig disziplinierte Ruttmann seiner Lebensgefährtin immer mehr Arbeiten überließ. An den Einkünften beteiligte er Leudesdorff, die noch immer von ihrer Familie unterstützt wurde, allerdings nicht, und ihre Urheberschaft wurde auch im Vorspann der Filme geflissentlich übergangen. Ihre immense Bedeutung für das Zustandekommen dieser Meilensteine der Filmgeschichte wurde erst in den 1960er- Jahren deutlich, als sie im Mai 1968 eine eidesstattliche Erklärung in einem Rechtsstreit abgab, der sich eigentlich mit der Rolle von Karl Freund, 1926/1927 Direktor der Fox-Filmgesellschaft, befasste:

Das Drehbuch hat Ruttmann mit mir zusammen geschrieben, eine Reihe von Ergänzungen und Abrundungen stammen von mir allein. (…) Ruttmann hatte ursprünglich gewünscht, daß ich aufgrund meiner engen Zusammenarbeit mit ihm im Vorspann des Films mit erwähnt würde, denn ich hatte die Herstellung dieses Films von Anfang an in allen Phasen und Einzelheiten miterlebt und insbesondere den technisch-organisatorischen Teil selbstständig geleitet. Beim Schnitt assistierte ich Ruttmann.

Später konkretisierte sie noch, das Drehbuch zusammen mit Ruttmann geschrieben zu haben. Er habe zwar die Ideen beigesteuert, sie aber das Ganze »akkurat ausgerichtet«, wofür ihm die Geduld gefehlt habe. Ihre Rolle ging damit deutlich über die einer bloßen Assistenz hinaus, und angesichts ihrer verantwortungsvollen und produktionstragenden Aufgaben hätte ihr zweifellos eine namentliche Erwähnung im Vorspann zugestanden.

Es hieß dann, Karl Freund habe darauf bestanden, neben Ruttmann als Regisseur genannt zu werden und hätte sich andernfalls aus der Finanzierung des Films zurückgezogen.

Nach der beruflichen und privaten Trennung von Walter Ruttmann war Lore Leudesdorff kurzzeitig mit Jorge Fulda, Inhaber eines Berliner

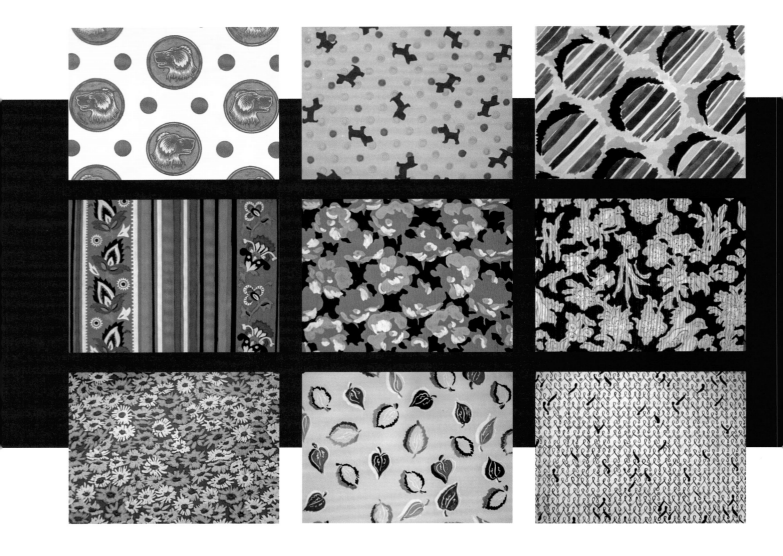

OBEN **Lore Leudesdorff, Entwürfe für Stoffmuster, nach 1945.**

Fotostudios, liiert, woraus der am 18. Februar 1928 geborene Sohn René hervorging. Noch im selben Jahr heiratete Lore Leudesdorff den Stoffgroßhändler Martin Wiener und entwarf für dessen Firma Haweco Stoffdruckmuster, bevor sie sich 1932 wieder von ihrem Ehemann trennte und sich mit einem eigenen Atelier selbstständig machte. Bis in die Nachkriegszeit hinein galt sie als eine der gefragtesten Gestalterinnen für solche Textilien, die – ganz im Sinne des Bauhauses – in Serienproduktion für den Massenbedarf gefertigt wurden, in ihrem Design allerdings nur noch wenig mit der Formensprache des Bauhauses zu tun hatten. Alle Entwürfe aus der Zeit vor dem Zweiten Weltkrieg gelten heute als verloren, da Bombenschäden die Archive ihrer wichtigsten Kunden vernichtet haben und ihre eigenen Belege bei der Besetzung ihrer Wohnung durch amerikanische Soldaten vernichtet wurden.

Während der NS-Zeit war Leudesdorff als Entwerferin gezwungenermaßen Mitglied der Reichskammer der bildenden Künste, mit deren Genehmigung sie mehrere Schüler im Textildruckdesign unterrichtete, aber nie Mitglied in der NSDAP.

Nach Angaben ihres Sohnes war ihre persönliche Haltung gegenüber dem Regime zwiegespalten; einerseits begrüßte sie die Erfolge der neuen Wirtschaftspolitik, während sie jegliche Form politischer Gewalt als absto-

Bend empfand. Sie leistete keinen organisierten Widerstand, aufgrund ihrer ethischen und moralischen Prinzipien half sie aber verfolgten jüdischen Nachbarn bei der Ausreise, leistete Schleuserdienste und übernahm Kurierfahrten in die Schweiz für eine Widerstandsgruppe, der eine ihr bekannte Oberin des Deutschen Roten Kreuzes angehörte.

Gleichzeitig war sie seit September 1939, dem ersten Kriegsmonat, mit dem Ingenieur Fritz Ribbentrop verheiratet, einem weitläufigen Verwandten des Reichsaußenministers. Zunächst konnte sie weiterhin ihre Textilentwürfe verkaufen, arbeitete ab Mai 1940 aber ein knappes halbes Jahr in der Berliner Buchhandlung Gsellius als Verkäuferin, um nicht für einen Kriegsarbeitseinsatz verpflichtet zu werden. Nachdem sie sich als Freiwillige beim Deutschen Roten Kreuz gemeldet hatte, wurde Leudesdorff außerdem als Schwesternhelferin ausgebildet und in verschiedenen Berliner Lazaretten eingesetzt, wofür ihr das Kriegsverdienstkreuz II. Klasse verliehen wurde. Durch eine Infektion in einem wegen Scharlachs unter Quarantäne gestellten Lager zog sie sich 1943 eine Aderhautentzündung im Auge zu, die nach und nach zur Erblindung führte. Schon 1952 war ihre Sehkraft so schwach geworden, dass sie ihre Entwurfstätigkeit einstellen musste. Sie organisierte ihren Alltag neu, und um weiterhin künstlerisch tätig zu bleiben, begann sie Techniken anzuwenden, die sie mit den Fingern ertasten konnte. Sie widmete sich der schon am Bauhaus erlernten Kaltnadelradierung und dem Bronzeguss von Plastiken und Reliefs. Anerkannt wurden diese Arbeiten durch kleinere Ausstellungen. In ihren letzten Lebensjahren kümmerte sich Leudesdorff primär darum, den Kontakt zu ehemaligen Bauhaus-Angehörigen zu pflegen. Nach zwei Schlaganfällen verstarb sie im August 1986 in ihrer Berliner Wohnung.

OBEN **Lore Leudesdorff mit ihrem Blindenhund, 1970er-Jahre.**

UNTEN **Lore Leudesdorff,** *Basko* **(Bronzeguss, undatiert).**

Ré Soupault

Erst als die Faschisten in Tunesien ihren Mann Philippe verhafteten und Ré Soupault ihn tot glaubte, brach sie zusammen. »Deshalb, so glaube ich, kann ich nicht mehr weinen. In dem Moment habe ich all meine Tränen vergossen.« Als Frau mit vielen Namen – Erna Niemeyer, Ré Richter und Renate Green –, bereiste Ré Soupault die Welt und wurde zu einer zentralen Figur der Avantgarde. Sie arbeitete für den Film, als Modedesignerin, Fotografin und auch als Übersetzerin und Schriftstellerin. Aber alles begann mit dem Bauhaus.

Erna Niemeyer – so hieß sie, bis Kurt Schwitters sie 1924 »Ré« nannte – entstammte einer konservativen Familie in Bublitz, Pommern, dem heutigen Bobolice in Polen. »In der Hoffnungslosigkeit dieses Kriegsendes war alles grau; nirgends ein Lichtblick. Da zeigte mir Fräulein Wimmer, meine Zeichenlehrerin – die einzig vernünftige Person an der Schule – das Manifest von Gropius. Das Bauhaus. Da war eine Idee, mehr noch, ein Ideal: keinen Unterschied mehr zwischen Handwerkern und Künstlern. Alle zusammen, in einer neuen Gemeinschaft, sollten wir die ›Kathedrale‹ der Zukunft bauen. Da wollte ich mitmachen.« Niemeyer war erst zwanzig Jahre, als sie sich im Frühjahr 1921 im Bauhaus einschrieb und den Vorkurs bei Johannes Itten begann. Sie erinnerte sich: »Bei Itten geschah etwas, was uns befreite. Wir lernten nicht malen, sondern lernten neu sehen, neu denken und zugleich lernten wir uns selber kennen.« Sie interessierte sich für Ittens hybride, vom Zoroastrismus beeinflusste religiöse Lehre namens Mazdaznan und studierte Sanskrit. Die revolutionäre Atmosphäre des Bauhauses beeinflusste Niemeyer so nachhaltig, dass ihre Familie sie für verrückt erklären ließ, um sie nach Hause zu holen. Walter Gropius konnte sie jedoch vom Gegenteil überzeugen und so kam Niemeyer 1922 in die Weberei. Sie webte Sanskritsätze in einen Teppich, der später in der Ausstellung *Staatliches Bauhaus* (1923) ausgestellt und verkauft wurde.

Durch ihren Bauhaus-Freund Werner Graeff lernte Niemeyer 1923 den schwedischen Experimentalfilmemacher Viking Eggeling in Berlin kennen und ging eine Beziehung mit ihm ein. Sie ließ sich vom Bauhaus beurlauben, arbeitete ein Jahr als Eggelings Assistentin und erlernte die Grundlagen des Filmens. Sie half ihm bei der Fertigstellung von *Diagonal-Symphonie*, der heute als einer der wichtigsten abstrakten Filme gefeiert und von Niemeyer als »optische Musik« beschrieben wurde. Völlig erschöpft, krank und unterernährt kehrte sie nach Weimar zurück und erfuhr kurz darauf, dass Eggeling schwer krank war. Sie reiste zur Erholung nach Italien. Nach

Geboren: Meta Erna Niemeyer, 29. Oktober 1901 in Bobolice (Polen)
Gestorben: 12. März 1996 in Versailles, Yvelines (Frankreich)
Immatrikuliert: 1921
Stationen ihres Lebens: Deutschland, Italien, Frankreich, Norwegen, Spanien, Großbritannien, USA, Tunesien, Algerien, Marokko, Mexiko, Guatemala, Panama, Kolumbien, Peru, Chile, Argentinien, Brasilien, Schweiz, Kanada

RECHTS Ré Soupault, Selbstporträt vor dem Haus des Fotografen Georg von Hoyningen-Huene, Tunesien, 1939.

UNTEN RECHTS Renate Green (Ré Soupault), Teile aus einem Modefilm, *Tanz-schuhe beim Charleston.*

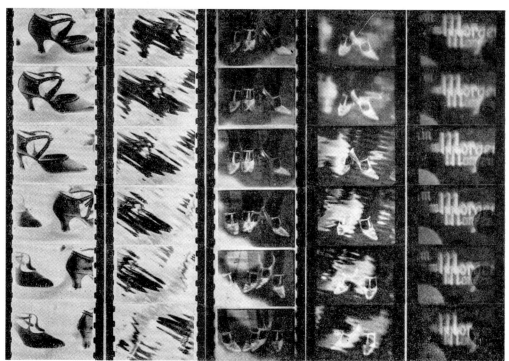

Eggelings Tod 1925 drehte Niemeyer eigene Filme, darunter einen *Mode-film*, aus dem sie Bilder von Tanzschuhen und Füßen extrahierte, die sie zu einem neuen Bild zusammenfügte. Dieses Bild wurde in Hans Hildebrandts 1928 erschienenem Buch über Künstlerinnen veröffentlicht, in dem sie als Renate Green geführt wurde – unter dem Namen, den Niemeyer für sich in der Kunst und im Journalismus gewählt hatte.

1926 heiratete sie den Dadaisten Hans Richter, den sie bereits 1922 am Bauhaus kennengelernt hatte. Ihre Wohnung in Berlin wurde zu einem Zentrum der Avantgarde, wo sie mit Freunden wie Sergei Eisenstein, Ludwig Mies van der Rohe und Fernand Léger verkehrten. Ré Richter begann als Modejournalistin für die Zeitschrift *Sport im Bild* zu arbeiten. 1927 trennte sich das Paar – die Ehe wurde erst 1931 geschieden – und sie ging nach Paris, um als Modekorrespondentin zu arbeiten. Sie wurde rasch in die avantgardistischen Kreise aufgenommen; zu ihren Freunden gehörten Fernand Léger, Man Ray, Lee Miller, Kiki de Montparnasse und Florence Henri, die hinreißende Halbaktfotos von ihr anfertigte.

Angesichts ihrer Bauhaus-Qualifikationen und ihrer Arbeit in der Modewelt war es nur eine Frage der Zeit, bis Ré selbst als Designerin arbeitete. Der amerikanische Millionär Arthur Wheeler, den sie auf einer Geburtstagsfeier für Kiki de Montparnasse kennengelernt hatte, war beeindruckt von Rés »umwerfendem Aussehen« und finanzierte ihr das Modeatelier Ré Sport. Das Atelier, von Mies van der Rohe eingerichtet (zu der Zeit Direktor des Bauhauses), eröffnete 1931, doch bereits 1930 hatte sie ihr originellstes Teil entworfen: das Transformationskleid. Es war ein Kleidungsstück für die modische berufstätige Frau und konnte in zehn verschiedene Looks verwandelt werden. »Ich ging immer von einer konkreten Idee aus: eine Sekretärin oder eine Verkäuferin usw., die abends, nach der Arbeit ausgehen möchte, aber nicht vorher nach Hause gehen kann, verwandelt ihr Kleid.« Sie erdachte Kleidungsstücke für die »Neue Frau«, wie sie selbst eine war, und schuf weitere wandelbare Garnituren. Ihre Hosenröcke waren für berufstätige Frauen konzipiert, die nach der Arbeit noch Sport trieben oder ohne großes Gepäck übers Wochenende verreisen wollten. Rés Bekleidungsentwürfe wurden im Designmagazin des Werkbundes *Die Form* abgebildet und ihre Kollektionen von Man Ray fotografiert und in Warenhäusern verkauft. Die Modejournalistin Helen Grund schrieb in der Beilage *Für die Frau* der *Frankfurter Zeitung*, dass Renate Greens Kleider »nach völlig neuen sozialen Prinzipien entworfen« waren.

Nachdem Wheeler bei einem Autounfall ums Leben gekommen war, musste Ré Sport 1934 schließen. Ré hielt sich mit Privataufträgen und journalistischer Arbeit über Wasser. Bereits 1933 hatte sie an der russischen Botschaft den surrealistischen Dichter und Journalisten Philippe Soupault kennengelernt. 1934 reiste sie mit ihm in ihrem alten Renault durch Europa und machte die Fotos zu seinen Artikeln. Der Wechsel von der Filmkamera zu einer Rolleiflex 6×6 und später zu einer Leica fiel ihr nicht allzu schwer, zumal Man Ray ihr einige passende Ratschläge gab. Sie fotografierte 1936 Men-

UNTEN **Ré Soupault,** *Kinder in Madrid*, 1936.

OBEN **Ré Soupault, Ohne Titel, Quartier Réservé in Tunis, 1939.**

schen in Spanien, als das Land in den Bürgerkrieg taumelte. Der Schnappschuss eines kleinen süßen Mädchens, das trotzig die Faust hebt und damit die Geste der Arbeitersolidarität der Erwachsenen imitiert, hält den Moment fest, den Ré später als »magische Sekunde« bezeichnen wird, ein charakteristisches Kennzeichen ihrer Arbeit.

Die Soupaults heirateten 1937 und Ré nahm den Namen an, den sie für den Rest ihres langen Lebens tragen würde. 1938 zog das Ehepaar nach Tunesien, damals noch französische Kolonie, wo Philippe das antifaschistische *Radio Tunis* gründete. In Tunesien fotografierte Ré Auswanderer, Nomaden, Pilger und den Palast des tunesischen Monarchen. Die französische Regierung erwarb ihre Fotografien für wenig Geld. »So kam es, daß ich manchmal in Zeitungen und Zeitschriften unter einem fremden Namen meine Fotografien wiedersah!« Sie erhielt die seltene Erlaubnis, zwei Tage in Begleitung eines örtlichen Polizisten im »Quartier Réservé« von Tunis zu fotografieren – dem geschlossen Viertel der Frauen, die von der Gesellschaft verstoßen waren oder als Prostituierte arbeiteten. Soupault fing sie in ihren fast leeren Zimmern ein, wo ihr mitfühlender Blick von den Frauen ernst oder warmherzig erwidert wird.

Im Juni 1940 entließ das neue Vichy-Regime alle Antifaschisten, darunter auch Philippe, sodass die Soupaults plötzlich ohne Einkommen dastanden. Eines Tages im März 1942 kam Philippe nicht nach Hause und Ré erfuhr kurz darauf, dass er wegen angeblichen Hochverrats verhaftet worden war. Im November des Jahres konnte das Paar das Land mit dem letzten Bus Richtung Algerien verlassen und so den vorrückenden Nazi-Streitkräften entfliehen. Sie mussten alles zurücklassen, auch Rés Fotonegative; erst Jahre später erfuhr sie von einer tunesischen Freundin, dass ein Teil ihrer Arbeit – 1.400 Negative – überlebt hatte. Die Soupaults waren bereits ein Jahr in Algerien, als General Charles de Gaulle Philippe beauftragte, eine französische Nachrichtenagentur für den amerikanischen Kontinent aufzubauen. Im Sommer 1943 kam das Paar in New York an, wo sie viele europäische Auswanderer, darunter die Bauhaus-Freunde Herbert Bayer und Marcel Breuer, wiedertrafen. Sie reisten durch Zentral- und Südamerika.

Bei Kriegsende und nach zahlreichen gemeinsam durchstandenen Strapazen trennten sich die Soupaults. Ré blieb in New York in Max Ernsts alter Wohnung und arbeitete als Reisejournalistin. 1946 kehrte sie nach Paris zurück. Da ihr das Geld für eine Kamera fehlte, begann sie eine neue Karriere als angesehene Übersetzerin. Nachdem sie seit 1943 mehr als vierzig Mal umziehen musste, war sie froh, sich 1948 im schweizerischen Basel niederzulassen. Sie kaufte eine gebrauchte Kamera und fotografierte 1950 eine letzte Reportagereihe über deutsche Flüchtlinge aus den Ostgebieten, dem heutigen Polen. Zusammen mit Philippe drehte Ré 1967 einen Film über Wassily Kandinsky. Anschließend lebten die beiden von den frühen 1970er-Jahren bis zu Philippes Tod am 12. März 1990 im selben Gebäude, jeder in seiner eigenen Wohnung. Ré selbst starb auf den Tag genau sechs Jahre später an Herzversagen in Versailles, außerhalb von Paris.

Anni Albers von Ulrike Müller

Wenn sich eine Bauhaus-Künstlerin international einen Namen gemacht hat, dann ist es Anni Albers. Von 1922 bis 1931 studierte sie am Bauhaus in Weimar und in Dessau; nachdem in Deutschland 1933 die Nationalsozialisten an die Macht gekommen waren, emigrierte sie mit ihrem Mann Josef Albers in die USA. Dort wirkte sie als freie Künstlerin und Designerin, Hochschullehrerin, Autorin und Kunstsammlerin. Konsequent führte sie dabei die Handwerkstradition der Weberei mit synthetischen Materialien, innovativen Techniken und dem geistigen Abstraktionsprozess der modernen Kunst zu einer neuen Einheit zusammen. Nach einer ersten Mexiko-Reise 1936 wurde für sie die Kunst des alten Amerika, der Maya und der Azteken zur lebenslangen Inspirationsquelle für eine Synthese aus zweckfreier Schönheit und Ökonomie. Im letzten Lebensdrittel wandte sie sich schließlich der abstrakten Grafik zu.

Anni Albers wurde 1899 als Annelise Elsa Frieda Fleischmann in Berlin in eine großbürgerliche Familie hineingeboren und protestantisch getauft. Ihre Mutter entstammte der deutsch-jüdischen Verlegerfamilie Ullstein, ihr Vater war Möbelfabrikant. 1922 führten ihre künstlerischen Ambitionen die als etwas exzentrisch und schwierig beschriebene junge Frau ans Bauhaus Weimar. Nach Anfangsschwierigkeiten in der Weberei experimentierte sie bald lustvoll mit »neuartigen Geweben, verblüffend durch Farbenfülle und Struktur«, wie sie später schrieb, und entwickelte nach und nach ihre eigene moderne Formensprache mit abstrakt-symmetrischen Motiven und streng auf ihre Grundformen reduzierten Mustern für die Industrieproduktion. Neben Wassily Kandinsky und Paul Klee war ihre Kommilitonin Gunta Stölzl, am Dessauer Bauhaus dann Meisterin der Weberei, ihre wichtigste Lehrerin. 1930 machte Anni Albers dort ihr Diplom und übernahm nach Stölzls Weggang 1931 kurzzeitig gemeinsam mit Otti Berger die Leitung der Weberei.

Die erzwungene Emigration in die USA beförderte letztlich ihre künstlerische Entwicklung. Sie lehrte wie ihr Mann zunächst am neu gegründeten Black Mountain College in North Carolina. Daneben entwarf sie Stoffe für große Firmen wie Rosenthal oder Knoll und schuf Teppiche in eigener Handweberei. Seit den 1950er-Jahren schwingt eine philosophisch-religiöse Dimension in ihrem Werk mit, auf die sie auch in ihren Büchern verweist: Materialien, Muster und Motive können die verschiedensten Zugänge zu den unendlichen Spielarten der Schöpfung eröffnen, weil sie der Wahrnehmung immer wieder andere Möglichkeiten bieten – hier als strenges Flächenmuster, da einen Raum eröffnend, dort in der Textur eines Mandalas. Anni

Geboren: Annelise Elsa Frieda Fleischmann, 12. Juni 1899 in Berlin-Charlottenburg (Deutschland)
Gestorben: 9. Mai 1994 in Orange, Connecticut (USA)
Immatrikuliert: 1922
Stationen ihres Lebens: Deutschland, USA, Mexiko

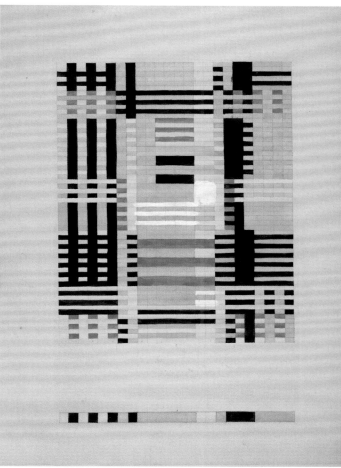

OBEN Anni Albers, 1927.

RECHTS Anni Albers, Entwurf für einen Wandteppich, 1926.

Albers setzte hier die Praxis der Inspiration fort, die für sie schon am Bauhaus der Motor zum Experimentieren gewesen war: den Dingen nicht den eigenen Willen aufzudrängen, sondern sie von sich aus wirken zu lassen.

Schon als Studentin hatte sie 1925 den Jungmeister des Bauhauses, Josef Albers geheiratet, der ihre Besessenheit von neuen Materialien wie Glas, Metall und Kunststoffen teilte. Das gemeinsame Arbeitsleben des Paares wird als äußerst diszipliniert geschildert; in der Beziehung hingegen kam es, vor allem in den USA, zu Turbulenzen. Anni ärgerte sich darüber, dass sie in der Öffentlichkeit so oft zuerst als Gattin ihres inzwischen berühmten Mannes, nicht als eigenständige Künstlerin wahrgenommen wurde. Doch das änderte sich allmählich, als ihr das Museum of Modern Art in New York 1949 – als erster Weberin überhaupt – eine Einzelausstellung widmete. 1965 erhielt sie vom New Yorker Jewish Museum den Auftrag für eine Arbeit zum Gedenken an die Holocaust-Opfer (»Six Prayers«), 1975 waren ihre Arbeiten erstmalig im Kunstmuseum Düsseldorf und am Bauhaus-Archiv Berlin zu sehen, 1986 folgte im Smithsonian Institute Washington die bis dahin umfassendste Werkschau. Von Mexiko bis Tokio, von Venedig bis New York wurde ihr Werk bis heute weltweit in 111 öffentlichen Ausstellungen gezeigt. Im Alter von neunzig Jahren, vier Jahre vor ihrem Tod am 9. Mai 1994, formulierte sie in einem Pressegespräch noch einmal die Quintessenz der frühen Bauhauszeit: »Was mich eben noch heute interessiert: daß dieses Suchen in großer Freiheit fruchtbar war – und nicht dort, wo schon eine Sprache gesprochen wird.«

Gertrud Arndt

Höchstens ein Dutzend Jahre ihres Lebens wirkte Gertrud Arndt als aktive Künstlerin – nur ein Bruchteil des knappen Jahrhunderts, dessen Zeuge sie wurde. Und doch schuf sie in dieser vergleichsweise kurzen Phase einige der eindrücklichsten Schülerarbeiten des Bauhauses: Konsequent geometrische Dessins für Textilien und Möbelstoffe, aber vor allem eine Serie von Selbstporträts in unterschiedlichen Verkleidungen, die eigentlich überhaupt nicht für die Öffentlichkeit bestimmt waren. Dass ihr unbestrittenes Talent nach der Familiengründung keinen Ausdruck mehr fand, ist als Arndts persönliche Entscheidung zu respektieren – und vielleicht eine Konsequenz der ihr verweigerten Karriere als Architektin, die sie beim Eintritt ins Bauhaus ursprünglich anstrebte.

Geboren als Gertrud Hantschk im oberschlesischen Ratibor, kam sie mit ihrer Familie erst nach mehreren Umzügen 1916 nach Erfurt. Im Jahr darauf schloss sie als 14-Jährige die Schule ab und folgte, wie so viele ihrer Generation, dem Drang nach Freiheit. Sie suchte nach einer Perspektive jenseits dessen, was die Generation ihrer Eltern vorgelebt und letztlich in die Weltkriegskatastrophe geführt hatte: Wie Christian Wolsdorff in seiner biografischen Skizze darlegt, schloss sie sich der naturromantischen Wandervogelbewegung an und rebellierte gegen bürgerliche Konventionen. Sie schnitt sich schon als junges Mädchen ihre Zöpfe ab, interessierte sich für vegetarische Ernährung und trat aus der katholischen Kirche aus. So ist auch ihr Berufswunsch Architektin, den sie damals entwickelte, als Gegenmodell zu den etablierten Geschlechterrollen jener Tage zu verstehen.

Bei dem Erfurter Architekten Karl Meinhardt, einem Mitglied des Deutschen Werkbundes, erhielt die widerspenstige junge Frau die Gelegenheit, eine Ausbildung zu absolvieren; diese umfasste allerdings primär die Bürotätigkeiten einer Kunstgewerblerin und Architekturzeichnerin, außerdem Materialberechnungen, Kostenkalkulationen und Korrespondenz sowie immerhin eigene Entwurfstätigkeiten im Bereich des Innenausbaus. Ihr Zeugnis verschweigt leider, dass Hantschk, die parallel an der Erfurter Kunstgewerbeschule Zeichenklassen besuchte, im Auftrag Meinhardts Topografien der Stadt mit einer Fotokamera dokumentierte. Zwar erschien dieses Buch nie und sämtliche Aufnahmen sind verschollen, aber das Vorhaben war eine willkommene Gelegenheit für die Autodidaktin, sich in Aufnahmetechnik und den Dunkelkammerarbeiten zu schulen.

Ein Wendepunkt im Leben der damals Zwanzigjährigen war ihre Beteiligung an Meinhardts Bau des Privathauses von Walter Kaesbach, seit eini-

Geboren: Gertrud Hantschk, 20. September 1903 in Ratibor, Oberschlesien (Deutschland; heute Raciborz, Polen)
Gestorben: 10. Juli 2000 in Darmstadt (Deutschland)
Immatrkuliert: 1923
Stationen ihres Lebens: Deutschland

OBEN Gertrud Arndt, *Maskenphoto* Nr. 37, ca. 1930. Aus einer Serie von Selbstbildnissen in Verkleidung, erst 1979 erstmalig öffentlich ausgestellt.

RECHTS Walter Gropius' Büro am Bauhaus Weimar, ca. 1923–1925; vorn ein Teppich von Gertrud Arndt, 1924. Farbdruck nach der für den Druck kolorierten Fotografie von Lucia Moholy, 1925.

ger Zeit Direktor des Städtischen Museums (dem heutigen Angermuseum) in Erfurt. Unter seinem Direktorat wurden unter anderem Werke von Wassily Kandinsky, Paul Klee und Lyonel Feininger ausgestellt, weshalb es wenig verwunderte, dass er die so ambitionierte wie talentierte Mitarbeiterin Hantschk an das Bauhaus empfahl. Schon Meinhardt hatte ihr neben einem Sinn für Rhythmus ein »gutes Form- und Farbgefühl« und eine »leichte Auffassungsgabe« attestiert, und so erhielt sie ein Stipendium der Stadt Erfurt am Bauhaus, das sie im Herbst 1923 mit der Teilnahme am Vorkurs antrat. Der Unterricht bei Klee und Kandinsky hat sie in deren Unterschiedlichkeit zeitlebens geprägt.

Im Anschluss nahm sie am Kurs »Werkzeichnen« von Adolf Meyer teil, der als nächster Schritt hin zu einer (damals noch nicht formalisierten) Architekturausbildung galt. Allerdings schien ihr dies nach der intensiven Zeit bei Meinhardt wenig Neues zu bringen, und als einzige Frau in dieser Klasse hat sie sich wohl auch nicht besonders wohlgefühlt; jedenfalls gab Georg Muches Empfehlung, eine ihrer Vorkurs-Übungen würde sich zur Umsetzung als Teppich eignen, dann den Ausschlag zugunsten dessen Webereiwerkstatt. Gertrud Hantschk, der eigenen Aussagen zufolge nie viel an der

Textilarbeit lag (»die vielen Fäden«!), unterzeichnete einen Lehrvertrag, der es ihr ermöglichte,
weitere drei Jahre in der befreienden Atmosphäre
des Bauhauses zu verbleiben. Sie ließ sich auch
zum Umzug nach Dessau überreden und legte
schließlich 1927 die Gesellenprüfung vor der We-
berinnung im sächsischen Glauchau ab.

Noch in Weimar gelangte sie sehr schnell zu
beachtlichen Fähigkeiten im Knüpfen von Teppi-
chen: Ihr erstes Stück fand auf der Verkaufsausstellung des Bauhauses in Dessau 1926 einen Ab-
nehmer, ihr zweiter ausgearbeiteter Entwurf sollte
schließlich sogar das Direktorenzimmer von Walter Gropius in Weimar zieren – ein beachtlicher
Erfolg für eine Studierende. Beide Arbeiten wurden außerdem im Bauhaus-Buch *Neue Arbeiten
der Bauhaus-Werkstätten* farbig abgebildet, weshalb man Gertrud Hantschk 1926 getrost als wichtigste Teppichgestalterin am Bauhaus bezeichnen
konnte. Wie Wolsdorff detailliert nachweist, war
die Ausführung solcher Aufträge eine lukrative
Angelegenheit für die sonst nicht immer erfolgreiche Bauhaus-Produktpalette. Nicht minder viel-
versprechend fielen ihre Webarbeiten aus, bei
denen sie von den künstlerischen Freiheiten profitierte, die der – von vielen anderen kritisierte – Leiter
Muche seinen Schützlingen gewährte. Ihre erhaltenen Stoffe für Wandbehänge und Tischdecken,
Vorhänge, Kleidung und Möbelbezüge zeugen
sowohl von handwerklicher Qualität als auch von
einem sicheren Umgang mit Farben und Mustern.

Umso verwunderlicher erscheint, dass sich Ger-
trud Hantschk mit dem Tag ihrer Gesellenprüfung entschloss, nie mehr wieder auf der Bank eines Webstuhls Platz zu nehmen. Am 27. November 1927
heiratete sie den Architekten und Bauhaus-Absolventen Alfred Arndt. Das
Paar verließ das Bauhaus und zog nach Probstzella, wo Alfred Arndt den
Ausbau des bereits im Rohbau stehenden »Hauses des Volkes« leitete – ein
Auftrag, der die Heirat erst finanziell möglich gemacht hatte. Bezeichnen-
derweise gibt es kein »offizielles« Hochzeitsfoto, dafür aber ein Foto von der
Auflösung ihres Ateliers im Dessauer Prellerhaus. Eine Woche vor ihrer
Hochzeit verfassten die Jungvermählten einen »Ehevertrag« in Collage-
form, in dem beide augenzwinkernd versprachen, sportlich zu bleiben.
Alfred Arndt sollte nach dem Wunsch seiner Gattin weniger rauchen und
das gesparte Geld in eine Reisekasse für gemeinsame Urlaube einzahlen.
Als erste Forderung für eine »vollkommene Ehe« nennt sie freilich die »völ-
lige Gleichheit der Frau neben dem Manne«.

Zumindest künstlerisch und beruflich fand dies jedoch keinen Nieder-
schlag in Gertrud Arndts weiterem Werdegang. Nach der Rückkehr nach
Dessau, wo ihr Mann 1929 von Bauhausdirektor Hannes Meyer zum Leiter
der Ausbauwerkstatt, in der Metallwerkstatt, Tischlerei und Wandmalerei
vereinigt waren, berufen wurde, bezeichnete sie sich selbst als »Nichtstue-
rin« unter den Meisterfrauen. Aus Langeweile wandte sie sich wieder ihrem

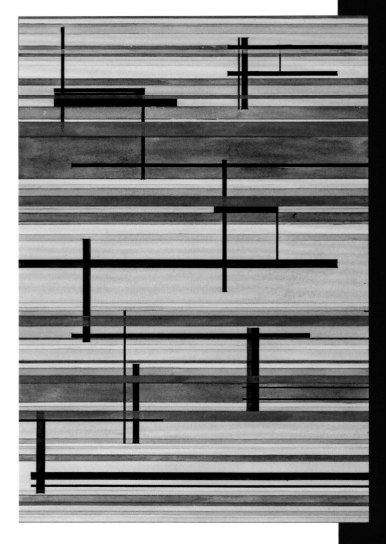

OBEN **Gertrud Arndt,
Vorzeichnung für einen
Wandteppich in Rottönen,
ca. 1926, Aquarell und
Tusche über Bleistift auf
Papier.**

RECHTS **Ehevertrag zwi-
schen Gertrud und Alfred
Arndt, Dessau, 20. Novem-
ber 1927, Collage auf
Papier.**

alten Hobby, der Fotografie, zu: Mit einer 1926 erworbenen Kamera fertigte sie einige Sachfotografien, Porträts ihrer Freundin Otti Berger und insbesondere jene Serie von 43 Selbstbildnissen in Verkleidung an, die sie später als *Maskenphotos* bezeichnete. Diese Facette ihres Schaffens blieb der Öffentlichkeit allerdings verborgen, bis die Fotos 1979 zum ersten Mal in einer Ausstellung gezeigt wurden.

Auch das Fotografieren gab sie spätestens mit der Geburt ihrer Tochter Alexandra 1931 auf; Sohn Hugo folgte 1938. Nach der Schließung des Bauhauses zog die Familie Arndt im Frühjahr 1933 wieder zurück in die thüringische Provinz nach Probstzella, wo ihr Ehemann als Architekt in einer Kleinstadt keinen leichten Stand hatte und Gertrud Arndt neben der Haushaltsführung und der Kindererziehung als Bürokraft für ihren Ehemann arbeitete – und damit zu dem zurückkehrte, was sie schon bei Meinhardt in Erfurt gelernt hatte. Abgesehen von Arbeiten für den Hausgebrauch gibt sie jegliche künstlerische Selbstverwirklichung auf – und bei genauer Lektüre des Ehevertrages entdeckt man bereits hier die vielsagende Zeile: »Das höchste Glück / die höchste Freud / ist eine tra(u)te Häuslichkeit«. Mit der Übersiedlung 1948 aus der sowjetischen Besatzungszone nach Darmstadt wurde der Familie nochmals ein Neuanfang abverlangt, der aber das Wiedersehen mit alten Bauhausfreunden ermöglichte. Nach dem Tod Alfred Arndts 1976 wurden nicht nur die fotografischen Arbeiten seiner Frau wiederentdeckt, auch die 1994 aufgelegte »Classic«-Kollektion der Teppichfirma Vorwerk wählte einen ihrer Entwürfe für die Serienproduktion aus.

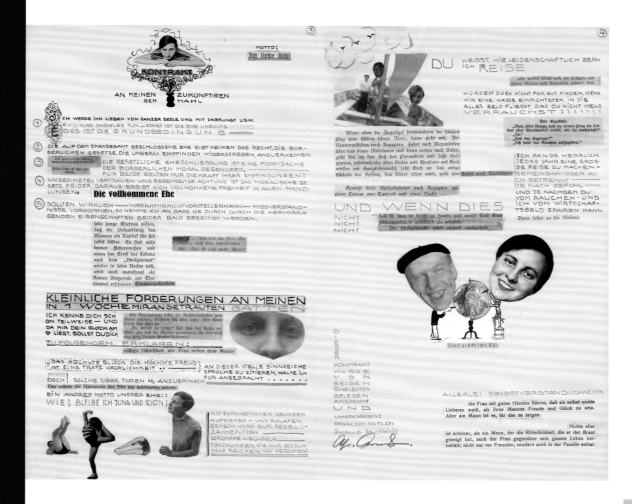

Lucia Moholy von Ulrike Müller

Geboren: Lucia Schulz,
18. Januar 1894 in Prag-Karo-
linenthal (Tschechoslowakei,
heute Tschechien)
Gestorben: 17. Mai 1989 in
Zollikon (Schweiz)
Eingetreten: 1923
Stationen ihres Lebens:
Tschechoslowakei, Deutsch-
land, Frankreich, England,
Schweiz

Ihre markant präzisen Schwarz-Weiß-Fotografien haben unser Bild der Dessauer Bauhausbauten geprägt – frontal aufgenommen oder aus einem
Winkel von 45 Grad, sodass architektonische Geraden oder Diagonalen
gestochen scharf hervortreten. Die gleiche Konzentration des Ausdrucks
strahlen ihre Porträts von Bauhäuslern aus, etwa die von der Weberin Otti
Berger oder von Walter Gropius. Bis heute sind Rezeption und Dokumentation der Bauhausgeschichte nicht vorstellbar ohne die Fotos von Lucia
Moholy, die zu den wichtigsten Fotografinnen der Neuen Sachlichkeit im
frühen 20. Jahrhundert zählt. Daneben war sie auch als Journalistin, Lektorin und Kunstkritikerin tätig. Sie besaß eine Doppelbegabung für wort-
und bildsprachlichen Ausdruck, verbunden mit einem ausgeprägten historischen Bewusstsein und einer konsequent modernen Kunstauffassung.
Zwischen 1923 und 1928 fotografierte sie systematisch Gebäude, Arbeiten
und Persönlichkeiten des Bauhauses. Darüber hinaus wirkte sie maßgeblich an fotografischen Experimenten und Publikationen von Lazlo Moholy-
Nagy mit sowie an der Edition der 14 zwischen 1925 und 1930 erschienenen
Bauhaus-Bücher.

OBEN Lucia Moholy, Selbstporträt, 1930.

Als Jüdin lebte Lucia Moholy von 1934 an in London im Exil. Dort sicherte sie ihre Existenz mühevoll durch eine Tätigkeit als freie Porträtfotografin und Autorin und erlangte gegen Ende des Zweiten Weltkrieges die britische Staatsbürgerschaft. Ab 1940 leitete und dokumentierte sie für die frisch gegründete UNESCO die Verfilmung der Archivierung von Kulturgütern in Ländern des Nahen und Mittleren Ostens. Nach ihrer Übersiedlung in die Schweiz 1959 konzentrierte sie sich als Kunstkritikerin und Zeitzeugin zunehmend auf die intellektuelle Vermittlung dessen, was wir bis heute, jenseits von Denkmalpflege und Meisterkult, als den visionären Geist des Bauhauses bezeichnen können. Bereits 1948 hatte sie in ihrem Artikel »Der Bauhausgedanke« dessen Essenz so formuliert: »Bauhaus ist nicht ›Stil‹. Nicht festgelegtes Schema, sondern aus der Kenntnis von Material, Funktion, Form, Farbe usw. hergeleiteter Ausdruck, der sich in der Zeit und mit der Zeit unentwegt weiterentwickelt.«

Obwohl Lucia Moholy mit ihrem fotografischen Werk bis heute in zahlreichen Publikationen und Ausstellungen präsent ist, bleibt ihr Bekanntheitsgrad immer noch hinter ihrer tatsächlichen Bedeutung zurück. Dafür gibt es mehrere Gründe, von denen sie den gewichtigsten bereits selbst benannt: Sie hatte an der Schule nie eine offizielle, regulär bezahlte Stellung inne, sondern wurde dort, auch in ihrer späteren Position einer selbstständigen Fotografin, stets in erster Linie als Ehefrau des Meisters Moholy-Nagy wahrgenommen. Ihr Sinn für avantgardistische Experimente, ihr Fachwissen, ihr kritischer Intellekt, ihre editorischen Leistungen, ihre großartige Fotokunst wurden zwar genutzt, aber eine kollegiale Anerkennung auf Augenhöhe unterblieb von Seiten der Bauhausmeister.

Der zweite gewichtige Grund steht in enger Beziehung zum ersten: die unschöne Geschichte über ihre angeblich auf der Flucht verloren gegangenen Negative, mit deren Hilfe emigrierte Bauhausmeister, allen voran der mit ihr befreundete Walter Gropius, faktisch seit der Schulschließung im NS-Deutschland Lehre und künstlerisches Profil des Bauhauses vor allem in den USA neu etablierten und inszenierten. Sie konnten damit ihre Karrieren aufbauen, während der Fotografin selbst ihre eigenen Werke über zwölf Jahre lang nicht zur Verfügung standen. Deswegen gelang es ihr nur teilweise, an ihre Tätigkeit für das Bauhaus anzuknüpfen, und sie verpasste die Chance, sich als Hausfotografin der Schule bleibend einen Namen zu machen. Der Wert ihrer Bilder war in der Exilsituation umso größer, als die realen Gebäude und Arbeiten der Schule seit deren Schließung 1933 nicht zugänglich waren oder nicht mehr existierten. Künstlerisch ins Abseits gedrängt, musste sie als Fotografin in London faktisch von vorn anfangen. »Alle – außer mir selbst – haben entweder direkt oder indirekt Vorteile aus der Verwendung meiner Fotografien gezogen«, klagt Lucia Moholy 1956 in einem Brief. Hartnäckig und mit anwaltlicher Hilfe erkämpfte sie schließlich einen Teil ihrer Negative und der Bildrechte zurück. Trotzdem war sie am Ende ihres Lebens nicht verbittert. Gäste erinnern sich an die Gelassenheit und den Witz der Neunzigjährigen, an ihre unverminderte Neugier auf andere.

Offenheit und Neugier hatten sie bereits als Jugendliche zu dem Entschluss geführt, Fotografin zu werden. Wie ihre Tagebuchnotizen belegen, war sie eine sehr genaue Beobachterin. Sie wollte Menschen, Dinge und Ideen genau wahrnehmen, ihnen auf den Grund gehen. Als Vertreterin der Neuen Sachlichkeit richtete sie ihre gesammelten gestalterischen Fähigkeiten darauf, ihr Gegenüber – ob Mensch oder Gegenstand – in einem konzentrierten Moment und in einer möglichst präzisen Komposition so realitätsnah wie möglich mit der Kamera festzuhalten, mit den Mitteln der Schwarz-Weiß-Fotografie seine Form, Struktur und Mentalität, seine Licht- und Schattenseiten auf die Bildfläche zu bannen. Spontane Gestaltungsideen oder künstlerische Selbstinszenierung sollten dabei keine Rolle spielen. Zu Moholys Arbeit gehörten Qualitäten, die ihrer Persönlichkeit in hohem Maße entsprachen: Anteilnahme bei gleichzeitiger Zurückhaltung, Engagement bei gleichzeitiger Distanz, eine rezeptive Form der Kreativität – all das, was es auch für gute journalistische Arbeit braucht. »Mir lag an der Sache. An ihr war ich im Tiefsten beteiligt, und ihr gegenüber war ich entsprechend kritisch«, schreibt sie in dem biografischen Fragment »Frau des 20. Jahrhunderts«. Als ruhig, ernsthaft und überlegt wird sie charakterisiert, ihrer Umgebung aufmerksam zugewandt. Menschlichen Torheiten begegnete sie mit feiner Ironie, aber Ungerechtigkeiten spürte sie ebenso beharrlich wie unnachgiebig auf. So legte sie für das Unrecht, welches ihr selbst beim Umgang mit eigenen Werken widerfahren war, eine ausführliche Fehlerkartei an – Grundlage ihres Buches *Marginalien zu Moholy-Nagy. Dokumentarische Ungereimtheiten* (1972).

Ein Blick zurück auf die biografischen Anfänge: Lucia Schulz wurde 1894 in Prag geboren, das damals zum Vielvölkerstaat Österreich-Ungarn gehörte. Ihre jüdische Herkunft spielte für sie bis zur Konfrontation mit dem Nationalsozialismus faktisch keine Rolle; das großbürgerliche Elternhaus war eher atheistisch und sozialistisch eingestellt, ihr Vater engagierte sich als Anwalt für die Armen. Die Heranwachsende begeisterte sich ebenso für die Jugendbewegung wie für den Kommunismus und veröffentlichte unter dem Pseudonym Ulrich Steffen Gedichte im expressionistischen Stil. Nach dem Besuch des Lyzeums machte Lucia 1910 ihr Abitur, studierte an der k.u.k. Frauenbildungsanstalt Englisch, Philosophie und Pädagogik und legte 1912 ihr Staatsexamen ab. Nun besuchte sie Seminare in Philosophie und Kunstgeschichte an der Prager Universität und verdiente sich nebenher in der Anwaltskanzlei ihres Vaters ihr Geld. 1915 übernahm sie die Leitung des Redaktionssekretariats bei der *Wiesbadener Zeitung,* 1917 ging sie nach Leipzig und arbeitete dort unter anderem für Kurt Wolff und beim Hyperion-Verlag, wo sie alle Stadien der Buchherstellung kennenlernte. Die Sommer 1918 und 1919 verbrachte sie – gemeinsam mit Adolf Danath, einem führenden Bremer Kommunisten – auf dem Barkenhoff Heinrich Vogelers in Worpswede. Dort machte sie auch ihre ersten Fotos. 1920 trat sie in Berlin eine Stelle beim Ernst-Rowohlt-Verlag an und verliebte sich in einen mittellosen jungen Künstler: László Moholy-Nagy. Sie nahm ihn unter ihre Fittiche, ernährte, beriet, förderte ihn. Mit ihrer beider Heirat 1921 wurde sie ungarische Staatsbürgerin. Im Herbst 1922 entwickelten sie gemeinsam die Technik des Fotogramms – die Arbeiten wurden später ausschließlich als Werke ihres Mannes berühmt, ebenso wie das gemeinsam verfasste Buch *Malerei, Fotografie, Film*, welches 1925 unter seinem Namen erschien.

Als László Moholy-Nagy von Walter Gropius zum April 1923 als Meister ans Bauhaus berufen wurde, folgte Lucia Moholy ihm nur widerstrebend nach Weimar, lieber wäre sie in der Großstadt geblieben. Während ihr Mann den Vorkurs von Johannes Itten weiterführte und die Metallwerkstatt ausbaute, ging sie bei dem Berufsfotografen Otto Eckner in die Lehre und besuchte 1924/1925 an der Leipziger Akademie für Graphische Künste und Buchgewerbe Kurse zur Reproduktionsfotografie. Nach deren Abschluss stellte sie ihr fotografisches Können und ihre Verlagserfahrung sofort in den

GANZ OBEN Lucia Moholy, *Bauhaus-Gebäude Dessau, Werkstattfassade*, 1926.

RECHTS Karte aus dem Zettelkatalog von Lucia Moholy, verwendet in *Marginalien zu Moholy-Nagy: Dokumentarische Ungereimtheiten*, 1972.

> »Mir lag an der Sache. An ihr war ich im Tiefsten beteiligt, und ihr gegenüber war ich entsprechend kritisch.«
>
> Lucia Moholy

Dr. Walter Boje: Wo beginnt das Illegitime?
Gedanken zur Spannweite der Photographie *1965*

Aus Seite 8 heisst es: " . . Moholy-Nagy hat
hierzu seinen Kopf auf das Photopapier gelegt
und dies Bild ohne Kamera geschaffen"

müsste heissen: ' . . . gelegt und Lucia Moholy
hat dies Bild . . . geschaffen.'

Dienst des Bauhauses. Die Sachlichkeit der mit einer Laufbodenkamera aus Holz und Glasplatten im Format von 18 x 24 Zentimetern für Publikationen und Musterbücher aufgenommenen Kunstgegenstände übertrug sie zunächst auch auf das Fotografieren von Menschen. Doch nachdem sie eine Leica erworben hatte, gestaltete sie ihre Porträts freier, bearbeitete ihre Negative zum Beispiel häufig mit einem Retuschierfarbstoff, um abdunkelnde Effekte zu erzielen. Am Dessauer Bauhaus wurden in der Ausbildung und Gestaltung neue Akzente gesetzt und verstärkt Abbildungen für die PR-Arbeit benötigt. Ise Gropius verfasste häufig die Texte, während Lucia Moholy für die Fotografien sorgte. Die Abzüge sind in der Regel auf der Rückseite mit ihrem Namensstempel als Moholys Eigentum gekennzeichnet, also deutlich sichtbar kein »Gemeinschaftsbesitz«, wie Ise Gropius später behauptete. Auf die Dauer empfand Lucia Moholy den Industriestandort Dessau als öde. 1928 verließen sie und ihr Mann das Bauhaus und gingen wieder nach Berlin. Ein Jahr später trennten sie sich, Lucia Moholy eröffnete ihr eigenes »fotografisches atelier für porträt, architektur, reklame, künste«, gab Fotokurse, und arbeitete mit der Fotoagentur Mauritius zusammen. 1929 beteiligte

LINKS Lucia Moholy, *Meisterhäuser Dessau, Wohnzimmer Moholy-Nagy*, 1927–1928. Inneneinrichtung von Marcel Breuer.

OBEN RECHTS Lucia Moholy, *Kinderporträt (Thomas Lüttke)*, ca. 1930.

UNTEN RECHTS Lucia Moholy, Gesundheitszentrum, Peckham, London, 1933–1935.

sie sich an der Stuttgarter Werkbundausstellung *Film und Foto* und übernahm als Nachfolgerin des ehemaligen Bauhäuslers Umbo die Leitung der Fotoklasse an der privaten Berliner Kunstschule von Johannes Itten.

Ab 1929 lebte Lucia Moholy offenbar in einer glücklichen Beziehung mit dem kommunistischen Reichstagsabgeordneten Theodor Neubauer zusammen. Als dieser im August 1933, inzwischen im Widerstand gegen die Nazis, in ihrer Wohnung verhaftet und in ein Konzentrationslager gebracht wurde, floh Lucia Moholy überstürzt nach Prag. Ihre wertvollen Glasnegative ließ sie in der Obhut von László Moholy-Nagy zurück, der diese dann dem Ehepaar Gropius zur Aufbewahrung übergab. Nachdem es ihr auch von Paris aus nicht gelang, über Pressekontakte etwas für Neubauer zu tun, ließ sie sich im März 1934 in London nieder. Im Exil hielt sie, neben ihrer Arbeit als Fotografin, Vorträge über das Bauhaus an der Central School of Arts and Crafts und lehrte Fotografie an der London School of Painting and Graphic Art. 1939 erschien als Auftragsarbeit im englischen Penguin-Verlag ihre Geschichte der Fotografie: *A Hundred Years of Photograpy 1839–1939*, in einer Auflage von 40.000 Exemplaren. Der Band wurde trotz positiver Resonanz nach dem Krieg nicht wieder aufgelegt und erschien jüngst erstmals in deutscher Übersetzung. 1940 übernahm sie für die Bibliothek der Universität von Cambridge das Projekt einer wissenschaftlichen Dokumentation durch Mikroverfilmung und 1942 die Leitung des Mikrofilmprojekts der britischen »Association of Special Libraries and Information Bureaux« (ASLIB). Ihre Lage wurde dennoch immer bedrückender, die Quäker-Gemeinde half ihr in der Zeit bitterster Armut. Moholy-Nagy, der

»Nicht Technik und Werkzeug bestimmen, was Kunst ist, sondern der Mensch, wenn er die Gabe hat, damit Kunst zu schaffen.«

Lucia Moholy

seit 1937 die von ihm gegründete School of Design in Chicago leitete, versuchte, ihr über eine Einladung als Lehrkraft für Fotografie zur ersehnten Einreise in die USA zu verhelfen – vergeblich, denn sie erhielt kein Visum. Ihr Wohnhaus in London wurde 1942 durch einen Bombenangriff zerstört. Nachdem schon während des Krieges in den USA erste von ihr nicht autorisierte Abbildungen aufgetaucht waren, begann sie in den 1950er-Jahren eine heftige Auseinandersetzung mit Walter und Ise Gropius um ihre Negative. Im Jahr 1957 stand eines Tages bei ihr in London eine Kiste mit Negativen aus dem Busch-Reisinger-Museum vor der Tür – eine Wiedergutmachungsofferte von Gropius. Von ihren ursprünglich 560 Glasnegativen befinden sich heute 230 in ihrem Nachlass im Bauhaus-Archiv Berlin. In jüngster Zeit wurden der Öffentlichkeit dort auch erstmalig ihre fotografischen Porträts, Handstudien und Stadtlandschaften aus dem Londoner Exil zugänglich gemacht. Die Fotografien, welche sie – neben ihrer eigenen dokumentarischen Arbeit – für die UNESCO machte, harren noch der Wiederentdeckung. Als ihr künstlerisches Bekenntnis sei abschließend zitiert, was sie 1958 in einer Rundfunksendung geäußert hatte: »Nicht Technik und Werkzeug bestimmen, was Kunst ist, sondern der Mensch, wenn er die Gabe hat, damit Kunst zu schaffen.«

Ise Gropius

Ihr Ehrentitel »Frau Bauhaus«, den Ise Gropius schon in den 1920er-Jahren von ihren Bewunderern verliehen bekam, bezog sich weniger auf die Tatsache, dass sie die Gattin des Gründungsdirektors und »Mr. Bauhaus« Walter Gropius war. Die Anerkennung, die ihr als Propagandistin für die Bauhaus-Idee entgegengebracht wurde, erarbeitete sie sich hart – als unermüdliche Kämpferin für die gemeinsame Sache und ebenso hübsche wie kluge Gesprächspartnerin, weshalb bereits der Dessauer Bürgermeister Fritz Hesse anlässlich der Verhandlungen zur Bauhaus-Ansiedlung notierte, dass »auch ihr Wort stets volles Gewicht (hatte). Denn zu ihren äußeren Vorzügen gesellte sich in harmonischer Verbindung eine hohe Intelligenz.«

Im Kreis der weiblichen Bauhaus-Angehörigen nimmt Ise Gropius also nicht wegen ihres künstlerischen Talents einen besonderen Platz ein, sondern wegen ihrer Verdienste um die Existenz der Schule: Sie verhalf durch ihre Öffentlichkeitsarbeit dem Bauhaus zu der Anerkennung und dem Ruhm, der dann auch den Fortbestand in Dessau sicherte – ein Leben lang. Dessen Tragik lag darin, dass zwei ihrer drei großen Lebenswünsche unerfüllt bleiben sollten.

Ihre Biografie lässt sich genauso gut vom Ende her erzählen: Auf ihrem Sterbebett, von Schlaganfällen gezeichnet, sehnte sie sich nach einem letzten Wiedersehen mit Herbert Bayer, dem einstigen Jungmeister am Bauhaus Dessau, Leiter der Reklamewerkstatt und nach Meinung vieler der attraktivste Mann an der Schule. Anfang der 1930er-Jahre hatte beide eine jahrelange, leidenschaftliche Affäre verbunden – bis sich Ise für die Aufrechterhaltung ihrer Ehe mit dem 14 Jahre älteren Walter Gropius entschied. Die wahre Dramatik dieser Ménage-à-trois speiste sich aus der besonderen Beziehung Bayers zu Walter Gropius, der ihm (nach dem frühen Tod des leiblichen Vaters) immer ein Vaterersatz gewesen war; Ise Gropius sah sich in der Rolle der Königin Guinevere, Frau von König Artus und geliebt von Ritter Lancelot, der sie aber dennoch an seinen Gebieter zurückgibt. Aus ihrem letzten Brief an Herbert Bayer, den nahen Tod vor Augen, sprach immer noch die Zärtlichkeit längst vergangener Jahre, aber auch die Tragik ihrer ersten, verlorenen Sehnsucht.

Die kinderlos gebliebene Guinevere verweist ebenfalls auf den zweiten Schicksalsschlag im Leben von Ise Gropius: Nach einem misslungenen medizinischen Eingriff war es ihr selbst nicht mehr möglich, eigene Kinder zu bekommen. Die Angaben hierzu sind nicht eindeutig: Gegenüber dem

Geboren: Ise Frank, 1. März 1897 in Wiesbaden (Deutschland)
Gestorben: 9. Juni 1983 in Lexington, Massachusetts (USA)
Eingetreten: 1923
Stationen ihres Lebens: Deutschland, Großbritannien, USA

OBEN RECHTS Ise Gropius, ca. 1935.

UNTEN RECHTS Walter Gropius an Bord der *Columbus*, während der Überfahrt nach New York, 1928. Fotografie von Ise Gropius.

Gropius-Biografen Walter Isaacs machte sie einen ärztlichen Kunstfehler während einer Blinddarm-Operation in einem Sanatorium im August 1925 dafür verantwortlich, dass sie ihr »Baby in einem frühen Stadium« verlor und danach zu ihrem tiefsten Bedauern nie mehr schwanger wurde. In ihren eigenen Aufzeichnungen findet sich jedoch die plausiblere Darstellung, wonach sie bereits Anfang 1924 »aufgrund einer falschen Behandlung im Weimarer Krankenhaus ihr zwei Monate altes Baby« verlor und danach zwei (und nicht sechs, wie Isaacs schreibt) Monate in einem Sanatorium in Loschwitz verbrachte. Daneben wurde auch kolportiert, dass Ise Gropius bereits im Herbst 1923 – während ihrer vorgezogenen, »heimlichen« Flitterwochen in Venedig – einen missglückten Schwangerschaftsabbruch vorgenommen habe, was sie nie bestätigte und wobei auch unklar wäre, ob sie das Kind von ihrem ursprünglichen Verlobten und Cousin erwartete, den sie Mitte Juli, am Tag vor der geplanten Hochzeit, wegen Walter Gropius verließ, oder von Gropius, mit dem sie schon Anfang Juli in Köln ein Hotelzimmer geteilt hatte. Wie dem auch sei – das Paar adoptierte im britischen Exil 1936 ihre neunjährige Nichte Beate (»Ati«), Tochter von Ises Schwester Hertha, die im Januar des Jahres verstorben war.

Ati Gropius schildert in den Erinnerungen an ihre Adoptivmutter, dass sie gerade während des Exils in London zu der unverzichtbaren »Frau Gropius« wurde, ohne die ihr Ehemann kaum hätte weiterarbeiten können: Sie sprach gut Englisch, bewegte sich mit Glanz und Charme in der Gesellschaft und war in Adelskreisen vorzeigbar.

Mit der Berufung von Walter Gropius an die Harvard University und der Emigration 1937 in die USA setzte sich dies fort: Ise Gropius sog den amerikanischen Lebensstil schnell in sich auf, genoss die Freiheiten des Alltags, den technischen Fortschritt, die urbanen Landschaften wie die Natur; nach einem fast tödlichen Autounfall Ende der 1940er-Jahre war ihre Gehfähigkeit stark eingeschränkt, was sie allerdings nicht davon abhielt, Walter auf ausgedehnten Auslandsreisen zu begleiten. Ihr Reich war das von ihrem Ehemann geplante »Schloss Gropius« in Lincoln, Massachusetts, das sie einrichtete, pflegte und über das sie herrschte – ein zweistöckiger Bungalow, ganz ähnlich der Dessauer Meisterhäuser, dessen Gastfreundschaft vielen Emigranten einen ersten Anlaufpunkt in den USA bot. Die wenigsten davon dürften gewusst haben, dass im Keller dieses Hauses die Original-Negative von Lucia Moholy lagerten, die Walter Gropius ihr über Jahrzehnte vorenthielt, um damit selbst international an seiner Legende vom Bauhaus zu feilen.

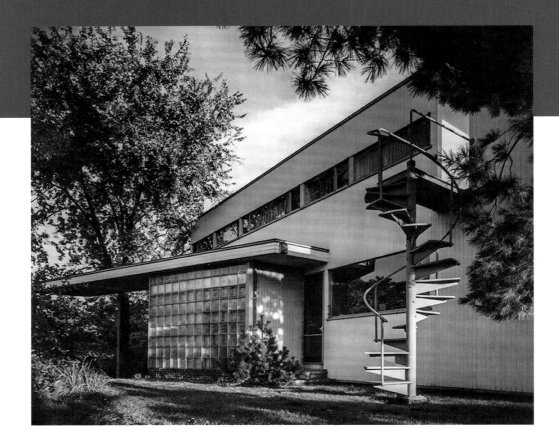

Nicht alle Auswanderer teilten die gute Meinung über Ise Gropius; so schrieb etwa Irene Bayer 1938, kurz vor ihrer Abreise in die USA, an ihren bereits übergesiedelten Ehemann in einer pathetischen Geste: »wenn ich wieder mit einem wesen wie frau gropius konfrontiert würde und die demütigungen und beleidigungen wieder ertragen müsste, ich würde mich und mein kind ohne bedenken töten.«

Man könnte dies als die verständliche Reaktion einer zutiefst verletzten Ehefrau auf ihre Nebenbuhlerin abtun, wäre da nicht bereits ein Schreiben aus dem März 1926, in dem die Halb-Amerikanerin mit jüdischen Wurzeln namens Irene Hecht ihrem Ehemann Herbert Bayer kurz nach der Heirat mitteilt: »frau Gropius schrieb mir. warum? sie ist schlau und falsch. sie tut nichts umsonst. sie will etwas, entweder von dir oder von mir.«

Ise Gropius' bedeutendstes Vermächtnis ist möglicherweise das von ihr hinterlassene »Tagebuch« aus der Zeit zwischen September 1924 und März 1928, den letzten Jahren des Ehepaars in Dessau. Dabei ist der Begriff irreführend, denn wie sie selbst zugibt, handelt es sich gerade nicht um private und intime Aufzeichnungen. Viel treffender beschreibt man die oft kurzen, auf das Geschehen am Bauhaus und die Aktivitäten von Walter Gropius konzentrierten Notate als eine »Bauhaus-Chronik« – und damit als eine (obwohl immer noch unveröffentlichte) beispiellos wertvolle Quelle zur Geschichte der Einrichtung. Durch Ise Gropius' Aufzeichnungen – manchmal nur Stichworte nach langen Arbeitstagen, nicht selten aber auch längere Protokolle von Gesprächen und Diskussionen um den Fortbestand der Einrichtung – sind viele Details gerade aus der Dessauer Zeit und der Periode des Abschieds von Weimar überliefert, die den Aktenbestand des Thüringer Hauptstaatsarchivs zur Weimarer Periode ergänzen und

»(Sie unterstützte meinen Vater) als unentbehrliche Arbeitspartnerin, seine auf internationalem Parkett versierte Sekretärin, Lektorin und Übersetzerin, seine PR-Abteilung und elegante Begleiterin.«

Ati Gropius

zumindest ansatzweise fortschreiben. Mit dem privaten Umzug nach Berlin gab sie ihr »Tagebuch« auf und kehrte nie wieder zu einem so detaillierten Protokoll zurück – sie »hatte das Gefühl, wir waren in ein privates Dasein zurückgekehrt, das keinen täglichen Ereignisbericht benötigte«.

Doch für die Bauhausidee hatte Ilse Frank seit jenem 28. Mai 1923 gebrannt, an dem sie gemeinsam mit ihrer Schwester den Vortrag des Bauhaus-Gründers Walter Gropius im Landesmuseum Hannover hörte. Als älteste von vier Geschwistern hatte sie Vater und Mutter – die sie nach ihrer Arbeit während des Ersten Weltkriegs als Rotkreuzschwester in einem Militärhospital für eine Zeit lang nach England geschickt hatten, um die Sprache zu lernen – früh verloren. Ilse Frank war gerade aus München, wo sie für eine Zeitung gearbeitet hatte, in den Hannoveraner Vorort Waldhausen zurückgekehrt. Dort lebte sie in unmittelbarer Nachbarschaft von Kurt Schwitters, den die Geschwister des Öfteren in seinem *Merzbau* besuchten. Sie half gerade in einer örtlichen Buchhandlung aus und bereitete sich auf die Heirat mit ihrem Cousin Hermann vor, mit dem sie seit anderthalb Jahren verlobt war. Nach Gropius' Vortrag war sie vom Bauhaus-Virus infiziert und der berühmte Architekt auf den ersten Blick in die aparte Zuhörerin verliebt. Die intensiven Briefwechsel jener Tage, aus denen Ise Gropius in ihren Erinnerungen an die »First Encounters« ausgiebig zitiert, lassen keinen Zweifel, dass sie damals nicht nur von diesem Mann, sondern mindestens genauso von seiner Mission, dem Glauben an eine bessere Welt, und der Aufbruchsstimmung am Weimarer Bauhaus fasziniert war. Auch sie machte sich diese Vision zu eigen und unterstützte Walter Gropius, wie Tochter Ati miterlebte, als unentbehrliche Arbeitspartnerin, seine auf internationalem Parkett versierte Sekretärin, Lektorin und Übersetzerin, seine PR-Abteilung und elegante Begleiterin.

Irene Bayer

Viele der ikonischen Bebilderungen des Bauhauses stammen von der heute fast vergessenen amerikanischen Fotografin und Designerin Irene Bayer, geborene Hecht. Sie war bereits eine ausgebildete Künstlerin, als sie zum Bauhaus kam – obwohl die Einrichtung ihr anfangs den Zugang verweigerte. Die Schulleitung fürchtete, eine große Zahl an Frauen würde dem Ansehen des Bauhauses schaden, und lehnte daher viel mehr Frauen als Männer ab. Während Bayer nie formell einer Bauhaus-Klasse angehörte, übte sie einen enormen Einfluss auf die Arbeit eines seiner talentiertesten Studenten aus, den Wegbereiter des Grafikdesigns Herbert Bayer, der später ihr Ehemann wurde. Im Bauhaus Dessau wurde er zum Jungmeister berufen – ein Student, der zum »Meister« aufgestiegen war – und avancierte später zum Star der boomenden Berliner Reklamewelt. Irene Bayer konzentrierte sich ganz auf diese – letztlich tragische – Beziehung. Sie stellte ihre künstlerischen Fähigkeiten in den Dienst ihres Mannes und gab seiner Karriere stets den Vorrang. Ihr Schicksal war typisch für das vieler Bauhaus-Frauen, die sich – so progressiv sie auch gewesen sein mochten – persönlichen und beruflichen Herausforderungen ausgesetzt sahen, die ihre Karrieren ausbremsten und ihnen den Ruhm männlicher Kollegen versagten. Eine Auseinandersetzung mit Bayers Arbeit offenbart die innovative Kraft ihrer künstlerischen Visionen.

Irene Hecht wurde am 28. Oktober 1898 in Chicago geboren und wuchs in einer jüdischen Familie auf. Kurz nach ihrer Geburt nahm ihr Vater eine Stelle in Ungarn an, wo sie ihre Kindheit verbrachte. Nach dem Abitur schrieb sie sich an der Berliner Akademie der Künste in Charlottenburg ein. Es wird häufig behauptet, dass Irene Bayer im Herbst 1923 zur berühmten Ausstellung *Staatliches Bauhaus* nach Weimar reiste. Tatsächlich belegen Dokumente, dass sie schon im Frühjahr 1923 den ersten Kontakt zum Bauhaus hatte, als sie sich für den Vorkurs im Wintersemester 1923/1924 bewarb. Ihre überlieferten Bewerbungsunterlagen sind ein tragisches Schriftstück, das sie fälschlich als rumänische Staatsbürgerin führt und die negative Resonanz der Mitglieder des Bauhausrates belegt. Nur Josef Hartwig, Meister der Holz- und Steinbildhauerei, unterstützte ihre probeweise Zulassung. Paul Klee und Walter Gropius waren dagegen; Letzterer urteilte über die junge Irene, dass sie schwach sei und – da sie mit Emaille arbeiten wolle – für das Bauhaus ungeeignet. Vermutlich Opfer der heimlichen Politik des Meisterrats, die Zahl der weiblichen Studierenden zu verringern, wurde Hecht durch dieses Urteil ein reguläres Studium am Bauhaus verwehrt.

Geboren: Irene Angelica Hecht, 28. Oktober 1898 in Chicago, Illinois (USA)
Gestorben: 1991 in Santa Monica, Kalifornien (USA)
Eingetreten: 1924
Stationen ihres Lebens: Deutschland, Frankreich, Schweiz, Tschechien, USA

RECHTS **Irene Bayer, ca. 1920.**

Im Juni 1923 traf Hecht zum ersten Mal Herbert Bayer, als sie ihren ungarischen Freund – und Bayers Kommilitonen – Farkas Ference Molnár besuchte. Bayer reiste kurz darauf für ein Jahr nach Italien, doch Hechts leidenschaftliche Briefe an ihn zeigen, dass die sommerliche Begegnung, wenngleich nur kurz, doch intensiv war. Im Oktober 1923 schreibt sie: Du, den ich liebe – Du – (...) sterben / lieben / töten / hassen / lieben / lieben / Irene«, Gedichtverse, die auf gespenstische Weise ihre spätere steinige Beziehung vorwegnahmen. Anfang 1924 zog Hecht nach Paris, um Arbeit als Lithografin zu finden. Sie wurde schnell Teil der intellektuellen und avantgardistischen Pariser Szene. Später erinnerte sie sich an Vorlesungen an der Sorbonne und der École des Beaux-Arts, sowie an Zusammentreffen mit Künstlern wie Fernand Léger und Pablo Picasso. Sie verdiente sich ihren Lebensunterhalt in einem damals typischen traditionellen Frauenberuf und nähte für den geringen Lohn von 600 Franc im Monat Hüte für ein Pariser Modehaus. Im Dezember desselben Jahres kehrte sie nach Weimar zurück, voller Sehnsucht nach Herbert. Am 11. November 1925 heirateten die beiden, mit Irenes Bruder Bondi und Bayers Freund Xanti Schawinsky als Trauzeugen. Wie Irenes Briefe im Nachlass von Bayer im Denver Art Museum offenbaren, war die Entscheidung zur Heirat einer Schwangerschaft geschuldet. Sie war zwei weitere Male schwanger, bis dann im Juni 1929 ihre viel geliebte Tochter Julia, »Muci« genannt, geboren wurde. Zu diesem Zeitpunkt hatte sich das Ehepaar in einer stets spannungsgeladenen Beziehung bereits auseinandergelebt. Der attraktive Herbert war notorisch von anderen Frauen angezogen, und Irene kränkelte oft und verspürte eine stete Missgunst gegenüber dem Bauhaus und zahlreichen von Bayers Freunden. Ihre Briefe dokumentieren ihre Haltung gegenüber László Moholy-Nagy, Herberts »erbittertstem Feind« am Bauhaus, und ihre Abneigung gegenüber Gropius, seiner Frau Ise und dem inneren Kreis der Schule. Trotz ihrer Zeit in Weimar und ihrer Unterstützung der Arbeit ihres Mannes – Fotos, die sie im Auftrag der Schule aufnahm – wird Irene Bayer-Hecht als Bauhäuslerin wider Willen gesehen.

Sie bewunderte die Arbeit ihres Mannes und tat ihr Bestes, seine Karriere als Grafikdesigner zu unterstützen. Während des Studienjahrs 1926/1927 absolvierte sie im nahegelegenen Leipzig an der dortigen Kunstakademie eine fotografische Ausbildung, wie es Lucia Moholy bereits im Jahr zuvor getan hatte; das Bauhaus selbst bot zu diesem Zeitpunkt noch keine formelle Fotografenausbildung an. Obwohl sich der Kurs in Leipzig vermutlich nur auf eine komprimierte Einführung in die Grundlagen fotomechanischer Verfahren beschränkte, war er für Irene Bayers Arbeit von großer Bedeutung, da sie nun in der Lage war, auf Bestellung Fotografien für die Illustrationen ihres Mannes aufzunehmen. Herberts »bestellte« Motive umfassten unter anderem das Titelbild für seinen berühmten Bauhaus-Katalog von 1926, mit den Balkonen des Prellerhauses, effektvoll von unten aufgenommen. Vermutlich aus derselben Serie stammt ein bisher unveröffentlichtes, Strukturen betonendes Foto, das den Korridor und die Fenster des Bauhauses zeigt. Irene hatte es zusammen mit einem Brief an ihren Mann geschickt, und diese Aufnahme offenbart ihre avantgardistische Arbeitsweise im Stil des »Neuen Sehens«. Das Neue Sehen begriff die Fotografie als ein von der Malerei und anderen »alten« Künsten klar zu unterscheidendes Mittel künstlerischen Ausdrucks, das sich in einer ganz neuen – maschinellen – Sicht auf die moderne Welt manifestierte. Mit einer weiteren Fotografie von 1926, einem lässig-eleganten Porträt ihres Mannes am

RECHTS Titel der Bauhaus-Broschüre von 1926, Entwurf von Herbert Bayer mit einer Fotografie von Irene Bayer.

GANZ RECHTS Irene Bayer, Bauhaus-Gebäude. Innenansicht, ca. 1927.

UNTEN Porträt von Herbert Bayer bei Entwurfsarbeiten am Bauhaus Dessau, 1926. Foto von Irene Bayer.

»schwach, will Email arbeiten, kommt für uns nicht in Betracht«

Walter Gropius

Montagetisch bei den Vorbereitungen zu einer Broschüre für die Stadt Dessau, prägte sie das Bild eines Berufes, der in dieser Form damals noch gar nicht existierte: ein »künstlerischer Leiter«, der sein Material für ein bestehendes Layout auswählt und entsprechend montiert. Herbert Bayer wählte dieses Bild später als »offizielles« Berufsporträt.

Dokumente der Zeit belegen, dass Irene Bayers künstlerisches Schaffen weit über die Fotografie hinausging. Dem Brief an Herbert vom September 1926 war die Querschnittsskizze eines Aschenbechers für eine mögliche Produktion in den Bauhaus-Werkstätten beigefügt. Ihre Zeichnung im Maßstab 1:1 zeigt ein rundes Unterteil, das den Entwürfen von Marianne Brandt und anderen aus den Metallwerkstätten des Bauhauses ähnelt, doch ihr Modell war wesentlich größer; es sollte alleine stehen und mehr Asche aufnehmen – damit auch für größere Gebäude geeignet sein. In ihrem Begleitschreiben empfahl Bayer ihrem Mann, den Entwurf nur Dr. Haas, dem Rechtsbeistand des Hauses und zuständig für die kaufmännischen Angelegenheiten, vorzulegen. »Zeig es unter keinen Umständen jemandem aus der Metallwerkstatt«, insistierte sie und unterstrich wieder einmal ihr tiefes Misstrauen gegenüber der Bauhaus-Gemeinschaft. Diese Skizze ist nur eine der künstlerischen Hinterlassenschaften Bayers, zeigt aber, dass sie auch am Produktdesign sehr interessiert war. Sie sah darin nicht nur eine interessante Form des künstlerischen Ausdrucks, sondern auch die Chance auf eine Karriere unabhängig von ihrem Mann, der im Gegensatz zu ihr niemals im Objektdesign erfolgreich war.

Zu Lebzeiten weithin unbekannt, wurde Irene Bayer erst nach ihrem Tod als eine Hauptfigur avantgardistischer Fotografie und als eine der führenden Vertreter des Neuen Sehens gewürdigt. Bezeichnenderweise steuerte sie 1929 fünf Fotografien zur legendären Werkbundausstellung *Film und Foto (FiFo)* in Stuttgart bei. Darunter waren auch zwei Aufnahmen von Herbert Bayer, die ihre enge Verbundenheit mit dem Bauhaus dokumentieren. Andere, darunter ihr Porträt des Bauhaus-Studenten Andor Weininger, das ihn als Clown verkleidet und effektvoll von unten beleuchtet zeigt, offenbaren ihren künstlerischen Zugang zur modernen Fotografie. Weitere Fotografien aus dieser Zeit halten das Leben am Bauhaus fest, darunter

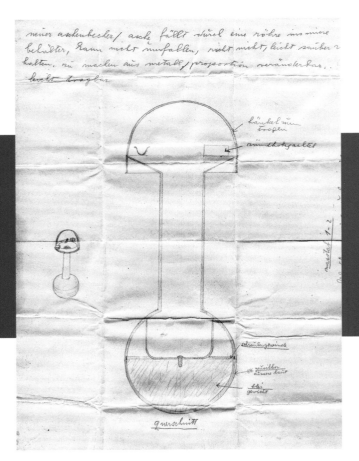

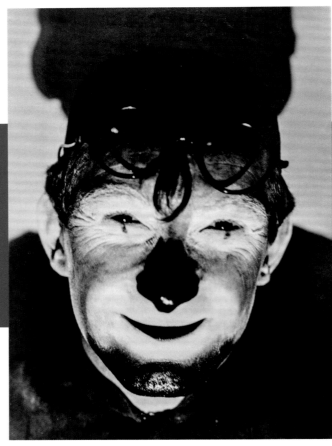

spektakuläre Ansichten des neuen Bauhauses Dessau, aber auch stimmungsvolle Aufnahmen seiner Studenten und Lehrer. Ihr dynamisches, von unten aufgenommenes Foto einer Studentin mit Kurzhaarfrisur, die einen Strandball wirft und nicht mehr trägt als einen modernen Badeanzug und etwas Schmuck, fängt den Überschwang der damaligen Zeit ein. Andere Motive entstanden während eines Sommerurlaubs, den die Bayers zusammen mit Xanti Schawinsky und Marcel Breuer 1928 an der Côte d'Azur verbrachten. Bereits im Frühling 1928 hatte die Gruppe – mit ihrem Mentor Gropius – die feindselige Atmosphäre des Bauhauses in Dessau verlassen.

Die Bayers zogen nach Berlin. Irene war glücklich, nicht mehr am Bauhaus zu sein, aber das Paar war immer noch Teil des Gropiuskreises, dessen Mitglieder es in die pulsierende Hauptstadt zog, um neue Ateliers und Büros zu eröffnen. Mit der Geburt ihrer Tochter im Jahr 1929 war die künstlerische Karriere Irene Bayers beendet. Herbert leitete die Kreativabteilung der Berliner Niederlassung der renommierten Dorland-Werbeagentur und war nicht länger von ihren Fotografien für seine Arbeit abhängig – ein Umstand, der sie glauben ließ, sein Herz für immer verloren zu haben. Ein schwerer Schlag war ab 1930 seine Affäre mit Ise Gropius, der Frau seines Mentors, der ihm über ein Jahrzehnt lang als Vaterfigur gedient hatte. In diesem Tumult versuchte Irene, ein eigenständiges Leben aufzubauen, zunächst im Schweizer Kurort Ascona und dann in Tschechien, wo sie Kurgästen Schönheitsbehandlungen anbot. Als alleinerziehende Mutter kam sie allerdings kaum über die Runden und so lebte ihre kleine Tochter ab Juni 1933 für fast ein Jahr bei Herbert in Berlin. Obwohl er in mancherlei Hinsicht nicht der ideale Ehemann war, hat Herbert seine Frau und sein Kind

LINKS **Irene Bayer, Entwurf für einen Standaschenbecher, 1926.**

OBEN **Irene Bayer, Porträt von Andor Weininger als Clown, ca. 1926–1928.**

RECHTS **Irene Bayer, Studentin mit Strandball, ca. 1925.**

»In meinem langen Leben habe ich nur zwei Menschen von ganzem Herzen geliebt, Herbert und Julia.«

Irene Bayer

finanziell unterstützt und später die Miete für Irenes Wohnung bezahlt. Um Julia ein halbwegs intaktes Familienleben zu geben, kam Herbert so oft wie möglich zum gemeinsamen Abendessen.

Zwar lebten die Bayers getrennt, doch wurde die Ehe noch nicht geschieden, und ironischerweise war es in den späten 1930er-Jahren wiederum Irene Bayer, die sich als entscheidender Faktor für die Karriere ihres Mannes erwies. Bayer – ein österreichischer Staatsbürger, der sich konsequent unpolitisch gab – hoffte lange Zeit, der Nationalsozialismus wäre nur eine kurze Phase in Deutschland. Erst 1938 entschied er sich schließlich, in die USA zu emigrieren, und folgte seinen Bauhaus-Kollegen. Gropius hatte ihm eine Stelle als Kurator der Ausstellung *Bauhaus 1919–1928* im New Yorker Museum of Modern Art angeboten und Moholy-Nagy hatte ihm eine Dozentenstelle am New Bauhaus in Chicago in Aussicht gestellt. Es war jedoch der Vater seiner in Amerika geborenen Frau, der die für seine Emigration in die USA notwendige eidesstattliche Versicherung abgab. Zudem war es Irene Bayer, die in Deutschland blieb, um Herberts Existenz bei Dorland aufzulösen und die Einnahmen aus seinen urheberrechtlich geschützten Schrifttypen zu sichern. Unter Umgehung der Nazi-Bürokratie gelang es ihr, schwierige Geschäftsverhandlungen zu führen und auf diese Weise Herberts künstlerische Arbeiten, sein Archiv und seine Papiere vor der Zerstörung durch die Nazis zu retten. Sie kümmerte sich um die Verschiffung ihres gemeinsamen Besitzes, der Ende 1938 sicher in New York ankam. Damit ging sie ein großes Risiko ein; Irene und Muci waren unter den letzten Personen jüdischer Abstammung, die Nazi-Deutschland sicher verlassen konnten.

Das Leben hat es nicht immer gut mit Irene Bayer gemeint, aber ihr dauerhaftes Vermächtnis ist das der stillen Mitarbeiterin ihres anerkannten Mannes. Sie war es, die sein Werk der 1920er-Jahre für die Nachwelt sicherte, indem sie seine Bauhaus-Arbeiten vor der Zerstörung rettete. Irenes Hingabe für Herberts Schaffen, aber auch die unvollständige Überlieferung ihres eigenen Werkes lassen einen glauben, sie habe keine Leidenschaft für ihre eigenen Projekte entwickelt. Doch das, was von ihrer Arbeit geblieben ist, bildet einen beachtenswerten Werkkomplex und hat seinen Platz im Getty Research Institute in Los Angeles gefunden – in dem Land, in dem sie geboren wurde. Nachdem sie mit ihrer Tochter zurück in die USA gezogen war, wohnten die beiden in New York, zunächst für einige Wochen in der Wohnung von Mucis Patenonkel Xanti Schawinsky und dann in ihrer eigenen Wohnung in Queens. Nachdem die Ehe mit Herbert 1944 endgültig geschieden wurde, verschwand Irene weitgehend aus dem Blick der Öffentlichkeit, obwohl sie nach dem Krieg für zwei Jahre nach Deutschland zurückkehrte und für die amerikanische Militärverwaltung arbeitete. Nur der plötzliche Tod von Tochter Muci am 6. Oktober 1963 – ein Ereignis, das die Eltern in völliger Verzweiflung zurückließ und bei Herbert zu einer lebenslangen Depression führte – vereinte das Paar noch einmal für kurze Zeit in gemeinsamer Trauer. In ihrem letzten erhaltenen Brief an ihn, aus dem Jahr 1975, schrieb sie: »Mein lieber Herbert, ich sende dir einen lieben Gruß. Wenn ich in der Nähe wohnen würde, könnte ich dir bei deiner Arbeit helfen.« Kurz vor ihrem Tod im Jahr 1991 schlussfolgerte sie in einem Brief an Bayers Bruder Theo, dass »ich in meinem langen Leben nur zwei Menschen von ganzem Herzen geliebt habe, Herbert und Julia.«

Lis Beyer-Volger von Anke Blümm

Bauhaus und Mode? Es sind vor allem bunte Teppiche oder abstrakte Stoffe und Gewebe, die man mit dem Bauhaus und seiner Textilwerkstatt verbindet. Tatsächlich ging es in der Bauhaus-Weberei eher um den Entwurf innovativer textiler Produkte für die Innenausstattung als um Kleidung. Dennoch haben sich zwei Bauhaus-Frauenkleider erhalten. Eines davon stammt von der Weberin Lis Beyer und datiert aus dem Jahr 1928. Mit dem feinen, hellblau-weißen Linienmuster und seinem figurbetonten Schnitt entsprach es damals durchaus dem neuesten Trend – und war aus Bauhaus-Stoff gefertigt.

»Lis« Beyer, wie sie allenthalben genannt wurde, stammte aus einer hamburgischen mittelständischen Kaufmannsfamilie. Nach dem Schulabschluss bewarb sie sich mit 17 Jahren am Weimarer Bauhaus, wo sie im Sommersemester 1924 den Vorkurs bei Johannes Itten, Paul Klee und Wassily Kandinsky absolvierte. Nach der Schließung des Bauhauses in Weimar ging sie 1925 mit nach Dessau und lernte unter Gunta Stölzl in der Webereiwerkstatt. 1927 bestand sie die Gesellenprüfung; anschließend belegte sie, wie schon andere ihrer Kommilitoninnen vor ihr, einen Färbereikurs in Krefeld. Diese Kenntnisse gab sie als Mitarbeiterin der Webwerkstatt am Bauhaus Dessau weiter, gleichzeitig arbeitete sie an der Herstellung von Musterstoffen für die Industrie.

Mit ihrem Kurzhaarschnitt und ihrer burschikosen Art repräsentierte sie den Typus der Neuen Frau und diente ihren Kommilitonen des öfteren als Modell. Sie war an Bühnenaufführungen und Festen beteiligt, für die sie sich fantasievoll verkleidete. Von ihrer Beliebtheit zeugen zahlreiche Fotos, die sich in den Fotoalben der Mitstudierenden erhalten haben. Im Frühjahr 1929 absolvierte Lis Beyer – als einzige Frau am Bauhaus – die Webmeisterprüfung vor der Handwerkskammer Dessau, bevor das Bauhaus später eigene Diplome verlieh. Im selben Jahr trat sie ihre erste Stelle am Polytechnischen Zentralverein in Würzburg als Leiterin der Lehrwerkstatt für Handweberei an. Zwei Jahre später heiratete sie den Bauhäusler Hans Volger, der mit ihr nach Würzburg gegangen war und sich dort als Architekt selbstständig gemacht hatte. Das erste Kind des Paars wurde 1933 geboren, das zweite folgte 1940.

In Würzburg bescheinigte die lokale Presse Lis Beyer-Volgers Arbeiten einen individuellen persönlichen Stil durch Beschränkung auf das »intensiv Einfache«. Lis Volger hat mit ihren Entwürfen Erfolg und berichtet darüber 1935 auch Walter Gropius: Der Kundenkreis vergrößere sich jährlich, sie führe

Geboren: Elisabeth Wilhelmine Karoline Beyer, 27. August 1906 in Hamburg (Deutschland)
Gestorben: 28. August 1973 in Viersen-Süchteln (Deutschland)
Immatrikuliert: 1924
Stationen ihres Lebens: Deutschland

Aufträge in Würzburg, aber auch für das Ausland (wie z. B. für Japan, die Niederlande oder Frankreich) aus. Aus heutiger Sicht ruft es Bedauern hervor, dass diese vielversprechende Karriere wenige Jahre später ihr Ende fand: Lis Volger folgte ihrem Mann 1938 nach Krefeld, wo er eine Stelle im Stadtbauamt angenommen hatte. Lis konzentrierte sich daraufhin auf die Familie und nahm Aufträge nur noch im privaten Rahmen an. Sie hielt ihrem Mann – wie es dem üblichen Beziehungsmodell in der damaligen Gesellschaft entsprach – den Rücken frei.

Hans Volger entwarf 1951 für die vierköpfige Familie ein Einfamilienhaus, das auch ein Atelier-Gebäude umfasste, in dem Lis Volger weiter ihre Gobelins anfertigen konnte. Gleichzeitig soll das Atelier Schauplatz diverser Feste gewesen sein. Mit Bauhaus-Freunden war das Ehepaar Volger weiterhin in Kontakt, da einige (wie z. B. das Ehepaar Kadow) an der Krefelder Textilingenieurschule lehrten.

Hans Volger war 1937 in die NSDAP eingetreten, weshalb er nach 1945 zunächst aus dem städtischen Dienst entlassen wurde. Als er sich wegen eines Empfehlungsschreibens an Walter Gropius wandte, unterstützte Lis Volger ihren Mann und rechtfertigte seine Parteimitgliedschaft. Doch ohne Erfolg – Walter Gropius versagte das gewünschte Schriftstück. Bis 1963 konnte Hans Volger dennoch wieder im städtischen Bauamt arbeiten, nachdem er 1948 rehabilitiert worden war. In Bad Krozingen fand das Paar seinen Altersruhesitz; dort starb Hans Volger im Juli 1973. Seine Ehefrau folgte ihm nur einen Monat später.

OBEN LINKS Lis Beyer-Volger am Entwurfstisch im Atelier, Bauhaus Dessau, ca. 1928.

OBEN RECHTS Lis Beyer-Volger, Bauhaus-Kleid, 1928, Baumwolle, Viskose, Länge 101 cm.

OBEN Lis Beyer-Volger, Decke, 1934–1935, schwere Wolle und feiner Hanf.

Marianne Brandt

Den für lange Zeit höchsten Auktionspreis für ein Bauhaus-Objekt erzielte ein winziges Tee-Extraktkännchen aus Silber und Ebenholz. Das Kännchen wurde 1924 von der neuen Schülerin Marianne Brandt in der Metallwerkstatt gefertigt. Es wurde 2007 für 361.000 Dollar verkauft und ist eines der wenigen Exemplare dieser kleinen Kanne, die Brandt unter der Werkstattnummer MR 49 fertigte. Entworfen, um Teeextrakt mit heißem Wasser aufzugießen, vereinigt das MT 49 eine Reihe von Bauhaus-Prinzipien: Harmonie durch die einfachen Gestaltungsformen Kreis, Kreuz und Quadrat, elegante Modernität und Funktionalität für den Alltag. In einem 1929 im hauseigenen Bauhaus-Magazin veröffentlichten Essay widerspricht Brandt der Idee vom Bauhaus als bloßer Stilrichtung. Vielmehr handle es sich um eine Methode, um schlichtweg die besten Formen zu schaffen. Sie erinnerte darin an ihre Experimente, mit denen eine optimale Funktionalität für jedes in der Metallwerkstatt geschaffene Objekt gewährleistet werden sollte – die Werkstatt stand zu der Zeit nicht zufällig unter ihrer Leitung –, und schrieb, dass ihre Teekannen »besser nicht tropfen« sollten. Und doch

Geboren: Marianne Liebe, 1. Oktober 1893 in Chemnitz (Deutschland)
Gestorben: 18. Juni 1983 in Kirchberg, Sachsen (Deutschland)
Immatrikuliert: 1924
Stationen ihres Lebens: Deutschland, Norwegen, Frankreich

LINKS Marianne Brandt, Tee-Extraktionskännchen (MT 49), 1924. Foto von Lucia Moholy.

verkörpert die MT 49 auch die Widersprüche des Bauhauses, die für das bloße Auge nicht sichtbar sind. Die Teekanne mag zwar wie ein in Serie produzierter Gegenstand von hoher maschineller Präzision erscheinen, doch tatsächlich ist es ein Luxusobjekt aus teuren Materialien, das nur in geringer Stückzahl aufwendig von Hand gefertigt wurde.

Abgesehen von den hohen Preisen, die ihre Entwürfe heutzutage erzielen, sind die Arbeiten von Marianne Brandt zentral für die Geschichte des Bauhauses. Sie war nicht nur die einzige Frau, die ihr Diplom in der von Männern dominierten Metallwerkstatt erhielt, sondern sie hatte in ihren fünf Jahren am Bauhaus auch verschiedene führende Positionen inne. Brandt war eine visionäre Metalldesignerin, aber auch Malerin und Fotografin und sie stellte Fotomontagen her. Gerade letztere weisen sie als scharfsinnige Interpretin der Massenkultur der Zwischenkriegszeit und des in den Medien propagierten Typus der »Neuen Frau« aus.

Als Marianne Liebe geboren, wuchs sie in einer großbürgerlichen Familie in Chemnitz auf. 1911 zog sie nach Weimar, um die Zeichen-

OBEN Marianne Brandt, Ohne Titel (Selbstporträt, Doppelbelichtung), ca. 1930–1932. Sie wirkt gleichzeitig weiblich – mit wallendem Haar, Lippenstift und Perlenkette – und betont sachlich-konstruktivistisch in ihrem Laborkittel, mit Entwurfsinstrumenten und Kameraverschluss in der Hand.

schule zu besuchen. Im darauffolgenden Jahr schrieb sie sich an der Grossherzoglichen Sächsischen Hochschule für Bildende Kunst in Weimar ein und studierte Malerei bei Expressionisten wie Fritz Mackensen. 1918 machte sie ihr Diplom und heiratete 1919 den norwegischen Maler Erik Brandt. Durch die Heirat änderte sich ihr Name und sie wurde automatisch norwegische Staatsbürgerin. Das Paar reiste und malte in den kommenden zwei Jahren in Norwegen und Frankreich. Nach der Rückkehr studierte Marianne Brandt Bildhauerei in Weimar. 1923 besuchte sie die Ausstellung *Staatliches Bauhaus*, die erste große Selbstpräsentation der Schule und schrieb später, dass sie »das Bauhaus wirklich fast magisch« angezogen habe. Nachdem ihre Entscheidung feststand, verbrannte sie ihre Bilder und begann im Januar 1924 ein Studium am Bauhaus. Zunächst besuchte sie den Vorkurs von Josef Albers und László Moholy-Nagy, der vorschlug, sie solle sich auf die von ihm geleitete Metallwerkstatt konzentrieren. Brandt folgte seinem Rat und war anfangs der Schikane ihrer Mitstudenten ausgesetzt. Sie erinnerte sich, dass die endlosen, sich ständig wiederholenden und einfachen Arbeiten für alle Anfänger der Metallwerkstatt die Regel waren, doch ihre männlichen Kollegen sollten später zugeben, dass sie versucht hatten, Brandt abzuschrecken. Glücklicherweise hatte Brandt Erfolg mit Entwürfen, die Kultstatus erreichten, wie ihre Teekanne und ähnliche Haushaltsobjekte – Metallaschenbecher, Kaffeeservices und Servierschüsseln –, und die schon bald als sinnbildhaft für Walter Gropius' Neuorientierung der Schule galten: Weg vom Expressionismus und hin zu dem Leitsatz »Kunst und Technik – eine neue Einheit«.

Als die Schule in das neue, nach Bauhaus-Prinzipien entworfene Gebäude nach Dessau zog, lieferte die Metallwerkstatt die Leuchten, an deren

»Zudem zog mich
das Bauhaus wirklich
fast magisch an.«

Marianne Brandt

Entwurf Brandt maßgeblich mitbeteiligt war. Ein Foto aus dem Jahr 1926, dem Jahr der Bauhaus-Eröffnung in Dessau, zeigt die Weberei mit den vernickelten Deckenleuchten von Marianne Brandt und Hans Przyrembel, die auch als ME 78b bekannt wurden. Funktional, praktisch und unverkennbar modern, ließen sich die Leuchten in der Höhe durch einen Rollenzug leicht verstellen.

1927 erhielt Brandt eine bezahlte Anstellung als Moholy-Nagys rechte Hand mit verantwortlicher Leitung der Werkstatt. Im April 1928 verließen Gropius und Moholy-Nagy das Bauhaus und zogen nach Berlin. Ihre Bauhäusler stellten die Abschiedsmappe *9 Jahre Bauhaus – eine Chronik* zusammen, um Gropius für seine Arbeit als Gründungsdirektor zu danken. Brandt steuerte die Seite der Metallwerkstatt bei, einfach ME benannt, die Abkürzung des Bauhauses für alle in der Metallwerkstatt hergestellten Objekte. Mitarbeiter der Werkstatt, ihre Produkte und Ansichten zum Bauhaus-Gebäude umkreisen einen großen planetenartigen Lampenschirm in der Mitte der Komposition. Auf dem Foto sind auch ein seltsam stoischer Moholy-Nagy und Brandt selbst zu sehen, die sich links unten zurücklehnt.

LINKS Weberei am Bauhaus Dessau mit der Hängeleuchte ME 78b, ein Entwurf von Marianne Brandt und Hans Przyrembel, 1926.

RECHTS Marianne Brandt, *ME (Metallwerkstatt)*, 1928. Fotocollage auf Pappe, aus der Abschiedsmappe für Walter Gropius *9 Jahre – eine Chronik*.

Übereinanderliegende Schatten der Leuchte ME 78b erheben sich wie eine architektonische Säule im oberen Teil und erinnern an den Entwurf der Werkstatt und deren Fertigungsmöglichkeiten. Mit dem Fortgang von Moholy-Nagy wurde Brandt als leitende Direktorin der Metallwerkstatt eingesetzt – eine Position, die Führungsqualitäten verlangte. Sie führte Verhandlungen mit Unternehmen wie Schwinzer & Gräff in Berlin und Körting & Mathiessen in Leipzig, die die Entwürfe der Werkstatt produzierten. Da immer mehr Häuser an das öffentliche Stromnetz angeschlossen wurden, erwuchs ein neuer Markt für Lampen und somit ein lukratives Geschäftsfeld für Bauhaus-Entwürfe. Schreibtisch- und Nachttischlampen wurden gebräuchlich, doch es waren Brandt und ihre Kollegen, die sich zum ersten Mal gestalterisch mit diesen Gegenständen beschäftigt hatten.

Die »Metallwerkstatt« für Gropius war nicht Brandts erster Ausflug in die Methode des *cut and paste* (»Ausschneiden und Zusammenfügen«). 1926, als sich das Bauhaus in Dessau noch im Bau befand, nahmen Brandt und ihr Ehemann eine neunmonatige Auszeit in Paris. Weit weg von der Werkstatt stellte sie komplexe und ansprechende Klebebilder her, die damals

wohl »Fotomontagen« genannt wurden und vermutlich maschinenähnliche Eigenschaften betonen sollten, da »Montage« die Arbeit eines »Monteurs«, eines Mechanikers oder Technikers beschrieb. Brandts *Pariser Impressionen* aus dem Jahr 1926 sind eine reizende Montage, die die Neue Frau als eine umherschweifende Figur darstellt, die sich in der »Stadt der Lichter« frei bewegt. Kunst, Film und Showgirls – einschließlich der berühmten amerikanischen Tänzerin Josephine Baker – sind vor dem Hintergrund des Eiffelturms arrangiert und um Bilder weiblicher Mobilität ergänzt. Frauen sind mit Bussen, Autos und selbst mit Kinderwagen unterwegs. Die Beine der Frauen wirken im Gesamtbild als doppelte Symbole – für die Sexualisierung des weiblichen Körpers einerseits und für ihr Potenzial zu Be-

wegung und Handlungsfähigkeit anderseits. In ihrer Bauhaus-Zeit sollte Brandt insgesamt fünfzig dieser Montagen herstellen. Ihre fotografischen Arbeiten umfassen Aufnahmen des Lebens am Bauhaus, Stillleben sowie Selbstporträts, auf denen ihr eigenes Bild mit verspiegelten und metallischen Oberflächen, dem Hauptmaterial ihrer Bauhaus-Arbeit, kombiniert ist. Diese Fotografien schwelgen oftmals in Oberflächentexturen und beobachten die Beziehung der Kamera – einer Maschine – zur Bilderzeugung.

Bis 1929 leitete Brandt erfolgreich die Metallwerkstatt – eine der wenigen Frauen in einer offiziellen Führungsposition am Bauhaus. Wegen männlicher Kollegen, die regelmäßig ihre Autorität in Frage stellten, war sie allerdings zunehmend frustriert. Sie wollte außerdem wieder in Vollzeit als Designerin arbeiten, und so kündigte sie im April 1929 dem damaligen Direktor Hannes Meyer an, das Bauhaus zu verlassen. Als sie im Sommer aus der Schule ausschied, hielt sie ein offizielles Diplom der Metallwerkstatt des Bauhauses in ihren Händen – das einzige, das jemals einer Frau verliehen wurde.

Brandt arbeitete sechs Monate in Gropius' Architekturbüro in Berlin. 1930 wurden ihre Metallentwürfe in der von Moholy-Nagy kuratierten Werkbund-Ausstellung in Paris gezeigt. Im selben Jahr wurde sie Leiterin der Entwurfsabteilung der Metallwarenfabrik Ruppelwerk in Gotha. Brandt überarbeitete die altmodischen und häufig kitschig anmutenden Produktserien des Unternehmens und realisierte damit die Bauhaus-Vision von in Serie produzierten, schlichten, eleganten und nützlichen Objekten. Trotz ihres gestalterischen Einflusses brachte Brandt in einem Brief an Gropius ihre Frustration zum Ausdruck, da sie durch den antiquierten Geschmack ihrer Chefs ziemlich eingeschränkt war.

Wie vielen anderen Bauhäuslerinnen und Bauhäuslern setzte der Aufstieg des Nationalsozialismus auch Brandts kreativem Leben und Schaffen faktisch ein Ende. Sie ließ sich 1935 von ihrem Mann scheiden und verbrachte die Nazi-Jahre, den Zweiten Weltkrieg und auch die DDR-Zeit vorwiegend in ihrem Elternhaus in Chemnitz, dem späteren Karl-Marx-Stadt, weitgehend zurückgezogen von der Öffentlichkeit. In den späten 1940er- und frühen 1950er-Jahren unterrichtete sie Industriedesign an der Dresdener Hochschule für Werkkunst und später an der Hochschule für Angewandte Kunst in Berlin-Weißensee. Sie reiste für die von ihr kuratierte Ausstellung *Deutsche Angewandte Kunst der DDR* nach China. Erst in ihren späten Lebensjahren begann man auch in Ostdeutschland die Bedeutung des Bauhauses zu erkennen und Brandts Arbeiten auszustellen und zu diskutieren. Heute werden einige von Brandts Metallentwürfen wieder produziert und Museen auf der ganzen Welt würdigen ihr Werk.

Ruth Hollós-Consemüller

Geboren: Ruth Hollós,
3. August 1904 in Lissa
(heute Leszno, Polen)
Gestorben: 25. April 1993
in Köln (Deutschland)
Immatrikuliert: 1924
Stationen ihres Lebens:
Deutschland

Ein Lebensweg als kreative Gestalterin schien der im preußisch-polnischen Grenzgebiet geborenen Ruth Hollós vorgezeichnet, als sie – inzwischen mit ihrer Mutter nach Bremen übergesiedelt – bereits mit 17 Jahren eine Ausbildung an der dortigen Kunstgewerbeschule aufnahm. Drei Jahre später, zum Wintersemester 1924/1925, bewarb sie sich auf Anregung von Wilhelm Wagenfeld am Staatlichen Bauhaus in Weimar und wurde zugelassen, um schon bald den Umzug der Schule nach Dessau mit zu vollziehen. Nach dem Vorkurs bei Georg Muche und Josef Albers genoss sie eine umfassende Ausbildung in der Webereiwerkstatt bei Gunta Stölzl. Sie war eine der wenigen Bauhaus-Absolventinnen, die die Schule gleich mit mehreren formalen Abschlüssen verließen: Im Juli 1927 legte sie die Gesellenprüfung vor der Handwerkskammer in Glauchau ab; im März 1928 erhielt sie das Bauhaus-Zeugnis, welches ihr das erfolgreiche Studium an der Schule attestierte; und im Juni 1930, lange nach Ihrem Ausscheiden, erhielt sie noch das Bauhaus-Diplom mit der Nummer 12. In diesen Dokumenten wird ihr mit großem Nachdruck die Eignung zu künstlerischer Tätigkeit bescheinigt; so heißt es unter anderem: »fräulein hollós hat vorzügliche anlagen zu schöpferischer arbeit. Ihre veranlagung wird getragen von großer energie,

OBEN **Ruth Hollós, Gobelinteppich,** ca. 1926.

LINKS **Marcel Breuer und sein »Harem«.** Von links nach rechts: Martha Erps, Katt Both und Ruth Hollós. Fotografie von Erich Consemüller, 1927.

»fräulein hollós hat vorzügliche anlagen zu schöpferischer arbeit. Ihre veranlagung wird getragen von großer energie, selbstdisziplin, fleiss und ausdauer. Sie hat ein ausgeprägtes feines empfinden für das material und seine kombinationsmöglichkeiten. Ihre leistungen in entwurf und durchführung sind ausgezeichnet zu nennen.«

Aus dem Bauhaus-Diplom von Ruth Hollós

selbstdisziplin, fleiss und ausdauer. Sie hat ein ausgeprägtes feines empfinden für das material und seine kombinationsmöglichkeiten. Ihre leistungen in entwurf und durchführung sind ausgezeichnet zu nennen.«

Kein Wunder also, dass die junge Textilgestalterin mit ihren Ausführungen eine gewisse Bekanntheit erlangte: Schon die erste Ausgabe der frisch gegründeten Bauhaus-Zeitschrift wirbt 1926 für einen Gobelin von Ruth Hollós. Im selben Jahr ist sie außerdem an der Ausstattung des Theater-Cafés in Dessau beteiligt und wirkt an der Einrichtung der Wohnung des bekannten Theaterregisseurs Erwin Piscator in Berlin mit – seinerzeit ein durchaus prestigeträchtiger Auftrag, der sich unter anderem in der bekannten Bildreportage des Avantgarde-Fotografen Sasha Stone über das »Heim Piscators« niederschlug, die dann im April 1928 in der damals maßgeblichen deutschen Lifestyle-Illustrierten *Die Dame* veröffentlicht wurde.

Im selben Monat trat die solchermaßen hochqualifizierte Bauhaus-Absolventin eine Stelle als kunstgewerbliche und technische Leiterin der Handweberei des Vereins für volkstümliche Heimarbeit Ostpreußen e.V. an, wo sie in Beratung und Ausbildung tätig war und für die sie in das entfernte Königsberg übersiedeln musste. Dieses Intermezzo fand nach anderthalb Jahren, im Dezember 1929, ein Ende, als sie zu ihrem früheren Kommilitonen Erich Consemüller zurückkehrte, mit dem sie schon länger liiert war und eine Art »Vorzeigepaar« unter den Bauhäuslern bildete. Erich hatte Ruth bereits 1927 in seinem denkwürdigen Schnappschuss *Marcel Breuer und sein Harem* als verrucht-moderne Frau mit Strubbelhaar (gemeinsam mit Martha Erps und Katt Both) abgelichtet. Das Paar heiratete 1930, und als Erich – damals stellvertretender Leiter der Bauabteilung am Bauhaus – an die Kunstgewerbeschule Burg Giebichenstein berufen wurde, zog auch Ruth nach Halle an der Saale um.

Zwischen 1929 und 1932 gestaltete Hollós Auslegware und Läufer für die traditionsreiche Herforder Teppichfabrik, die nicht nur großen Wert auf eine hohe Wollqualität legte, sondern auch immer wieder Entwürfe renommierter Künstler ankaufte. In den erhaltenen Dessinbüchern des Unternehmens sind insgesamt acht Arbeiten von Hollós verzeichnet und durch Schwarz-Weiß-Fotos dokumentiert. Die linearen Muster greifen dabei jene Stilelemente auf, die bereits ihre am Bauhaus entstandenen Arbeiten auszeichnen: Es dominieren Streifen in unterschiedlicher Breite, die sich mal in Quadraten und Rechtecken auflösen, mal in ihren Hell-Dunkel-Kontrasten und ihrem Einbezug des Fonds auf die Gestaltungsprinzipien des Bauhaus-Unterrichts verweisen.

Spätestens mit der Geburt von Tochter Brigitte (1933) und Sohn Stephan (1938) konzentrierte sich Ruth Hollós-Consemüller dann auf die Familie und gab ihre künstlerische Tätigkeit weitgehend auf. Nachdem Erich Consemüller bereits 1933 aus Giebichenstein entlassen wurde, fand er Arbeit bei verschiedenen Architekturbüros in Leipzig und Halle. 1939 erhielt er wegen der jüdischen Herkunft seiner Gattin Berufsverbot und wurde aus der Reichskammer der bildenden Künste ausgeschlossen. Unmittelbar nach dem Krieg berief die Stadt Halle Consemüller zum Entwerfer und Stadtplaner. 1957, im Jahr nach seinem Tod, floh seine Witwe nach West-Berlin, siedelte anschließend nach Köln über und beschäftigte sich dann wieder intensiver mit der Gobelin-Weberei.

Katt Both

Die Architektin, Designerin und Fotografin Katt Both wurde als Anna Elisabeth Mathilde Kattina Both in der malerischen Stadt Waldkappel in Mittel-
deutschland geboren. Sie sollte eine der aktivsten Bauhaus-Architektin-
nen und -Designerinnen werden, Mitarbeiterin in verschiedenen Teams,
die kongeniale Lösungen für den modernen Wohnungsbau schufen. Für
kurze Zeit absolvierte sie eine Ausbildung an der Kunstgewerbeschule in
Kassel und auf Burg Giebichenstein in Halle, bevor sie sich 1925 dem Bauhaus in Dessau anschloss. Während Both in der Geschichte der Schule
lange keine zentrale Bedeutung zugeschrieben wurde, haben neue Forschungen der Wissenschaftlerinnen Ute Maasberg und Regina Prinz ihrem
außergewöhnlich reichen Werk zu Sichtbarkeit verholfen.

Schon während des Vorkurses bei László Moholy-Nagy und Josef Albers
begann Both mit Entwürfen für die Möbel-Werkstatt, die zu dieser Zeit
vom ehemaligen Studenten Marcel Breuer – selbst nur drei Jahre älter
als Both – geleitet wurde. Both beendete zügig ihre Lehre in der Werkstatt
und wurde Gesellin. 1927 entwarfen und produzierten Both und Breuer
gemeinsam einen praktischen und gewagten modularen dreiteiligen
Wäsche- und Kleiderschrank für Kinder. Während Both studierte, beschäftigte Breuer sie gleichzeitig als Entwurfszeichnerin in seinem Büro. 1931 beschrieb er sie als »eine außerordentlich befähigte, phantasiebegabte und
aktive persönlichkeit«.

Both studierte Architektur bei den bedeutendsten Bauhaus-Architekten
Walter Gropius, Hannes Meyer und Mart Stam. In einem Empfehlungsschreiben von 1936 lobte Gropius sie in höchsten Tönen: »Sie hat sich während
ihrer Studien durch besondere künstlerische Begabung namentlich auf
architektonischem Gebiet ausgezeichnet und ihre Ausbildung sehr vielseitig gestaltet. Wegen dieser künstlerischen Veranlagung verbunden mit
hoher Intelligenz, Energie, Können, halte ich sie zur selbständigen Durchführung auch schwieriger Bauaufgaben für hervorragend befähigt.« Katt
Both verließ 1928 das Bauhaus, um ihr Wissen in der Praxis anzuwenden,
und wurde vom angesagten und progressiven Berliner Architekturbüro der
Brüder Luckhardt und Alfons Anker eingestellt. In ihrem ersten Jahr dort
wurde sie Entwurfsleiterin für die Einrichtung kleiner Wohnungen, die die
Immobilienkrise der Weimarer Republik lindern sollte. Eine solche »Kleinst-
wohnung« bot alles, was eine vierköpfige Familie brauchte – einschließlich
Vorrat, Balkon und Badewanne –, und zwar auf gerade einmal 45,5 Quad-
ratmetern.

Geboren: Anna Elisabeth
Mathilde Kattina Both, 1905 in
Waldkappel (Deutschland)
Gestorben: 1985 in Kassel
(Deutschland)
Immatrikuliert: 1925
Stationen ihres Lebens:
Deutschland, Italien

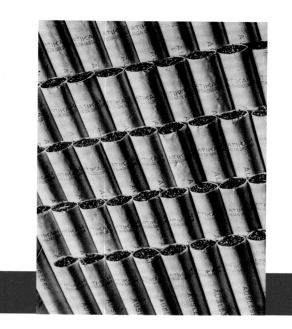

OBEN Katt Both, Ohne Titel (Werbung für Atikah-Zigaretten), ca. 1929.

RECHTS Siedlung Blumläger Feld, Otto Haesler Architekturbüro (Celle) mit Katt Both, ca. Anfang 1930er-Jahre.

UNTEN Katt Both (vermutlich ein Selbstporträt), 1932.

Both beschäftigte sich mit Fotografie auf Burg Giebichenstein und sammelte mit Unterstützung von Moholy-Nagy weitere praktische Erfahrung. Mit ihrem scharfen Auge für Komposition und Design schuf Both Bilder wie den Reklameentwurf für Atikah-Zigaretten, in dem dieser kleine, massenweise produzierte Bedeutungsträger der modernen Freizeitgesellschaft in seiner globalen Dominanz neue Bedeutung erlangte.

Katt Both arbeitete den Rest ihres Lebens als Architektin, Designerin und schließlich auch als Verwaltungsangestellte. Von 1929 bis 1934 war sie im Celler Architekturbüro von Otto Haesler für verschiedene Gemeinschaftsprojekte zuständig. 1936 versuchte sie eine dauerhafte Beschäftigung in Rom zu finden, arbeitete aber während der gesamten Nazizeit an verschiedenen Projekten in Deutschland. Während des Zweiten Weltkriegs konzentrierte sie sich im Berliner Büro des Architekten Ernst Neufert auf modernes Möbeldesign und Notunterkünfte für Bombenopfer. Nach dem Krieg kehrte sie zurück nach Kassel und arbeitete für die Stadtverwaltung, darunter 16 Jahre im Büro für Bauüberwachung. In ihrem späteren Leben fasste sie ihre Zeit am Bauhaus bescheiden mit folgenden Worten zusammen: »Gelernt haben wir nix, wir haben nur unseren Charakter gefestigt.«

Lena Meyer-Bergner

1931 verließ Lena Bergner, Webmeisterin und Bauhaus-Absolventin, ihre ausgezeichnete Stelle als Leiterin bei der Ostpreußischen Handweberei in Königsberg und ging nach Moskau, um sich der Bauhaus-Stoßbrigade Rot Front anzuschließen. Der frühere Bauhaus-Direktor Hannes Meyer, den Lena Bergner 1937 heiratete, stand dieser pro-sowjetischen Bauhäusler-Gruppe vor. Sie waren Idealisten, beseelt von dem Gedanken, ihre Fertigkeiten als Designer und Architekten in den Dienst der Sowjetunion zu stellen. An der Seite ihres Mannes teilte Lena Meyer-Bergner zeit seines Lebens dessen Enthusiasmus. Das Paar war Teil einer internationalen Bewegung, die davon überzeugt war, dass der Kunst eine zentrale Rolle zukam, um die Welt zu einem besseren und gerechteren Ort zu machen.

Wie viele andere Bauhäusler war auch Lena Bergner in ihrer Jugend Mitglied in der Wandervogel-Bewegung gewesen, die bei ihren Anhängern einen Willen zur Veränderung und die Liebe zur Natur geweckt hatte. Nach ihrem Eintritt ins Bauhaus Dessau schloss Bergner zunächst den Vorkurs bei Josef Albers ab und besuchte typische Bauhaus-Kurse bei Wassily Kandinsky, László Moholy-Nagy, Oskar Schlemmer und Joost Schmidt. Bergners Arbeiten für Paul Klee – etwa ihre Übungen zur gegenseitigen Durchdringung der Komplementärfarben – spiegeln seine auf Wechselwirkung basierenden Farbtheorien wider. Sie spezialisierte sich auf das Weben und wurde mit ihren unterschiedlichen und konsequent modernen Entwürfen zu einer brillanten Farbkünstlerin. Bergner weitete ihre Studien am Bauhaus aus und verbrachte das Wintersemester 1927/1928 in der Werkstatt für Druck und Reklame. In zwei Außensemestern absolvierte sie die verlangten Praktika außerhalb des Bauhauses. Das erste, im Winter 1928/1929, machte sie bei der Färberei-Schule in Sorau. Für das zweite reisten sie und Grete Reichardt im Frühjahr 1929 nach Königsberg, um bei der Bauhäuslerin Ruth Hollós-Consemüller zu arbeiten, die Leiterin der Weberei beim Verein für volkstümliche Heimarbeit Ostpreußen war. Bergner bestand 1929 ihre Gesellenprüfung und übernahm die Leitung der Färbereiabteilung des Bauhauses.

Im Oktober 1930 erhielt Bergner ihr Bauhaus-Diplom und ging an die Ostpreußische Handweberei, eine gemeinnützige Institution, die armen Pächterfamilien dabei half, ihr Einkommen mit kleinen Handwebearbeiten aufzubessern – ein ziemliches Kontrastprogramm zur industrieorientierten Ausbildung am Bauhaus, wie die Wissenschaftlerin Kristin Baumann anmerkte. Bergner mochte die Arbeit, ergriff aber die Gelegenheit, nach

Geboren: Lena Bergner, 1906 in Coburg (Deutschland)
Gestorben: 1981 in Bad Soden (Deutschland)
Immatrikuliert: 1926
Stationen ihres Lebens: Deutschland, Sowjetunion (UdSSR), Schweiz, USA, Mexiko

OBEN RECHTS **Lena Meyer-Bergner mit Hannes Meyer in Mexiko, 1947.**

RECHTS **Lena Meyer-Bergner, Entwurf für einen Teppich, ca. 1928.**

Moskau zu gehen, was sie bereits während ihres Studiums versucht hatte, so Astrid Volpert, Expertin für die Bauhaus-Sowjet-Beziehungen. Nach anfänglichen Schwierigkeiten mit der russischen Sprache wurde Meyer-Bergner zur leitenden – und einzigen – Designerin einer Fabrik für Inneneinrichtung mit sechshundert Beschäftigten. In ihren autobiografischen Notizen erinnert sich Meyer-Bergner, wie während des ersten sowjetischen Fünfjahresplans selbst das Stoffdesign zu Propagandazwecken eingesetzt wurde: »die letzte thematische zeichnung war ein jubiläumsstoff zum 15-jährigen bestehen der roten armee ... nach meinung der rotarmisten waren die tanks etwas veraltet. aber das konnte ich laie natürlich nicht wissen.« Meyer-Bergner führte die Fabrik bis 1936, bevor sie mit ihrem Mann angesichts der gefährlicher werdenden Lage und der beginnenden stalinistischen Säuberungsaktionen das Land verließ. Nach einem Aufenthalt in der Schweiz und Reisen durch die USA und Zentralamerika wurde Meyer-Bergner eine Professur für Textilgestaltung in Mexiko angeboten. Während der zehn Jahre, die sie dort verbrachte, engagierte man sie auch, um das Handweben unter den Armen der Region Ixmiquilpan weiterzuentwickeln.

Ab 1949 lebten die Meyers wieder in der Schweiz und arbeiteten bis zu Meyers Tod im Jahr 1954 an diversen Bauhaus-Publikationen mit. Lena Meyer-Bergner, 17 Jahre jünger als ihr Mann, überlebte ihn um ein Vierteljahrhundert und widmete sich der Archivierung und Veröffentlichung seiner Arbeiten.

Margaretha Reichardt

Vermutlich kam keine Absolventin des Bauhauses in ihrem späteren Berufsleben zu höheren Weihen: die »Gute Form« der Messe Leipzig, die Ehrenurkunde des Ministeriums für Kultur und die J. R. Becher-Medaille des Kulturbundes in Gold sind nur drei der Auszeichnungen, die Margaretha (»Grete«) Reichardt im Laufe ihrer langen Karriere für ihre Webarbeiten zuteilwurden. Diese Ehrungen verlieh man ihr eher trotz als wegen ihrer Bauhaus-Vergangenheit – in der Kulturpolitik der ehemaligen DDR hatte die Kunstschule nämlich lange kein gutes Ansehen. Reichardt selbst schrieb nach ihrer Zeit am Bauhaus weniger den funktionalen, auf Massenproduktion und industrielle Fertigung ausgerichteten Bauhaus-Gedanken fort, sondern entwickelte eine ganz eigenes, stark dem handwerklichen Ideal verpflichtetes Œeuvre; zu ihren Wurzeln kehrte sie erst an ihrem Lebensende wieder zurück, als sie Bauhaus-Arbeiten reproduzierte und reflektierte.

Mit 14 Jahren trat die in Erfurt aufgewachsene Reichardt in die Staatlich-Städtische Handwerker- und Kunstgewerbeschule ein, wo sie ab 1921 eine vierjährige Ausbildung absolvierte. Im Rahmen einer Klassenexkursion besuchte sie 1923 die erste Bauhaus-Ausstellung in der Nachbarstadt Weimar, was, wie Rainer Behrends in seiner Biografie erläutert, einen nachhaltigen Eindruck auf die Schülerin ausgeübt haben muss: Nach ihrem Abschluss bewarb sie sich am Bauhaus in Weimar, begann ihr Studium dann aber erst 1926 am neuen Standort in Dessau. Margaretha Reichardt besuchte zunächst den Vorkurs bei Josef Albers und László Moholy-Nagy, später den Unterricht bei Paul Klee, Wassily Kandinsky und Joost Schmidt. Sie spezialisierte sich in der Werkstatt für Weberei bei Gunta Stölzl, die deren Leitung im Frühjahr 1927 übernommen hatte. Später war Reichardt eine der Studierenden, die sich öffentlich gegen die einzige weibliche Lehrkraft aussprachen, daraufhin vom Meisterrat zunächst exmatrikuliert und schließlich durch Entscheid des Dessauer Oberbürgermeisters Hesse (der sich damit dem Druck der rechten Kräfte im örtlichen Stadtrat beugte) wieder zum Unterricht zugelassen wurden.

Im Unterricht experimentierte sie mit verschiedenen Garnen und Stoffen, die sie in der Materialcollage *Gretelstoffe* zusammenfügte. Aus Eisengarn webte sie strapazierfähige und formstabile Gurte, die Marcel Breuer für die Bespannung der von ihm entwickelten Stahlrohrmöbel nutzte. In den 1930er-Jahren wurden von ihr entwickelte Stoffe auch für die Bespannung von Flugzeugsitzen der Junkerswerke Dessau eingesetzt.

Geboren: 6. März 1907 in Erfurt (Deutschland)
Gestorben: 25. Mai 1984 in Erfurt-Bischleben (Deutschland)
Immatrikuliert: 1926
Stationen ihres Lebens: Deutschland, Niederlande

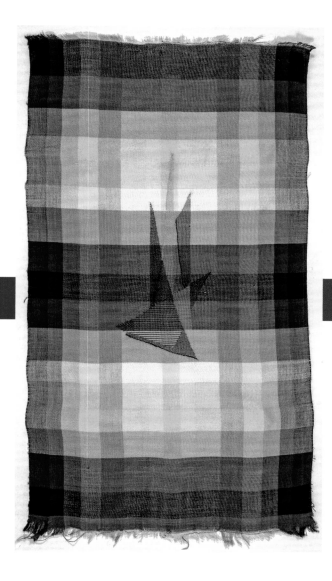

OBEN LINKS Margaretha Reichardt, »Kirchturm«-Intarsie in gewebtem Stoff, ca. 1926–1931.

OBEN RECHTS Margaretha Reichardt am Webstuhl mit der Studentin Burgel Seifert aus dem dritten Lehrjahr, 1956.

Darüber hinaus fertigte sie sogar Stoffe mit schalldämpfenden und lichtreflektierenden Eigenschaften. Schon dort entwarf sie auch bildhafte, gewebte und gewirkte Tapisserien und beteiligte sich an verschiedenen Großprojekten des Bauhauses, wie der Ausgestaltung der Bundesschule des Allgemeinen Deutschen Gewerkschaftsbundes in Bernau bei Berlin und des Operncafés in Dessau. Die Gesellenprüfung legte sie 1929 vor der anhaltischen Handwerkskammer Dessau ab. Ihr anschließendes Außensemester absolvierte sie gemeinsam mit Lena Meyer-Bergner in Königsberg, wo die ehemalige Bauhäuslerin Ruth Hollós-Consemüller, bei der sie Unterkunft fand, die Weberei des Vereins für volkstümliche Heimatarbeit in Ostpreußen leitete.

Nach ihrer Rückkehr war sie noch zwei Semester lang als Webmeisterin in der Bauhaus-Werkstatt tätig, bevor sie im Juli 1931 ihr Bauhaus-Diplom als Textile Formgestalterin erhielt, »ohne dass – mit rücksicht auf die von ihr bereits geleisteten arbeiten – eine diplomaufgabe von ihr verlangt« wurde. Margeretha Reichardt ging zeitweise nach Den Haag, um für die Künstlerin Sofia Gemmeken eine Webwerkstatt aufzubauen, und nutzte die Zeit auch für Schriftstudien bei dem Grafiker Piet Zwart. 1932 kehrte Margaretha

Reichardt nach Dessau zurück und besuchte als Hospitantin die freie Malklasse von Wassily Kandinsky. 1933 zog sie wieder nach Erfurt und gründete dort die Handweberei Grete Reichardt, für die sie auch zwei Webstühle aus dem Dessauer Bauhaus übernahm. In den über fünfzig Jahren, in denen sie ihren eigenen Betrieb führte, an zahlreichen Messen teilnahm, mit Preisen und Medaillen ausgezeichnet wurde und bis ins hohe Alter Handwerberinnen und -weber aus- und fortbildete, galt das Gros ihres Schaffens dem Entwurf und der Anfertigung von Alltags- wie Dekostoffen (Kleiderstoffe, Haushaltsstoffe von Gardine bis Tischdecke, Möbelstoffe, Souvenir-Artikel etc.). Diese Stoffe zeichneten sich durch eine gleichbleibend hohe Qualität aus, wurden jedoch fast nie industriell gefertigt.

Als zweites Standbein und Ausdruck ihres künstlerischen Seins fertigte sie Bildwirkereien (Tapisserien), die meist ohne Entwurf direkt am Webstuhl entstanden und zumeist mit ihrem Monogramm »gr« versehen sind. Ihr besonderes Interesse galt dem Garten und der Natur, der Literatur und der Musik, die starken Einfluss auf ihre Webkunstwerke ausübten, zu denen auch Knüpfteppiche und freie Arbeiten wie zum Beispiel Fadenspiele gehören. Ab 1936 erlaubte ihr die Mitgliedschaft in der Reichskulturkammer die Teilnahme an zahlreichen Kunsthandwerks-Ausstellungen, beispielsweise im Leipziger Grassimuseum, wo sie über Jahrzehnte mit einem Stand ihre Produkte bewarb. Auf der Weltausstellung in Paris erhielt Reichardt 1937 ein Ehrendiplom, zwei Jahre später wurden ihre Entwürfe für Industrietextilien auf der Triennale in Mailand mit einer Goldmedaille ausgezeichnet. 1939 ließ sie sich gemeinsam mit ihrem Ehemann und früheren Webschüler Hans Wagner, den sie drei Jahre zuvor geheiratet hatte, vom Architekturbüro Alfred Arndt ein Haus mit Werkstatt im sogenannten Heimatschutzstil errichten. Es entstand in Erfurt-Bischleben nach den Vorstellungen von Margaretha Reichardt und basiert auf einem Vorentwurf, den der Bauhäusler Friedrich Konrad Püschel

1937 oder 1938 als Blaupause erstellt hatte. Im Jahr 1942, mitten in den Kriegswirren, legte Margaretha Reichardt in Erfurt ihre Meisterprüfung als Handweberin ab.

Nach Kriegsende führte Margaretha Reichardt ihre private Werkstatt fort und war unter jenen *22 Bauhäuslern*, die Hubert Hoffmann zur ersten einflussreichen Ausstellung in Westberlin zusammenführte, die wichtige Impulse für den Fortbestand des Bauhausgedankens gab. Eine Zäsur markiert das Jahr 1952, als sie von ihrem Ehegatten geschieden wird, der bis dahin in der gemeinsamen Werkstatt mitgearbeitet hatte. Fortan führte sie die Werkstatt alleine und erhielt 1953 das Angebot einer Dozentur an der Landeskunstschule in Hamburg, das sie jedoch ablehnte. Stattdessen bildete sie bis zu ihrem Tod zahlreiche Weberinnen und Weber aus und realisierte in ihrer Handweberei zahlreiche Tapisserien in einem figürlichen Stil,

LINKS Margaretha –»Grete« –
Reichardts Initialen »gr« auf
dem Titel einer von Siegfried
Kraft entworfenen Werkstatt-
broschüre, 1962.

RECHTS Margaretha Reichardt,
Terra, Detail aus der Teppichfolge *Der faustische Mensch*
für das Nationaltheater Weimar,
1979–1980.

darunter auch Motive zu offiziellen Repräsentationszwecken. Einen späten
Höhepunkt ihres Schaffens markiert sicherlich eine Teppichfolge, die sie
zwischen 1978 und 1980 für das Deutsche Nationaltheater in Weimar unter
dem Motto *Der faustische Mensch* schuf. Zur selben Zeit hatte sie bereits in
einem bemerkenswerten Akt der Rückbesinnung ihre Motive aus der Bauhauszeit wiederbelebt und einerseits Reproduktionen früherer Entwürfe
nachgewebt; sie nahm ihre alten Arbeiten aber auch zum Anlass, ihre
Bauhaus-Vergangenheit in zeitgenössischen Entwürfen zu reflektieren. Ab
den 1970er-Jahren unterstützte Margaretha Reichardt auch die neuen
Bemühungen der DDR-Kulturpolitik um das Bauhaus-Erbe in Weimar und
Dessau und war bei vielen offiziellen Anlässen zu Gast, mit denen die Einrichtung in der Öffentlichkeit rehabilitiert wurde.

Otti Berger

von Ulrike Müller & Ingrid Radewaldt

Geboren: Otilija Ester Berger, 4. Oktober 1898 in Zmajevac (damals Österreich-Ungarn, heute Kroatien)
Gestorben: 27. April 1944 im KZ Auschwitz (Polen)
Immatrikuliert: 1927
Stationen ihres Lebens: Österreich-Ungarn, Jugoslawien, Kroatien, Deutschland, Schweden, Großbritannien

»Kunst im herkömmlichen und Gestaltung im neuen Sinne, das gibt es nicht. Denn das ›Herkömmliche‹ ist ja nie Kunst«, so die Weberin und Textildesignerin Otti Berger 1928 in einem Interview. Mit der ihr eigenen Kombination aus feinster Empfindungsfähigkeit, technischem Verstand, einer überaus reichen, innovativ-schöpferischen Imaginationskraft und der Begabung zu lehren gehörte sie zur Spitze der Bauhaus-Avantgarde. Das Leben der Jüdin endete in einer Tragödie: Fünf Jahre nach der Machtübernahme der Nazis 1933 hatte sie, die sich inzwischen in England im Exil befand, durch das Angebot einer Professur in den USA die Rettung eigentlich schon vor Augen. Sie entschied aber, noch einmal ihre schwer erkrankte Mutter im kroatischen Heimatort zu besuchen. Dass sie mit Kriegsbeginn 1939 kein Visum mehr bekam und schließlich mitsamt ihrer Familie nach Auschwitz deportiert und 1944 ermordet wurde, rückt einmal mehr die barbarische Willkür nationalsozialistischer Politik und die Tragödien in deren Gefolge in den Fokus.

Als Otilija Ester Berger 1898 zur Welt kam, gehörte ihr kleiner Heimatort Zmajevac in der Region Baranya noch zum Vielvölkerreich Österreich-Ungarn, von 1918 an dann zum Königreich Jugoslawien.

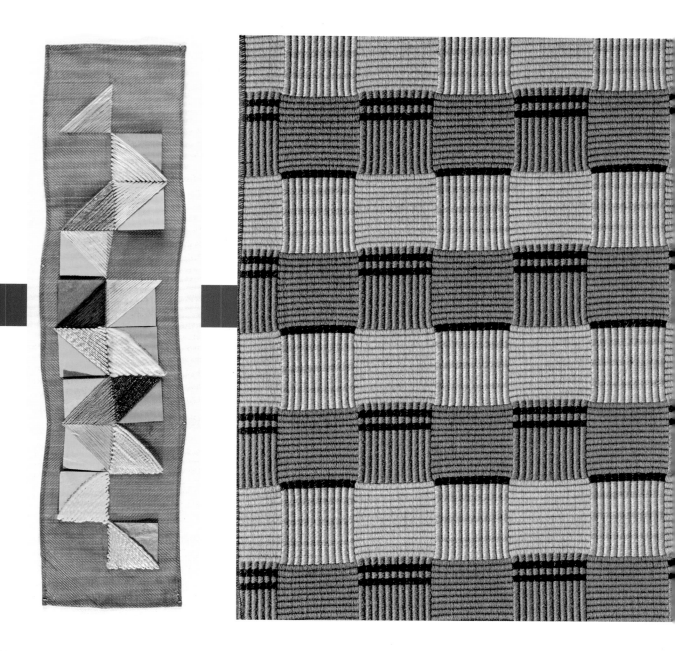

LINKS Lucia Moholy, Porträt von Otti
Berger mit Schattenprofil, ca. 1927–1928.

OBEN LINKS Otti Berger, *Tasttafeln* aus
László Moholy-Nagys Vorkurs, 1928,
Fäden auf Draht, applizierte Papier-
karten in verschiedenen Farben.

OBEN RECHTS Otti Berger, Muster für
einen karierten Möbelstoff (Cassina/
Storck Stoffe).

Zmajevac ist bis heute auch unter seinem ungarischen Namen Vörösmart bekannt, weshalb Otti Berger zuweilen als ungarische Künstlerin gilt.
Im Kaiserreich unter Franz Josef I. wurde den knapp fünf Prozent Juden in
der Bevölkerung erstmalig der ungehinderte Aufenthalt und die Religions-
ausübung gestattet. Dennoch ist es keine Selbstverständlichkeit, dass
Otti Berger die höhere Mädchenschule in Wien besuchte und von 1922
bis 1926 an der königlichen Kunstakademie und Kunstgewerbeschule in
Zagreb, der Hauptstadt Kroatiens, studierte. Später kritisierte sie die Schule
allerdings als »geistlose Stätte der Überlieferung«.

Im Januar 1927 immatrikulierte sie sich am Bauhaus in Dessau. Drei Lehr-
kräfte förderten Otti Berger dort maßgeblich: Paul Klee, neben Wassily
Kandinsky der wichtigste Lehrer für künstlerische Formen- und Farbenlehre;
die mit ihr befreundete Weberin und Textildesignerin Gunta Stölzl, seit 1927
Leiterin der Bauhaus-Weberei; und László Moholy-Nagy, bis 1928 Leiter des
Vorkurses und der Metallwerkstatt.

Moholy-Nagy legte in seinem Unterricht nicht nur Wert auf das technisch-experimentelle Arbeiten, sondern besonders auch auf die Ausbildung des Tastsinns. Dafür ließ er die Studierenden sogenannte Tasttafeln herstellen, und Otti Bergers Arbeit beeindruckte ihn offenbar so sehr, dass er ein Foto davon in seinem Theorieband *Von Material zu Architektur* veröffentlichte. Diese Tasttafel besteht aus einem querliegenden Metallgewebestreifen, in den mit unterschiedlichen Fäden Dreiecke gespannt sind, auf welche wiederum verschiedenfarbige Papierquadrate geschoben werden können. Am Ende lässt sich der Streifen wie eine Art »Materialalphabet« mit den Fingern entziffern. Diese Arbeit zeugt schon deutlich von Otti Bergers ganz besonderer Sensibilität für Stoffe.

Ein weiteres Beispiel für ihre künstlerische Begabung stellen die Übungsblätter dar, die sie vom Herbst 1927 an in Paul Klees Unterricht anfertigte: Scheinbar mühelos und dabei mit höchster Präzision sind die Aquarellstudien zu Farbmischungen und Farbverläufen ausgeführt. Form- und Farbgesetze von Klee direkt auf die Arbeit mit Textilien anzuwenden und zu größtmöglicher technischer Genauigkeit und Funktionalität zu gelangen, fiel ihr offenbar leicht. So folgt sie mit dem Möbelbezugsstoff *Carré* (1929/1930) auf idealtypische Weise Klees Grundforderung nach einer Beschränkung der Gestaltungsmittel. Dass Klee die Wirkung dieser Mittel in ihrer systemischen Gesamtheit als »Polyphonie« – ein Begriff aus der Musik – bezeichnet, weil sie Sinne und Bewusstsein für synästhetisches Empfinden und Vorstellungsvermögen öffnen, entsprach ganz und gar Otti Bergers eigenem geistig-sinnlichem Vermögen. »Eine Flügeldecke zum Beispiel (gemeint ist eine Decke für das Tasteninstrument, U. M.) kann an sich schon Musik sein, fließend, harmonisch, voll Melodien und Schwingungen«, schreibt sie 1930 in ihrem Aufsatz »Stoffe im Raum«. Die programmatischen Ideen darin lesen sich wie ein Manifest für den neuen Weg der Bauhaus-Weberei und eröffnen zugleich weitere Ansatzpunkte: etwa zu Pythagoras' philosophischem System der kosmischen Harmonik rund 600 Jahre v. Chr., aber auch zu künstlerischen Konzepten der Zeit wie der »Harmonisierungslehre«, die die Musikpädagogin Gertrud Grunow bis 1923 am Weimarer Bauhaus unterrichtete. Darin ging es um die innere und äußere Balance von Klang, Farbe und Bewegung. Aus einer Übungsstunde stammt ihr berühmter Satz »… und nun tanzen Sie die Farbe Blau!« Das Überschreiten traditioneller Wahrnehmungs- und Ausdrucksformen in ihrer Ausbildung am Bauhaus war für Berger um so mehr von Bedeutung, weil sie als Folge einer Erkrankung fast taub war, aber umso sensibler in ihrem Tastvermögen, mit dessen Hilfe sie das Wesen von Stoffen be-greifen konnte: »Das Begreifen eines Stoffes mit den Händen kann ebenso schön empfunden werden wie eine Farbe vom Auge oder ein Klang im Ohr.«

Als Berger im Oktober 1927 den Unterricht bei Gunta Stölzl in der Dessauer Webwerkstatt aufnahm, bestand das Hauptziel der Arbeit dort nicht

OBEN **Otti Berger am Hochwebstuhl, 1932.**

RECHTS **Otti Berger, Knüpfteppich, ca. 1929, Smyrna-Knüpfteppich, Wolle auf Kette mit Leinengarn.**

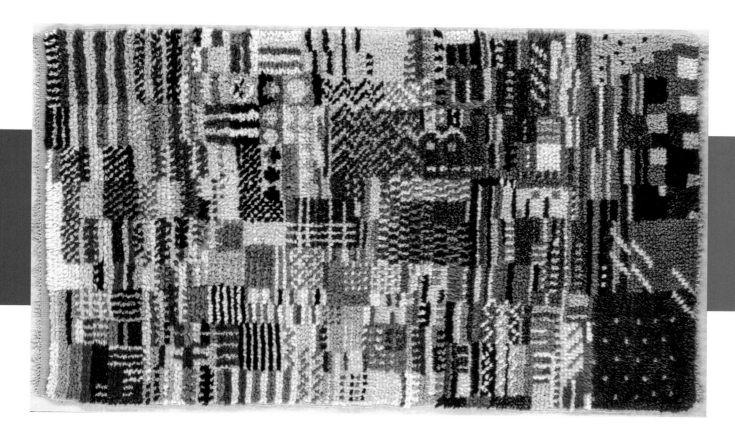

> »Das Begreifen
> eines Stoffes mit
> den Händen kann
> ebenso schön
> empfunden werden
> wie eine Farbe
> vom Auge oder
> ein Klang im Ohr.«
>
> Otti Berger

mehr in der Herstellung künstlerisch individuell gestalteter Einzelstücke, sondern in der Entwicklung reproduzierbarer Stoffe und Muster für die Industrie. Hier vollzog sich in der Unterrichtspraxis der Wandel von der Handweberei zum Textildesign. Aus Studentinnen der Weberei wie Otti Berger und Anni Albers, die diesen Weg begeistert und erfolgreich mitgingen, wurden Industriedesignerinnen. Nachdem Otti Berger 1929 ein Auslandssemester an der Stockholmer Johanna-Brunsson-Webschule verbracht hatte, übernahm sie im November 1929 gemeinsam mit Anni Albers die Vertretung für Stölzl, die gerade ihre erste Tochter zur Welt gebracht hatte.

Zu Bergers Aufgabenbereich gehörte auch die Verantwortung für die Produktion der Stoffe, mit der die von Bauhausdirektor Hannes Meyer entworfene Bundesgewerkschaftsschule in Bernau ausgestattet werden sollte. Sie analysierte und gestaltete die Textilien hinsichtlich »Struktur, Textur, Faktur und Farbe« im engen Bezug zur neuen Architektur und nach ihrem Konzept für »Stoffe im Raum«. Mit Meyer stimmte sie darin überein, dass in der Wohnkultur kein Platz für Überflüssiges sei und das Praktisch-Funktionale ebenso vorherrschen müsse wie in der Architektur: »Wozu brauchen wir (…) noch Blumen, Ranken, Ornamente? Der Stoff selbst lebt«. Genervt war sie hingegen von Meyers inflationärem Gebrauch solcher Begriffe wie »Struktur« oder »gebrauchsorientierteres Weben«, hatte doch die Weberei diese neuen Prinzipien schon längst formuliert und umgesetzt, bevor Hannes Meyer sie nun noch einmal erfand und gebetsmühlenartig verkündete.

Aus einem Empfehlungsschreiben Gunta Stölzls vom 9. September 1930 geht hervor, wie angetan diese von den Arbeiten ihrer nur ein Jahr jüngeren Studentin Otti Berger war – »sie gehören zu den Besten, die in der Abteilung geleistet werden«. Als Stölzl unter dem zunehmenden Druck von Intrigen und brauner Hetze zum 31. September 1931 am Bauhaus kündigte, war es ganz in ihrem Sinne, dass Otti Berger mit der künstlerischen und technischen Leitung der Weberei betraut wurde.

Otti Berger hatte ein Jahr zuvor, am 5. Oktober 1930, im sächsischen Glauchau bereits ihre Gesellenprüfung abgelegt; am 22. November 1930 hielt sie ihr Bauhaus-Diplom in den Händen. Jetzt übernahm sie in Eigenregie Aufträge großer ostdeutscher Textilfirmen. Außerdem wurde sie Mitglied der Bauhaus-Jury, die über die Stoffauswahl für die industrielle Herstellung entschied. Die Zeit ihrer Werkstattleitung hatte ein Ende, als Ludwig Mies van der Rohe 1932 neuer Bauhaus-Direktor wurde und seiner Mitarbeiterin und Lebensgefährtin Lilly Reich die Gesamtleitung der Werkstatt übertrug. Otti Berger erhielt einen Vertrag mit halber Stundenzahl, obwohl Reich auf ihre Mitarbeit vorerst noch stark angewiesen war: Sie hatte sich zwar als Designerin einen Namen gemacht, konnte aber nicht weben, was zu mancherlei Konflikten in der Werkstatt führte. Die Bauhaus-Musterbücher jener Zeit zeigen elegante, qualitativ hochwertige Stoffe, die dem Stil und Anspruch beider Frauen entsprechen, ohne dass ihre Namen genannt werden. Nach ihrem Weggang führte Otti Berger noch eine bis zur Auflösung des Bauhauses währende Auseinandersetzung um Verwertungsrechte und Honoraranteile für von ihr geschaffene Prototypen; das Bauhaus blieb ihr 800 Reichsmark schuldig.

Nachdem der Gemeinderat von Dessau das Bauhaus im Herbst 1932 unter dem Druck der NSDAP-Fraktion aufgelöst hatte, kaufte Otti Berger Webstühle und Werkstattmaterialien auf und eröffnete in Berlin-Charlottenburg ihr eigenes Atelier. Dieses war für sie nicht nur Werkstatt und Geschäft, sondern auch wissenschaftlich fundiertes Forschungslabor, in dem sie für Auftraggeber Stoffe und neue Konzepte mit experimentellen Materialmischungen entwickelte, die sie zum Teil patentieren ließ. 1933 erhielt sie mit Unterstützung von Walter Gropius mehrere große Aufträge, unter anderem von der niederländischen Firma De Ploeg und von der Zürcher Wohnbedarf AG, die ihre Textilien bald selbstbewusst unter dem Label »Otti-Berger-Stoffe« vermarktete. Im selben Jahr übernahm Berger die Innenausstattung des vom Architekten Hans Scharoun erbauten Hauses Schminke in Löbau bei Görlitz.

Nach der Machtübergabe an die Nazis 1933 fand ihre Karriere ein baldiges Ende. Ihre Arbeiten waren immerhin noch länger öffentlich präsent, da sie bei der Anmeldung von Patenten und der Durchsetzung ihres Markenzeichens hartnäckig gewesen war. 1934 erhielt sie ein Reichspatent für Möbelstoff-Doppelgewebe und wurde in den Bund deutscher Kunsthandwerker aufgenommen. 1936 aber wurde ihr ein Jahr zuvor gestellter Antrag auf Aufnahme in die Reichskammer der bildenden Künste endgültig abgelehnt, was faktisch einem Berufsverbot gleichkam. Um weiterhin eine Aufenthaltsgenehmigung für Deutschland zu beziehen, musste sie jedoch als »nichtarische Ausländerin« ein festes Einkommen nachweisen.

Unter dem Druck der Verhältnisse knüpfte sie Anfang 1937 Kontakt zu englischen Textilfirmen und reiste im September nach London aus, wo sie zunächst bei Lucia Moholy unterkam. Später zog sie dann in die Textilstadt Manchester um, wo sie im Wesentlichen nur unbezahlte Arbeit fand; einzig bei der Firma Helios konnte sie für fünf Wochen eine bezahlte Vertretungsstelle übernehmen. Im Dezember 1937 gelang es ihr noch, einen ihrer Stoffe in London patentieren zu lassen. Ihr Partner, der Architekt Ludwig Hilberseimer, mit dem sie ein gemeinsames Leben in den USA plante, schrieb ihr tröstende Briefe, doch sie fühlte sich zunehmend isoliert – aufgrund ihrer Taubheit und weil sie der englischen Sprache nicht mächtig war. »Sitze Tag für Tag, Abend für Abend alleine und traurig und mutlos,«

»(Bergers Arbeiten) gehören zu den Besten, die in der Abteilung geleistet werden.«
Gunta Stölzl

RECHTS **Otti Berger, Entwurf für ein Doppelgewebe, 1936.**

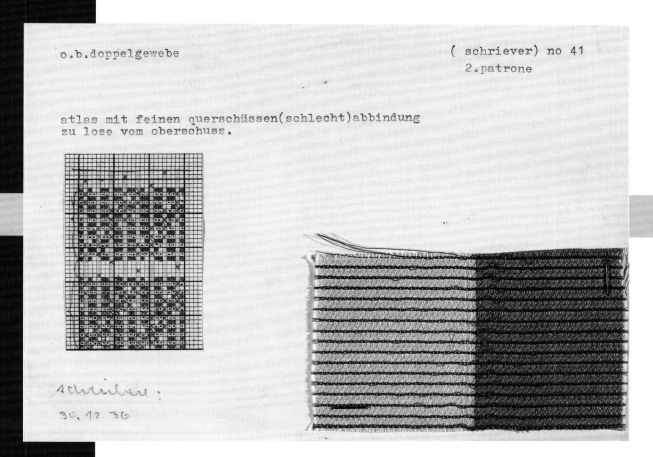

o.b.doppelgewebe   (schriever) no 41
                          2.patrone

atlas mit feinen querschüssen(schlecht)abbindung
zu lose vom oberschuss.

schriever:
30.12.36

notiert sie 1938. Aber dann schöpfte sie wieder Hoffnung: Moholy-Nagy lud sie in die USA ein, am New Bauhaus Chicago Leiterin der Weberei zu werden. Der Start dort verzögerte sich jedoch, während Hilberseimer, ebenfalls eingeladen, schon im August 1938 nach Chicago aufbrach. Vorher besuchte er Otti Berger noch in London; da deren Mutter in Kroatien inzwischen schwer erkrankt war, fuhr sie entgegen seiner Warnung noch einmal in ihre Heimat. Mit Kriegsbeginn 1939 konnte sie das Land nicht mehr verlassen. Ihrer Mutter ging es zwar wieder besser, aber ein Visum für die USA war nicht mehr zu erreichen. Davon, dass Marie Helene Heimann (Marli Ehrman), ebenfalls eine begabte Bauhaus-Weberin jüdischer Herkunft, 1938 noch hatte ausreisen können, weil Moholy-Nagy sich inzwischen für sie und gegen Otti Berger als Leiterin der Weberei in Chicago entschieden hatte, erfuhr Otti Berger vermutlich nie etwas.

Aus dem Jahr 1941 ist noch ein Brief von ihr erhalten, in dem sie die häusliche Enge beklagt und erzählt, dass sie, immer noch auf die Ausreise hoffend, an einem Teppich arbeitete. Dann reißt der Faden zu ihr ab. Kroatien war nach dem Zerfall des Königreichs Jugoslawien 1941 faktisch ein Vasallenstaat Hitlers und Mussolinis unter Führung der faschistischen Ustascha, die ihren Staat ebenfalls von »volksfremden Elementen« befreien wollten und dafür insgesamt 24 Lager einrichteten, darunter das Konzentrationslager Jasenovac, 95 Kilometer von Zagreb. Dass die Deportation der Familie dann wohl – ohne vorherige Internierung in einem jener Lager – direkt nach Auschwitz erfolgte, ließ sich erst aus den russischen Unterlagen ersehen, die 2005 in Yad Vashem veröffentlicht wurden: Zum erstmalig exakt angegebenen Todesdatum, 27. April 1944, und dem Todesort ist noch der Ort des letzten Aufenthaltes während des Krieges angegeben – ihr Heimatdorf Vörösmart.

Margarete Dambeck-Keller

Am Steuer ihres Sportwagens erregte Margarete Dambeck Aufsehen – stets geschmackvoll gekleidet, war sie doch selbst eine bestens ausgebildete Textildesignerin und Prototyp der ebenso selbstbewussten wie selbständigen »Neuen Frau« der Weimarer Republik. Als sie mit 43 Jahren an einem Gehirnschlag starb, hinterließ sie nicht nur einen kleinen Sohn, sondern auch eine eigene Textilwerkstatt und viele unerfüllte Ambitionen, die Lehren des Bauhauses in kommende Generationen weiterzutragen.

Die vierte und jüngste Tochter eines Göppinger Bürstenmachermeisters und liberaldemokratischen Gemeinderats wuchs in der schwäbischen Provinz auf. Nach dem Abschluss der höheren Mädchenschule besuchte Dambeck die Frauenarbeitsschule, wo sie sich mit Mode und Zeichnen beschäftigte. Ihr Jugendfreund Georg Hartmann, Sohn des Oberbürgermeisters und Student am Bauhaus, überzeugte sie bei einem Besuch in der Heimat, ihm nach Dessau zu folgen. Kurz vor seinem Tod 1927 erlaubte der Vater seiner 19-jährigen Tochter den Sprung aus der Provinz an die fortschrittlichste Reformschule ihrer Zeit. Sie wurde zum Studium zugelassen, in den Vorkurs bei Josef Albers aufgenommen und erhielt ihre Ausbildung in der Weberei-Werkstatt bei Gunta Stölzl. Eine besondere Beziehung entwickelte sich zu Oskar Schlemmer, der einen Teil seiner Kindheit in Göppingen verbracht hatte, und seiner Frau Tut, mit der Margarete Dambeck sich anfreundete. 1930 erhielt sie mit dem Bauhaus-Diplom Nr. 28 ihren Abschluss, pflegte aber weiterhin Kontakt zu ihrer besten Freundin Otti Berger, zu Hannes Meyer in seinem mexikanischen Exil und zu Gunta Stölzl und Max Bill in der Schweiz.

Ihre erste Anstellung führte Dambeck 1931 nach Prag, wo sie auf Vermittlung früherer Kommilitonen aus dem Bauhaus eine Stellung in dem vornehmen Modehaus Haute Couture Rosenbaum fand. Schon bald avancierte sie zu einer der Leiterinnen der Firma, privat war sie mit dem ehemaligen Bauhaus-Kommilitonen Werner David Feist befreundet. Das Paar unternahm gemeinsame Reisen nach Italien – Dambeck hatte sich ihren ersten Kraftwagen, einen BMW Dixi, gekauft. Um der in Breslau ansässigen Familie Schlemmer näher zu sein, bewarb sie sich 1933 erfolgreich als Musterdesignerin bei Cohn & Söhne in Reichenbach (Oberschlesien), einer Textilfirma für künstlerische Stoffe. Die jüdische Inhaberfamilie Kantorowicz, bei der Dambeck eine Zeitlang wohnte, konnte sie mit ihren Entwürfen überzeugen, die an die

Geboren: Margarete Dambeck, 5. Juni 1908 in Göppingen (Deutschland)
Gestorben: 29. April 1952 in Göppingen (Deutschland)
Immatrikuliert: 1927
Stationen ihres Lebens: Deutschland, Tschechoslowakei, Italien

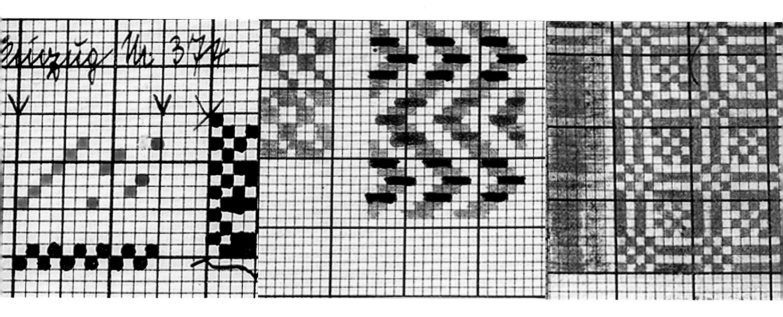

OBEN Margarete Dambeck, Entwürfe aus der Werkstatt für künstlerische Webmuster, späte 1940er-Jahre.

LINKS Margarete Dambeck hinter dem Steuer, ca. 1932.

seinerzeit angesagten italienischen Modelinien erinnerten. Wie sie selbst schrieb, verbrachte sie jede freie Minute bei den Schlemmers im 50 Kilometer entfernten Breslau; für diese Fahrten schaffte sie sich ein DKW Reichsklasse Cabrio an, mit dem sie gelegentlich auch die weite Strecke in die schwäbische Heimat bewältigte.

In der Familie hat sich die Erinnerung überliefert, wonach sich Dambeck für ein Ausreisevisum für die Familie Kantorowicz eingesetzt hat, um sie vor der Internierung durch das NS-Regime zu retten. Dafür ließ sie sich extra ihre markante Nase operieren, um sich selbst ein arisches Aussehen zu verleihen. Der Gauleiter ließ sich überzeugen, den wohlhabenden Unternehmern die Emigration nach England zu gestatten, und Dambeck ermöglichte sogar den Transport der wertvollen Gemäldesammlung durch den fingierten Hinweis auf eine angebliche Beteiligung an der Bauhaus-Ausstellung in London. 1942 lernte Margarete Dambeck durch eine Heiratsannonce den stilsicheren Offenbacher Walter Keller kennen, den sie schon im Juli desselben Jahres heiratete und dafür eine Berufung zur Leiterin der Textilklasse an der Kunst- und Modeschule in Mühlhausen im Elsass ablehnte. Sie zog zu ihrem Ehemann in dessen Elternhaus und wurde Anfang 1943 schwanger, aber in diesem Jahr sollten sie zwei schwere Schicksalsschläge ereilen: Kurz nach ihrem ersten Hochzeitstag starb ihr Mann an einem angeborenen Herzfehler, ohne die Geburt seines Kindes erlebt zu haben, und bald darauf wurde die Witwe mit ihrem ungeborenen Kind ausgebombt.

Margarete Dambeck-Keller kehrte zurück in ihre Heimatstadt Göppingen, wo im Oktober 1943 ihr Sohn Walter geboren wurde. Nach einiger Zeit eröffnete sie ein Atelier für künstlerische Webmuster mit eigener Handweberei, zwei Webstühlen und einer Mitarbeiterin. In der Mangelwirtschaft nach dem Zusammenbruch Deutschlands erfreuten sich ihre qualitativ hochwertigen Stoffe einer großen Nachfrage, auch unter den Offiziersfamilien der amerikanischen Besatzer. Daneben arbeitete sie als freie Muster-Beraterin für die Großweberei Otto im benachbarten Wendlingen. Und so riss ihr plötzlicher Tod sie 1952 aus einem gerade wieder in Fahrt gekommenen Leben, in dem sie sich auf die Mitarbeit bei Max Bill am Aufbau der Hochschule für Gestaltung im nahen Ulm freute.

Florence Henri

Als Teenager hatte sie bereits in sechs Ländern gelebt und Schulunterricht in vier verschiedenen Sprachen besucht; als Erwachsene war sie zeitweise staatenlos, eine Situation, die sie durch die Zweckehe mit einem Schweizer änderte. Florence Henri führte ein unkonventionelles, einzigartig internationales, modernes und unabhängiges Leben. Sie wurde in New York City geboren, doch als sie zwei Jahre alt war, starb ihre Mutter und fortan lebte sie bei wechselnden Verwandten in ganz Europa. Sie war 14, als ihr Vater starb und sie ein Erbe antrat, das ihr ein Leben als Künstlerin ermöglichte, für das sie wie geschaffen erschien. Sie zog nach Rom zu einer Tante und einem Onkel, bei denen regelmäßig italienische Futuristen verkehrten, eine Künstlergruppe, der sie später selbst angehörte. Sie war eine talentierte Konzertpianistin, wurde in ihren Zwanzigern zur Malerin und studierte bei Hans Hofmann und Fernand Léger. Am Bauhaus fand sie zu ihrem wahren Medium: der Fotografie.

In den frühen 1920er-Jahren, zu Beginn ihrer Beschäftigung mit der Fotografie, kannte Henri viele Bauhäusler persönlich oder vom Namen her, einschließlich Lucia Moholy, László Moholy-Nagy, Paul Klee und Wassily Kandinsky. Als sie ihre Studienfreundinnen Margarete Schall und Grete Willers im April 1927 am Bauhaus besuchte, entschied sie, sich für ein Semester als Hospitantin einzuschreiben. Sie besuchte den Vorkurs von Moholy-Nagy und Josef Albers und die Klassen von Kandinsky und Klee. Lucia Moholy porträtierte Henri als typisch moderne Frau und brachte ihr das Fotografieren bei. Sie benutzte dabei sicherlich die Dunkelkammer in ihrem und Moholy-Nagys Meisterhaus, wo vermutlich auch Henri untergebracht war. Am Bauhaus schloss Henri lebenslange Freundschaften mit Walter und Ise Gropius, Hinnerk und Lou Scheper, Herbert und Irene Bayer sowie mit Marcel Breuer, dessen Bauhaus-Möbel sich unter Henris Abschiedsgeschenken befanden und den Weg in ihre Pariser Wohnung antraten.

Henri schuf bahnbrechende Bilder moderner Weiblichkeit. Ihr *Selbstporträt* wurde durch die Kombination von weiblichem Make-up mit maskulinen Zügen – kurze Haare, Hemdsärmel, standhafter Blick – und den Metallkugeln, die von vielen als Symbol des männlichen Genitals interpretiert werden, zu einer Ikone feministischer Kunst. Henri richtete ihre Linse auch auf andere Frauen – und einige wenige Männer. Sinnbildhaft erscheint ein berühmtes Foto von ihrer Freundin und gelegentlichen Partnerin Margaret Schall, mit der sie in Paris zusammenlebte: Schall – jungenhaft, rauchend und scheinbar in Gedanken versunken – spiegelt sich in einem Spiel aus

Geboren: 28. Juni 1893 in New York (USA)
Gestorben: 24. Juli 1982 in Laboissière-en-Thelle (Frankreich)
Immatrikuliert: 1927 (als Hospitantin)
Stationen ihres Lebens: USA, Deutschland, Österreich, Großbritannien, Frankreich, Italien, Monaco, Schweiz

OBEN Florence Henri, Selbstporträt (mit Bällen), 1928.

RECHTS László Moholy-Nagy: »Zu den Fotografien von Florence Henri«, i10 (Amsterdam), Nr. 17/18, 20. Dezember 1928, mit zwei Fotografien von Florence Henri: *Komposition*, 1928 (oben), und *Selbstporträt*, 1928 (unten).

GANZ RECHTS Florence Henri, Porträt-Komposition von Margaret Schall, 1927–1928.

Spiegeln und Türen, ein lesbisches Sujet, das präsent und gleichzeitig unerreichbar scheint. Auch Henris Objektfotografien fanden wegen ihrer futuristischen Modernität Anerkennung. Moholy-Nagy attestierte 1928 Henris Arbeit, eine bis dato ungeahnte neue Phase in der Fotokunst einzuläuten. In Ausstellungen und Publikationen eroberten Henris Fotografien die Kunstwelt im Sturm. Die Stuttgarter Werkbund-Ausstellung *Film und Foto (FiFo)* zeigte 1929 mehr als zwanzig ihrer Fotos. Ihre *Komposition* mit Spiegeln und Zwirnrollen gehörte zu den wenigen abgedruckten Fotos im Ausstellungskatalog. Selbst der als strenger Kritiker bekannte Josef Albers kam nicht umhin, am Rand zu notieren: »am allerbesten«.

Während der Weltwirtschaftskrise schien Henris Erbe nicht mehr auszureichen: In den 1930er-Jahren eröffnete sie ein Porträtstudio und unterrichtete Schülerinnen, darunter Gisèle Freund und Lisette Model. Sie arbeitete für Werbeagenturen und Massenpublikationen, wodurch sie die Fotografie des Neuen Sehens an den unwahrscheinlichsten Orten populär machte, etwa in der leicht pornografischen Zeitschrift *Paris Magazine*, die auch Aktaufnahmen von Fotografen wie Germaine Krull und Man Ray abdruckte. 1938 fand Henris Werk den Weg zurück nach New York, in die Bauhaus-Ausstellung des Museum of Modern Art. Trotz ihres kurzen Aufenthalts in Dessau wurde Henri mit Bauhaus-Künstlern in Verbindung gebracht, die vor und nach ihr dort studiert hatten – ihre Arbeit wurde stets als Bauhaus-Erfolg wahrgenommen. Henri fotografierte für den Rest ihres Lebens, obgleich sie sich immer mehr der Malerei verschrieb. Ihr Stellenwert lässt sich gut anhand einer Kritik zur Essener Ausstellung *Photographie der Gegenwart* ermessen, der zufolge Frankreichs Beitrag viele altmodische Nachbildungen umfasst habe, aber nur eine moderne Fotografin: Florence Henri.

FOTO FLORENCE HENRI

zu den fotografien von florence henri

die fotografische praxis tritt in weiterem masse in ein neues stadium, als es bisher gewahrsagt werden konnte. neben der dokumentarischen, präzisen, exakten fassung der überscharfen fotografien [1]) wird die untersuchung der lichtwirkung nicht nur in den abstrakten fotogrammen, sondern auch an den gegenständlichen fotos in angriff genommen. die ganze problematik der manuellen malerei wird in die fotografische arbeit aufgenommen und durch das neue optische mittel natürlich wesentlich erweitert. besonders werden spiegelungen und räumliche beziehungen, überschneidungen, durchdringungen unter einem neuen perspektivischen aspekt untersucht.

die ausdeutung und zusammenfassung dieser bemühungen soll für einen späteren termin aufgeschoben werden, bis ein grösseres material vorliegt. **m-n**

[1]) wir bringen demnächst in „i 10" darüber eine diese fragen sehr klärende diskussion.

FOTO FLORENCE HENRI **117**

Grit Kallin-Fischer

Die Künstlerin Grit Kallin-Fischer glänzte in vielen Medien, doch am herausragendsten sind ihre Fotografien. Mit ihren dynamischen Kompositionen erfüllte sie die Forderung ihres Lehrers László Moholy-Nagy, sich von den langweiligen Bildkonventionen zu lösen und moderne Techniken zu verwenden, um neue Beziehungen zur sichtbaren Welt zu etablieren. Obwohl Kallin-Fischer – so beschrieb es später ihr Mitstudent Werner David Feist – eher zu den Wohlhabenden gehörte, führte sie ein ihrer unkonventionellen Kunst entsprechendes Leben. In seinen Bauhaus-Memoiren schrieb Feist: »Das Bauhaus galt als exzentrisch und einige fühlten sich dort als Teil einer Elite. Es gab zum Beispiel Grit Kallin, eine sehr charmante und weltgewandte, nicht mehr ganz junge Dame, die sicher das Gefühl hatte, dass sie allein durch ihre Anwesenheit hier, und weil sie die berühmten Stars des Bauhauses traf, nur noch weltgewander und vornehmer wurde … Albers schien sich zu ihr hingezogen zu fühlen.«

Margrit Vries wuchs in Frankfurt am Main auf und kam im Alter von 13 Jahren auf ein Internat in Belgien, wo sie auch ihre künstlerische Ausbildung begann. In einem Brief an ihre Mutter schrieb sie verärgert, es satt zu haben, nur Landschaften und Blumen-Stillleben zu malen, denn sie schien damals schon nur an der Porträtmalerei und an der menschlichen Gestalt interessiert zu sein. Im folgenden Jahr setzte sie ihr Studium der Malerei zunächst in Marburg und dann bei dem berühmten Impressionisten Lovis Corinth an der Kunstakademie in Leipzig fort. Nach dem Ersten Weltkrieg ging sie nach Berlin, wo sie den Musiker Marik Kallin kennenlernte, einen russischen Emigranten. Das Paar heiratete und zog 1920 nach London, wo Grit Kallin in den folgenden sechs Jahren lebte. Nach ihrer Trennung 1926 – die Ehe wurde erst 1933 offiziell geschieden – kehrte sie nach Deutschland zurück. Im Herbst 1927 schrieb sie sich mit der Immatrikulationsnummer 233 als Studentin am Bauhaus in Dessau ein. Sie belegte den Vorkurs bei Josef Albers sowie Malerei und analytisches Zeichnen bei Paul Klee und Wassily Kandinsky. Sie besuchte kurzzeitig die Metallwerkstatt unter Leitung von Moholy-Nagy und hatte dann eine sehr produktive Phase in Oskar Schlemmers Bühnenklasse. Auch das Fotografieren erlernte sie am Bauhaus. Dieses Medium brachte ihre Begabung zum Vorschein und sie führte es in jahrelangem Lernen zu bildnerischer Perfektion.

Kallins frische und originale Porträtstudien sind zwar typisch für Moholy-Nagys Konzept des »Neuen Sehens«, doch sie machte es sich zu eigen. Sie fotografierte auf dynamische Weise Frauen und Männer aus ihrem Umfeld,

Geboren: Margrit Vries, 1897 in Frankfurt (Deutschland)
Gestorben: 17. Juli 1973 in Newtown, Pennsylvania (USA)
Immatrikuliert: 1927
Stationen ihres Lebens: Deutschland, Belgien, Italien, Großbritannien, USA, Schweiz

OBEN Irene Bayer, Porträt von Grit Kallin, 1928.

RECHTS Gritt Kallin-Fischer, Porträt von Alfredo »Freddo« Bortoluzzi, 1930.

darunter eine Serie mit ihrem Mitstudenten aus der Theater-Werkstatt, dem Maler, Tänzer und Darsteller Alfredo (»Freddo«) Bortoluzzi, in der er in unterschiedlichen modernen Verkleidungen zu sehen ist. Eine Aufnahme zeigt ihn mit einem weißen Gesichtskreis als melancholischen, modernistisch anmutenden Clown. Mit seinem entrückten Gesichtsausdruck scheint sich Freddo dem Blick des Betrachters nicht bewusst, der auf seinen nackten Oberkörper fällt. Die Perspektive ist die einer Fotografin, die nicht immun gegenüber männlicher Schönheit ist. Kallin fotografierte auch ihren zukünftigen zweiten Ehemann, den amerikanische Bauhäusler Edward Fischer.

Nachdem sie – wahrscheinlich Ende 1928 oder im Frühjahr 1929 – mit Fischer nach Berlin zurückgekehrt war, widmete sich Kallin weiterhin der Kunst und der Fotografie. Laut Hermann Karl – Herausgeber der Designzeitschrift *Gebrauchsgraphik* – verbindet ihre Arbeit die Stärken des vollkommenen Fotografen mit denen moderner Künstler. Ihre Fotografien fanden zusammen mit denen von Herbert Bayer und Moholy-Nagy ihren Weg nach New York, wo sie 1931 im Kunstcenter auf der 56th Street in Manhattan gezeigt wurden. Die *New York Times* bezeichnete diese Ausstellung als »erste umfassende Sammlung europäischer kommerzieller Fotografie in diesem Land«.

Kallin und Fischer heirateten 1934 und zogen nach New York. Zu ihrem Kreis gehörten zahlreiche Bauhaus-Mitglieder. In den späten 1930er-Jahren bezogen die Fischers in Newton, Pennsylvania, ein von ihren Freunden Walter Gropius und Marcel Breuer speziell für sie entworfenes Haus. Nach dem Krieg fotografierte Grit Kallin-Fischer nicht mehr. Stattdessen widmete sie sich der Bildhauerei und reiste nach Europa, um diese Arbeit bei ausgedehnten Aufenthalten in der Schweiz und in Italien, unter anderem bei Marino Marini, weiterzuführen. Sie kehrte regelmäßig nach Deutschland zurück, doch ihren Lebensabend verbrachte sie in ihrer Wahlheimat, den USA.

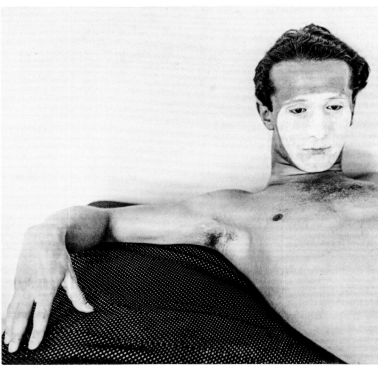

Margarete Leischner von Burcu Dogramaci

Von der Bauhaus-Schülerin in Dessau brachte Frida Margarete Leischner, später Margaret Leischner, es in ihrem britischen Exil zur preisgekrönten Textildesignerin. Dabei wurde Leischners Arbeit nachhaltig von ihrem Studium in der Textilwerkstatt des Bauhauses geprägt. In Dessau lernte Leischner, auf die Bedürfnisse der Industrie zu reagieren, gestalterische Probleme forschend zu bewältigen. Materialkenntnis, Stoffberechnung und Bindungslehre waren die technischen Grundlagen und Sachkenntnisse, die alle Studierenden erlernen mussten. Der künstlerische Entwurf sollte in Auseinandersetzung mit der Eigenschaft des Materials entstehen. Diese Grundforderung artikuliert sich in einem Leinenstoff von Leischner, der im Juli 1931 in Großaufnahme auf dem Titelblatt der Zeitschrift *bauhaus* abgebildet war. Die Materialeigenschaft des abwechselnd dünn und dick gesponnenen weichen Garns wurde betont, indem eine schimmernde Uniformlitze eingewebt war. Diese gibt der Gesamterscheinung überdies Struktur und ein sachliches Erscheinungsbild. Das Detailfoto stammt von dem Bauhaus-Fotografen Walter Peterhans und lässt die textile Struktur wie eine abstrakte Komposition erscheinen.

Nach ihrer Gesellenprüfung 1930 war Margaret Leischner als Assistentin der Bauhaus-Meisterin Gunta Stölzl tätig und leitete die Färberei. Im Jahr 1931 wechselte sie als Designerin für Heimtextilien zu den Deutschen Werkstätten in Hellerau. 1932 bis 1936 leitete Leischner zusätzlich die Webabteilung der Textil- und Modeschule der Stadt Berlin. Beide Tätigkeiten in Praxis und Lehre waren eine wichtige Voraussetzung für den Neubeginn im englischen Exil. Obgleich Leischner nicht zu den rassisch Verfolgten gehörte, verließ sie das nationalsozialistische Deutschland – vermutlich nicht nur aus beruflichen, sondern auch aus politischen Gründen.

Zahlreiche ihrer Kollegen und Freunde wurden aus rassischen Gründen verfolgt, was Leischner vermutlich nicht unberührt ließ. Zudem hatte sie ihre künstlerische Sozialisation am Bauhaus erfahren, das den Nationalsozialisten als »kulturbolschewistische« avantgardistische Kunstschule galt. Vermutlich erhielt Leischner ein Arbeitsangebot aus England. Sie fand Arbeitsmöglichkeiten in und um Manchester, einem kreativen Zentrum der britischen Textilindustrie. Auch nach ihrer Internierung als Enemy Alien konnte Leischner ihre Karriere fortsetzen. Für die Baumwollspinnerei R. Greg & Co. in Stockport, aber auch für andere Kunden wie Fothergill & Harvey oder British Overseas Airways Cooperation (BOAC) entwickelte Leischner als Beraterin und Designerin neue Garne und Stoffe. Dabei kam ihr der am

Geboren: 15. April 1907 in Bischofswerda (Deutschland)
Gestorben: 18. Mai 1970 in Maplehurst, West Sussex (Großbritannien)
Immatrikuliert: 1927
Stationen ihres Lebens: Deutschland, Großbritannien, Kaschmir/Indien

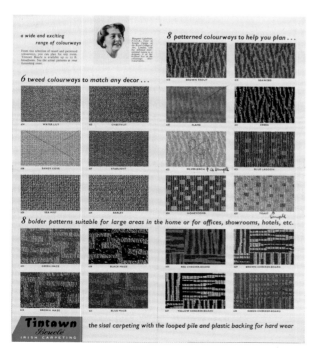

OBEN Margaret Leischners Bauhaus-Studentenausweis für das Sommersemester, 1930.

UNTEN Broschüre von Tintawn Carpets mit Mustern von Margaret Leischner.

Bauhaus erlernte experimentelle, für Innovation und technischen Fortschritt aufgeschlossene Ansatz zugute. In Zusammenarbeit mit Laboratorien ließ sie neue Materialien herstellen (Fasern und Garne) und neue Verarbeitungstechniken erproben; sie setzte sich zudem intensiv mit der marktgerechten Produktion von Formen und Farben auseinander. So entwickelte sie Innenausstattungen für Flugzeuge und ließ aus dem strapazierfähigen Tygan, einem Garn aus Kunststoff, Bezüge für Autositze fertigen. Der Möbelfirma Guy Rogers riet sie erfolgreich, den für Kleidung benutzten Harris Tweed, einen in Schottland produzierten Stoff aus reiner Schurwolle, für ihre Polstermöbel einzusetzen. Seit 1959 war Margaret Leischner für das 1933 gegründete irische Unternehmen Irish Ropes Ltd. tätig, das in Newbridge im County Kildare ansässig war. Irish Ropes stellte unter dem Markennamen Tintawn Carpets Sisalteppiche her. Die Herausforderungen der Tätigkeit für Irish Ropes lag darin, das sperrige Naturmaterial Sisal, das sich aufgrund seiner Widerstandskraft hervorragend als strapazierfähiger Belag eignete, aber nach bestimmten Maßgaben verarbeitet werden musste, dennoch kreativ zu gestalten. Leischner sorgte dafür, dass eine neue Kollektion auf den Markt kam, verantwortete Farbkonzepte und Muster. Der Firmenprospekt wirbt mit ihrem Porträt und Namen. Dort heißt es, Margaret Leischner sei »Tutor in Textile Design at the Royal College of Art, London, who has achieved international repute as a designer, is at her brilliant best in the colourways illustrated below.«

Von 1948 bis 1963 lehrte Leischner als Leiterin der Webklasse am Royal College of Art in London. In dieser Funktion professionalisierte die Designerin das Studium und orientierte sich dabei an ihren eigenen Erfahrungen am Bauhaus. Bereits kurz nach Ende des Zweiten Weltkriegs hatte Margaret Leischner wieder Kontakt zu ehemaligen Weggefährten am Bauhaus gesucht, stand in brieflichem Austausch mit Walter Gropius und Joost Schmidt, pflegte aber besonders intensive Kontakte zu Bauhäuslern wie Lucia Moholy und Heinz Loew, die wie sie in England lebten.

In ihrem neuen Heimatland erhielt Margaret Leischners Tätigkeit umfassende Würdigung: Sie wurde 1952 Mitglied der ehrenwerten Society of Industrial Artists. Seit 1955 war sie als Beraterin auch in Indien tätig, wo sie die Regierung beim Aufbau der dortigen Handwebereiindustrie speziell in Kaschmir unterstützte. Eine besondere Anerkennung erhielt Leischner kurz vor ihrem Tod mit dem Titel »Royal Designer for Industry« (RDI) im Jahr 1969. Diese von der Royal Society of Arts 1936 eingeführte Auszeichnung ist bis heute die höchste Ehrung für Gestalter in Großbritannien.

Wera Meyer-Waldeck

von Josenia Hervás y Heras

Wera Hanna Alice Meyer-Waldeck – die wohl bedeutendste der wenigen am Bauhaus ausgebildeten Architektinnen – wurde in Dresden geboren, doch ihre Familie zog 1908, als sie gerade zwei Jahre alt war, nach Ägypten und lebte dort bis 1915. Der Erste Weltkrieg zwang ihren Vater, einen ehemaligen Geheimrat der preußischen Regierung, zusammen mit seiner Frau und den Kindern in den Kanton Graubünden in die Schweiz umzusiedeln. Wera und ihre Schwestern wurden zu Hause nach deutschen Lehrplänen unterrichtet. Die junge Meyer-Waldeck verließ 1921 die Schweiz, um die letzten Jahre der weiterführenden Schulbildung in Dresden abzuschließen. Von 1922 bis 1924 machte sie eine Ausbildung zur Kindergärtnerin und studierte dann für drei Jahre an der Dresdner Akademie für Kunstgewerbe.

1927 schrieb sie sich am Bauhaus in Dessau ein, wo sie zu der Überzeugung gelangen sollte, dass die Architektur ein neues Verständnis für die Welt wecken könnte. In einem Interview, das sie 1928 der schuleigenen Zeitschrift *bauhaus* gab, betont sie, der Stoff der Bauhaus-Kurse sei weniger wichtig als die Lehrmethoden. So würde den Studenten zunächst beigebracht, selbstständig zu denken und zu handeln, bevor sie sich der Aufnahme von Wissen zuwandten. Meyer-Waldeck war überzeugt von der besonderen Geisteshaltung des Bauhauses, die an keiner anderen Schule herrschte. Für sie offenbarte sich das einzigartige Bauhaus-Konzept vor allem im Vorkurs, der das kreative Denken der Studenten förderte, statt ihnen nur konkrete Fertigkeiten zu vermitteln. Diese Klasse bot ihres Erachtens vor allem den weiblichen Studierenden etwas, das sie anderswo nicht erreichen konnten: uneingeschränkten Zugang zu einer Reihe technischer und künstlerischer Themen noch vor der eigentlichen Verpflichtung auf verschiedene spezialisierte Bereiche. In besagtem Interview erklärt Meyer-Waldeck, ein Studium am Bauhaus würde sich schon allein wegen des Vorkurses lohnen.

Meyer-Waldeck war eine neugierige Studentin, die stets eine kritische Perspektive einzunehmen versuchte. Sie schätzte den Stellenwert technischen Wissens – zu lernen, wie Gebäudekonstruktionen zu berechnen oder algebraische Lehrsätze zu lösen waren – und wusste um die Vorzüge der modernen Technik. Zugleich bestand Meyer-Waldeck auf der Bedeutung künstlerischer Schönheit, da diese allein neuen Entwürfen die nötige Würde verlieh. Ihr Interesse, Kunst und Technik in Einklang zu bringen, entsprach der Grundidee des Bauhauses unter Leitung von Walter Gropius.

Geboren: 6. Mai 1906 in Dresden (Deutschland)
Gestorben: 25. April 1964 in Bonn (Deutschland)
Immatrikuliert: 1927
Stationen ihres Lebens: Ägypten, Schweiz, Deutschland, Österreich, USA

Gertrud Arndt,
Porträt von
Wera Meyer-
Waldeck,
ca. 1930.

Das änderte sich, als Hannes Meyer Direktor wurde, da dieser sich auf andere Herausforderungen konzentrierte, vornehmlich auf Architektur und Ingenieurwesen.

Die Technik verhieß eine neue Welt, die die ganze Aufmerksamkeit des modernen Menschen in Anspruch nehmen würde. Doch es schien eine Zukunft zu sein, in der Frauen entweder ignoriert wurden oder, bestenfalls, als Assistentinnen männlicher Ingenieure auftraten. Am Bauhaus entschieden einige Studentinnen, darunter auch Meyer-Waldeck, ebenfalls Teil dieser technischen Elite zu werden, ohne aber auf Gefühl und Intuition verzichten zu wollen. Im Anschluss an ihre Ausbildung in der Holzwerkstatt wurde Meyer-Waldeck 1931 ihr Tischlergesellinnenbrief durch die Tischlerinnung Dessau verliehen. Sie studierte anschließend Bauplanung und schloss das Studium 1932 als Diplom-Architektin ab. Für ihr Abschlussexamen vollendete sie zwei finale Planungen, eine für ein Kinderheim mit

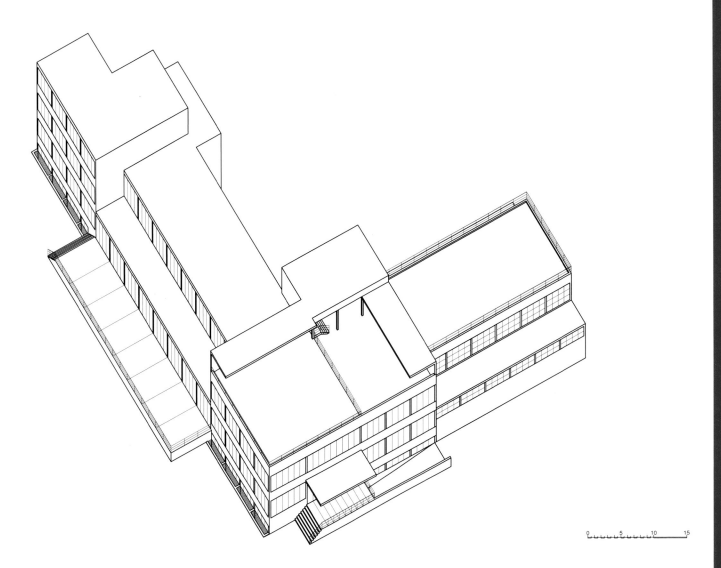

60 Betten, eine weitere für eine Schule mit acht Klassenräumen. Direktor Ludwig Mies van der Rohe unterschrieb ihr Architektendiplom, das ihr auch die Mitarbeit an Projekten wie der Wohnung für Erwin und Hildegard Piscator, dem Haus Hahn in Dessau-Roßlau sowie dem von Gropius entworfenen Arbeitsamt Dessau attestierte.

Trotz ihrer hervorragenden Qualifikationen konnte Meyer-Waldeck anfangs keine Stelle als Architektin finden, sodass sie zunächst für die Junkers-Werke in Dessau arbeitete, wo sie von 1934 bis 1937 Entwürfe für den Flugzeugbau zeichnete. Von dort zog sie weiter nach Berlin, wo sie im Planungsbüro der Reichsautobahnen Brücken, Rasthäuser und Bürobauten gestaltete. Von 1939 bis 1941 arbeitete sie bei der Reichsbahnbaudirektion in Berlin an Entwürfen für Berlins Bahnhöfe. Meyer-Waldecks Archiv enthält auch ein Stellenangebot von Siemens aus dem Jahr 1942, das sie anscheinend abgelehnt hatte. Stattdessen leitete sie von 1942 bis Ende April 1945 das Planungs- und Baubüro der Berg- und Hüttenwerksgesellschaft Karwin in Oberschlesien.

Zum Ende des Zweiten Weltkriegs befähigten sie ihre guten Englisch- und Französischkenntnisse, bei der amerikanischen Militärbasis in Mining nahe Braunau zu arbeiten. Von Österreich zog sie zurück in ihre Heimatstadt

OBEN **Axonometrische Aufrisszeichnung, angefertigt anhand von Meyer-Waldecks Konstruktionszeichnungen für ihr Semesterabschlussprojekt im Bauhaus-Kurs, 8-klassige Volksschule. Nicht gebaut.**

Teppich Schlüter

OBEN Wera Meyer-Waldeck, Schaufenster und Innengestaltung des Einrichtungshauses Teppich-Schlüter, Bonn, 1950.

Dresden und wurde dort Dozentin für Innenausbau an der Staatlichen Hochschule für Werkkunst. Nach einigen Jahren als Dozentin verließ sie Ostdeutschland und zog in die Bundeshauptstadt Bonn, wo sie 1950 ihr eigenes Architekturbüro eröffnete. Sie übernahm zahlreiche mittelgroße Projekte, darunter den Umbau des Einrichtungshauses Teppich-Schlüter mit einer auffälligen Wendeltreppe – ein Indiz dafür, dass sie ihre Kenntnisse in der Produktinszenierung seit der Studienzeit vertieft hatte.

Meyer-Waldeck gehörte zur architektonischen Avantgarde und wollte in der Nachkriegszeit ihren Teil zum Wiederaufbau Deutschlands beitragen. Sie interessierte sich für neue energieeffiziente Systeme und baute 1951 und 1952 Bonns erstes Ytong-Musterhaus aus leichten Porenbeton-Steinen. Als Vorstandsmitglied des Deutschen Frauenbundes und Präsidentin der Kommission für Öffentliche Arbeiten und Wohnungswesen organisierte sie in Bonn So ... Wohnen, eine der ersten Wohnbaumessen im Nachkriegsdeutschland. Einiges Renommée hatte ihr bereits eine Zusammenarbeit mit Hans Schwippert eingebracht, mit dem sie den Innenausbau für den neuen Deutschen Bundestag in Bonn übernahm.

Ein entscheidendes Ereignis im Leben von Wera Meyer-Waldeck war 1953 eine Reise in die USA, wo sie die früheren Bauhaus-Direktoren Gropius

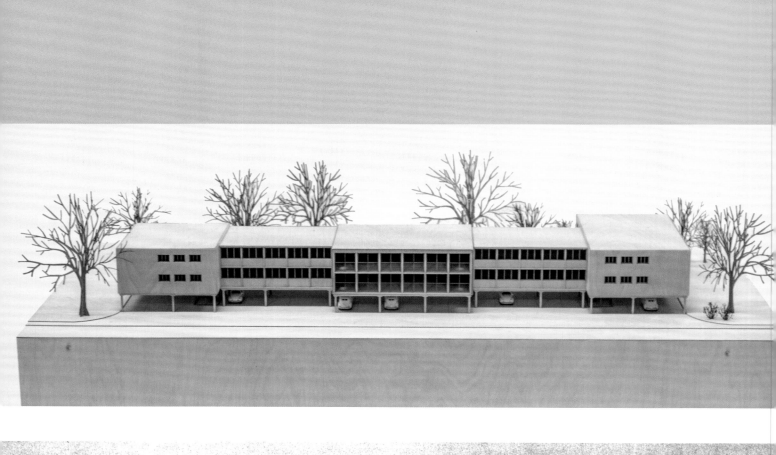

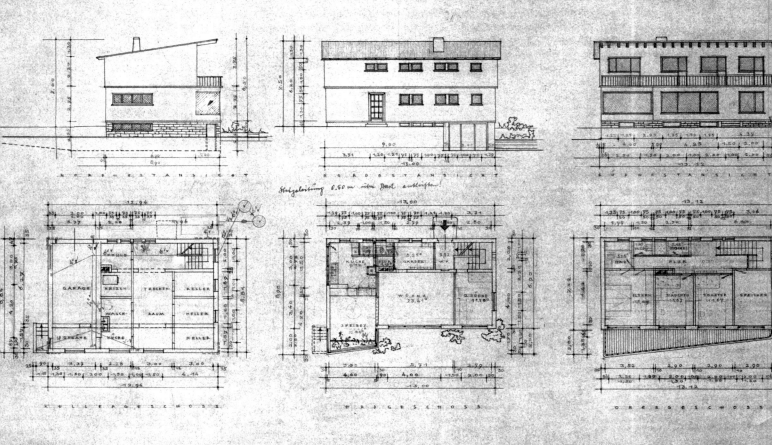

LINKS Nachbau von Wera Meyer-Waldecks Entwurf für ein Studentinnen-wohnheim in Bonn-Friesdorf, 1962. Das Modell wurde anhand von Meyer-Waldecks Originalzeichnungen gestaltet.

UNTEN Pläne für das Haus von Dr. Fritz Bockemühl in Bonn-Limperich, das Meyer-Waldeck 1955 bis 1956 entwarf.

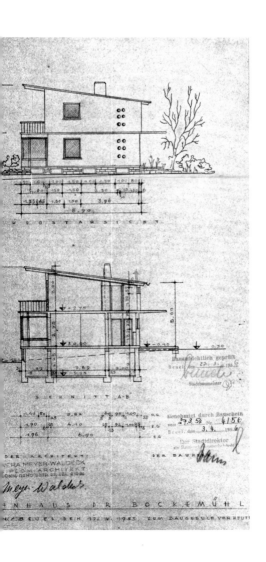

und Mies van der Rohe wiedertraf. Nicht weniger bedeutsam waren ihre Kontakte zur University of California in Berkeley durch William Wurster, Catherine Bauer und Vernon DeMars, mit dem sie gemeinsam ein Seminar gab. Aus Sicht von Meyer-Waldeck war die University of California den europäischen Universitäten weit voraus, nicht nur weil ihre Architekten einen unabhängigen Stil entwickelt hatten, sondern auch, weil sie zu einem Treffpunkt für europäische und asiatische Kultur geworden war. Sie besuchte das erste amerikanische Solarhaus, das die Architektin Eleanor Raymond – die sie ebenfalls traf – in Zusammenarbeit mit der Solarenergie-Expertin Maria Telkes entworfen hatte. Es inspirierte Meyer-Waldeck zu ihrem Entwurf für das Haus von Dr. Fritz Bockemühl in Bonn-Limperich, das 1956 fertiggestellt wurde. Da sie sich sehr für nachhaltiges Bauen und erneuerbare Energien interessierte, lud sie Maria Telkes nach Deutschland ein, um die Möglichkeiten von Solarhäusern mit deutschen Wissenschaftlern zu diskutieren.

Ihr Engagement in Frauenvereinigungen und ihre zahlreichen Kontakte zu Architektinnen und anderen weiblichen Fachleuten zeugen von ihrem Bestreben, weibliche Netzwerke aufzubauen. Als Mitglied der deutschen Delegation für den Internationalen Frauentag 1954 in Finnland berichtete sie über die Lage des Bauwesens in Deutschland und nutzte die Gelegenheit, aus erster Hand Informationen zur Architektur von Alvar und Aino Aalto sowie Kaija und Heikki Sirén zu erhalten. Meyer-Waldeck war eine der wenigen weiblichen Mitglieder im Bund Deutscher Architekten (BDA).

Für die *Interbau* 1957 in Berlin entwarf Meyer-Waldeck ein Hofhaus zum Thema »Die Stadt von Morgen«. Ihre visionären Entwürfe umfassten Mehrfamilienhäuser und Wohnmodelle für verschiedene Familienkonstellationen. In ihren Schriften aus dieser Zeit warnte sie vor Ausgrenzung, einschließlich der Gefahr sozialer und physischer Isolation in Wohnanlagen für große Familien, Flüchtlinge, Singles und ältere Menschen.

1962 wurde bekannt, dass Meyer-Waldeck in Bonn-Friesdorf das großartige Wohnheim für mit dem Auto anreisende Studentinnen bauen würde. Der Bau ähnelte den Entwürfen aus Meyer-Waldecks Studienzeit am Bauhaus – mit einem Flachdach und großen, perfekt eingepassten Fenstern, die dem Entwurf ein klares und zugleich entspanntes Aussehen gaben. Es war, als würde sie von vorn beginnen, doch diesmal war sie selbst die Meisterin. Der Bau hätte der Höhepunkt ihrer Karriere werden sollen. Leider starb Wera Meyer-Waldeck am 25. April 1964 im Alter von nur 58 Jahren, ohne die Fertigstellung ihres persönlichsten und bedeutendsten Werks mitzuerleben. Stattdessen wurde der Bau von anderen, die ihre Entwürfe deutlich abänderten, vollendet. Dieses Projekt hätte zweifelsohne ihre endgültige Etablierung als hoch angesehene Architektin bedeutet.

Lotte Stam-Beese

Das Architekturstudium in der Bau- und Ausbauabteilung des Bauhauses war von männlichen Kommilitonen dominiert – im Umkehrschluss bedeutet das aber nicht, dass sich Frauen für diesen Ausbildungszweig nicht interessiert hätten. Die erste Frau, die sich 1928 in diesen neuen Dessauer Werkstattbetrieb einschrieb, war Charlotte Beese, die schon mit 18 Jahren, nach dem Abitur ihr schlesisches Heimatdorf Reisicht verlassen hatte, um sich für eine kunsthandwerkliche Tätigkeit zu qualifizieren. Ihre Wege führten sie unter anderem an die Akademie für Kunst und Angewandte Kunst in Breslau, wo sie Zeichenunterricht erhielt, und an die Deutschen Werkstätten in Hellerau bei Dresden. Dort wurde Beese, die Stenografie und die Schreibmaschine beherrschte, zwar ursprünglich als Bürokraft eingestellt; in der hauseigenen Textilwerkstatt eignete sie sich aber auch die Grundlagen des Webens an. Schon seit der Weimarer Bauhauszeit bestanden Beziehungen zu der neuartigen Kunstschule, von der ihr ehemalige Bauhaus-Studierende begeistert berichteten und an der sie sich 1926 (nach längerer Krankheit) am neuen Standort in Dessau erfolgreich bewarb.

Nach dem Vorkurs bei Josef Albers und Kursen bei Wassily Kandinsky und Joost Schmidt entschied sich Beese zunächst für die Webereiwerkstatt unter Gunta Stölzl, wurde aber schon 1928 als erste Studentin in die zuvor neu gegründete Architekturklasse aufgenommen. Im Unterricht bei Hannes Meyer entwickelte sie ihre Leidenschaft für die von ihm vertretene »neue Baulehre« und befasste sich mit Statik, Baumaterialkunde, Konstruktion, Wärmetechnik und Städtebau. An Meyers Vorzeigeprojekt, der Schule des Allgemeinen Deutschen Gewerkschaftsbundes (ADGB) in Bernau bei Berlin wirkte sie mit, und insbesondere Meyers sozialhumanistisches Diktum »Volksbedarf statt Luxusbedarf« überzeugte sie. Auch privat entwickelte sich eine Beziehung zu dem 14 Jahre älteren Bauhausdirektor – eine Affäre, die nicht einmal an der ansonsten so toleranten Einrichtung geduldet werden konnte. Als verheirateter Vater von zwei Kindern fürchtete er um seine Position und überzeugte seine Geliebte, die Schule zu verlassen und künftig in seinem Berliner Büro für den ADGB-Bau zu arbeiten. Doch das ging nicht lange gut, und sie hatte Schwierigkeiten, eine neue Anstellung zu finden. Ihre Bewerbung in Otto Haeslers Architekturbüro in Celle endete mit der Ablehnung durch den ehemaligen Bauhaus-Schüler Walter Tralau, da dieser »nicht gern mit Damen arbeite«.

Erfolgreich war hingegen ihre Kontaktaufnahme mit dem links-fortschrittlichen Sozialökonomen Otto Neurath, in dessen frisch eröffneten Gesell-

Geboren: Charlotte Beese, 28. Januar 1903 in Reisicht (Deutschland, heute Rokitiki in Polen)
Gestorben: 18. November 1988 in Krimpen aan den Ijssel (Niederlande)
Immatrikuliert: 1928
Stationen ihres Lebens: Deutschland, Österreich, Tschechoslowakei, Sowjetunion (UdSSR), Niederlande

OBEN RECHTS **Lotte Beese am Zeichentisch, Bauhaus Dessau, ca. 1928.**

RECHTS **Lotte Stam-Beese (Architektin), Spielstraße mit Galeriegebäude, Pendrecht, 1963.**

schafts- und Wirtschaftsmuseum in Wien sie lernte, Grafiken nach den Prinzipien von dessen Bildstatistik (das spätere »Isotype«) zu entwickeln.

Eine Rückkehr ans Dessauer Bauhaus gestattete Meyer nicht, obwohl er in der Baulehre wohl Verwendung für sie gehabt hätte; stattdessen wechselte sie zunächst in Hugo Härings Berliner Architekturbüro und anschließend nach Brünn, wo sie als Entwurfsarchitektin bei Bohuslav Fuchs an mehreren modernen Großprojekten mitwirkte. Erst mit Meyers Demission aus dem Bauhaus und seiner Übersiedlung nach Moskau konnte das Paar wieder zusammenfinden, aber der Versuch einer Lebens- und Arbeitsgemeinschaft scheiterte: Arbeitslos und schwanger (Sohn Peter wurde 1931 geboren) kehrte sie nach Brünn zurück, wo sie sich politisch in der tschechischen kommunistischen Partei engagierte und der Kulturorganisation Levá Fronta (»Linke Front«) beitrat. Nach einer zeitweiligen Verhaftung fühlte sie sich nicht mehr sicher und entschied, in einem sozialistischen Staat leben zu wollen – in der ukrainischen Stadt Charkow beteiligte sie sich an dem Prestigeprojekt einer Arbeiter- und Angestelltenstadt rund um ein neu erbautes Traktorenwerk.

In Charkow sah sie den holländischen Architekten Mart Stam wieder, den sie schon von dessen Gastvorträgen am Bauhaus kannte und der als Teil der Brigade May des früheren Frankfurter Stadtbaurats Ernst May – Initiator des Wohnbauprogramms »Neues Frankfurt« – in die Sowjetunion gekommen war. Es entwickelte sich eine neue, intensive Partnerschaft, in der sich Beese zunächst ebenfalls der Brigade anschloss und unter anderem an der Sanierung der Stadt Orsk mitwirkte. Gemeinsam mit Stam kehrte sie 1934 in dessen Heimat Niederlande zurück, wo sie in Amsterdam das Büro Stam en Beese Architecten eröffneten. Sie übernahm dort hauptsächlich die Bereiche Innenarchitektur, Fotografie und Gebrauchsgrafik und trat ebenso wie Stam der fortschrittlichen Architektenvereinigung de 8 bei, zu deren Zeitschrift *de 8 en opbouw* sie Aufsätze beitrug. Zwischenzeitlich mit Stam verheiratet, kam 1935 die Tochter Ariane zur Welt, aber nach einer Affäre ihres Mannes wurde die Ehe 1943 geschieden.

Lotte Stam-Beese hatte allerdings schon 1940 eine Weiterbildung zur Architektin am Institut VHBO (Voortgezet en Hooger Bouwkunst Onderwijs) in Amsterdam begonnen, um einen formalen Abschluss nachzuholen; 1945 erhielt sie ihr Diplom und wirkte danach für 22 Jahre als Stadtplanerin und Architektin für das Amt für Stadtentwicklung in Rotterdam. Als erste Frau in diesem Amt und zudem Deutsche war sie zunächst mit dem Wiederaufbau der von ihren Landsleuten zerstörten Innenstadt beschäftigt und widmete sich anschließend besonders dem sozialen Wohnungsbau. 1955 wurde sie zur leitenden Architektin befördert, und 1969, ein Jahr nachdem sie in den Ruhestand getreten war, zur Ritterin von Oranje-Nassau ernannt. Sowohl die Ausbildung am Bauhaus als auch die Erfahrungen während der entbehrungsreichen Zeit in der Sowjetunion hatten sie nachhaltig geprägt, und sie engagierte sich zeitlebens für einen gerechten und verantwortungsvollen Wohnungsbau.

Etel Mittag-Fodor

Ihre Enkel sollten einmal erfahren, wie es ihr auf dem langen Weg durch das Jahrhundert ergangen war. Als Etel Mittag-Fodor sich mit 75 Jahren entschloss, ihre Erinnerungen aufzuschreiben, konnte sie nicht ahnen, dass ihr ein weiteres erfülltes Vierteljahrhundert im Kreis ihrer Familie vergönnt sein sollte. Und so hinterließ sie mit ihrer posthum erschienenen Autobiografie eine zentrale Quelle für unser heutiges Wissen um das Alltagsleben am Dessauer Bauhaus. Wenn Ise Gropius in ihrem Tagebuch die Draufsicht der Leitung auf das Bauhaus festgehalten hat, dann eröffnet uns Mittag-Fodor – quasi als Gegenschuss – den Blick von unten, die Perspektive der Studierenden: junge Menschen, von einer Aufbruchstimmung getragen, vom Glauben an eine bessere Zukunft und dem Wunsch, diese Welt zu einem besseren Ort zu machen. Und obwohl man bei ihrem Namen zuvorderst an diese wertvollen Aufzeichnungen denkt, hat sie uns als Lichtbildnerin zudem einige der berührendsten Schnappschüsse aus dem Bauhausleben geschenkt. Die Fotografie war ihre Leidenschaft, und die Werkstatt von Walter Peterhans lange eine geschätzte Heimstatt, bis sie sich mit dem Leiter überwarf und das Bauhaus verließ.

Ihre Kindheit verbrachte die Tochter eines hohen Postbeamten des Königreichs Österreich-Ungarn in Budapest, wo ihr das Kindermädchen Deutsch beibrachte. Schon als Teenager liebte Etel Fodor das Zeichnen und die Buchillustration und entwarf Muster für die Stickarbeiten ihrer Mutter. Nach bestandenem Abitur und einer Bildungsreise durch Italien nahm sie privaten Zeichenunterricht in der Schule von Jaschik Álmos, bevor sie sich erfolgreich an der Graphischen Lehr- und Versuchsanstalt in Wien für ein Studium bewarb. Mit einem Stipendium versehen, besuchte sie ab 1925 zunächst die Abteilungen für Fotografie und Gebrauchsgrafik, während sie im Fotostudio der Tochter ihrer Vermieterin aushalf. Noch erfolgreicher waren ihre Entwürfe für Dekorationsstoffe, mit denen sie mehrfach kleinere Industriewettbewerbe gewann, was ihr auch ein Stellenangebot als Designerin für Stoffdrucke in einer Kleiderfabrik eintrug. Sie entschied sich jedoch für eine Bewerbung an der Leipziger Akademie für Grafik und Buchkunst, wo sie im September 1928 für ein Probesemester zugelassen wurde. Doch es sollte anders kommen: Zufällig traf sie den Sohn eines Geschäftsfreunds ihres Vaters, einen Bauhaus-Studenten, der sie spontan überredete, sich an das nahegelegene, aber viel modernere Bauhaus zu begeben.

Und so nahm Etel Fodor im Wintersemester 1928/1929 das Studium am Bauhaus auf, wo sie die aufgeschlossene Atmosphäre und das harmoni-

Geboren: Etel Fodor, 28. Dezember 1905 in Zagreb (Österreich-Ungarn, heute Kroatien)
Gestorben: 13. August 2005 in Kapstadt-Wynberg (Südafrika)
Immatrikuliert: 1928
Stationen ihres Lebens: Österreich-Ungarn, Deutschland, Südafrika

OBEN **Etel Mittag-Fodor, 1928.**

RECHTS **Etel Mittag-Fodor, Albert Mentzel und Lotte Rothschild, ca. 1930.**

GANZ RECHTS **Etel Mittag-Fodor, Porträt des schlafenden Ernst Mittag, 1930.**

sche Zusammenleben von Meistern und Studierenden beeindruckte. Zwar interessierte sie sich immer noch für das Weben, aber nach dem Vorkurs bei Josef Albers wählte sie eine andere Werkstatt, weil in der Weberei ausschließlich Frauen beschäftigt waren. »Es war nicht einfach, eine Freundin zu haben, weil man sofort in den Verdacht geriet, lesbisch zu sein. Die meisten Frauen waren in der Weberei. (…) Das war einer der Gründe, weshalb ich, obwohl ich mich immer zu diesem hingezogen fühlte, diese dummerweise damals nicht gewählt habe.« Stattdessen besuchte sie zunächst – nun als einzige Frau – die Druckereiwerkstatt.

Nicht nur aufgrund der Lebensmittelpakete, die sie regelmäßig von zuhause erhielt, war Etel Fodor beliebt unter ihren Mitstudierenden – und eine große Ration Gänseleber war auch der Beginn ihrer Freundschaft mit dem Kommilitonen Ernst Mittag, den sie schließlich 1930 heiratete. »Zum Ende des Semesters war ich Ernst völlig verfallen. Er war ein exzellenter Begleiter und hatte, insbesondere im Vergleich zu mir, eine enorme physische Kraft.« Das Paar führte das, was man später eine »offene Beziehung« nennen würde, und die gegenseitige Toleranz bildete die Grundlage für eine Ehe, die schließlich über ein halbes Jahrhundert halten sollte. Durch Mittag gelangte sie auch in den Kreis der eher linksorien-

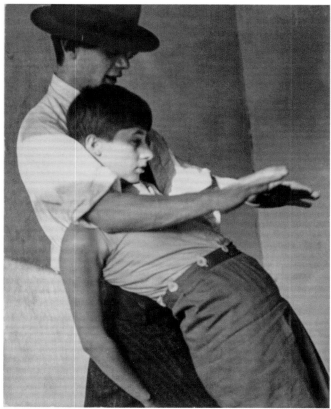

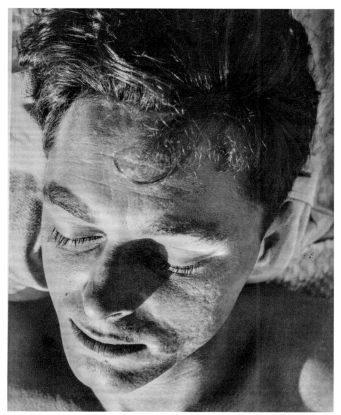

tierten Studierenden, die sich gegen allzu autoritäre Strukturen am Bauhaus zur Wehr setzten.

Der Leiter der Fotografiewerkstatt, Walter Peterhans, den sie als »schwierige Person, launisch, unberechenbar, leicht neurotisch« beschreibt, beschuldigte sie, ihre fotografischen Arbeiten nicht selbst angefertigt zu haben. Sie wehrte sich gegen diesen Vorwurf mit einer eigenen Ausstellung, zu der sie Meister und Studentenvertreter einlud, um ihre Fotos zu diskutieren. Obwohl sie so in diesem Konflikt die Oberhand behielt, verließ sie das Bauhaus im April 1930: Ihre Eltern riefen sie nach Hause, auf dass sie sich ihren Lebensunterhalt selbst verdienen möge; aber nach der Heirat mit Ernst Mittag kehrte sie 1932 für einige Zeit als Hospitantin nach Dessau zurück. Zwischenzeitlich erledigte sie Fotoaufträge und lieferte Reportagen für die kommunistische *Arbeiter-Illustrierte-Zeitung (A-I-Z)* von Willi Münzenberg, unter anderem aus Moskau von der dortigen Gruppe um Hannes Meyer.

Ab 1933 unterstützte das Ehepaar den antifaschistischen Widerstand und musste wiederholt die Verhaftung fürchten. Selbst römisch-katholisch, war Mittag-Fodor von den Machthabern wegen ihrer jüdischen Vorfahren zur »unerwünschten Person« erklärt und damit jeglicher Arbeitsmöglichkeiten beraubt worden. Der Architekt Ernst Mittag hingegen konnte im boomenden Nazi-Deutschland immer wieder an Bauvorhaben mitwirken. Nach der Geburt des ersten Sohnes Thomas entschied sich das Paar 1938 zur Emigration nach Südafrika, wo Mittag-Fodor zunächst noch als Fotografin arbeitete, bis mit dem Kriegsausbruch Fotomaterialien kontingentiert wurden und sie aus akuter Finanznot ihre Dunkelkammerausrüstung verkaufen musste. Etel Mittag-Fodor arbeitete daraufhin einige Zeit als Übersetzerin in der Zensurbehörde, bevor 1940 ihr zweiter Sohn Michael geboren wurde und sie fortan im Architekturbüro ihres Ehemanns aushalf. In den 1950er-Jahren begann sie mit dem Anbau und Verkauf eigenen Weins auf einer Farm und ab 1964 entdeckte sie die Weberei wieder für sich. Sie wird Mitglied der südafrikanischen Guild of Weaving und gibt Kurse in »Creative Textiles« am örtlichen Frank Joubert Art Centre. 1984 zeigte eine Einzelausstellung erstmals ihre Wandteppiche, die sie nicht verkaufte, sondern nur an Verwandte und Bekannte verschenkte.

Auch im Alter gab das Ehepaar sein Engagement für eine bessere und gerechtere Welt nicht auf. Etel Mittag-Fodor betreute ehrenamtlich die Webereiwerkstatt einer jüdischen Einrichtung für Menschen mit geistiger Behinderung, und beide unterstützten die Anti-Apartheid-Bewegung. Da Ernst Mittag außerdem nach wie vor der Kommunistischen Partei angehörte, standen sie unter Beobachtung, hatten jahrelang Reiseverbot und erhielten keine Visa. Das Stillleben mit Revolver und Zuckerstücken mag man als Allegorie auf ihr langes Leben begreifen, durch das sich das Schicksal von Bedrohung und Verfolgung, aber auch das bekannte Muster eines künstlerischen Talents, das im Schatten der Zeitläufte und der Karriere des Ehemanns lange unbeansprucht blieb, wie rote Fäden ziehen.

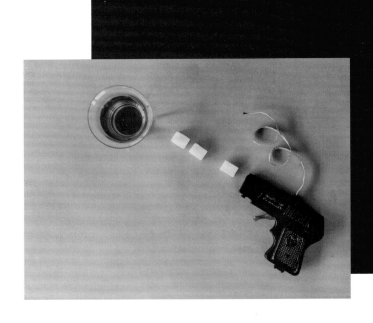

Etel Mittag-Fodor, Ohne Titel, Fotografische Studie mit Spielzeugpistole, Zuckerwürfeln und Glas, 1928.

Karla Grosch

Wie keine Zweite verkörperte Karla Grosch den Typus des »Bauhausmädels«: Ihr Lachen zierte 1930 die Aufmacherseite einer Reportage in der populären Illustrierten *Die Woche*, die sich dem Bauhaus als Ausbildungsstätte speziell von »Mädchen, die etwas lernen wollen«, widmete. Kurioserweise traf dies ausgerechnet auf Grosch gar nicht zu, denn als eine der wenigen jungen Frauen war sie nicht zum Studieren ans Bauhaus gekommen, sondern als Sport- und Gymnastiklehrerin angestellt. Von sich selbst sagte sie einmal: »Ehrgeiz, selbst etwas Großes zu leisten, besitze ich leider absolut nicht«. Und schließlich nahm ihr Leben einen tragischeren Verlauf als das der anderen Bauhaus-Angehörigen, denn sie sollte ihren 30. Geburtstag nicht mehr erleben. Mit ihrem ungeborenen Kind unter dem Herzen ertrank sie im Frühjahr 1933 beim Baden vor der Küste Palästinas.

Geboren wurde Karla Grosch 1904 in Weimar, aber obwohl sie am Gründungsort des Staatlichen Bauhauses aufwuchs, interessierte sie sich (anders als ihre ältere Schwester Paula, die 1923 für kurze Zeit am Vorkurs teilnahm) nicht für eine Ausbildung in den bildenden Künsten. Stattdessen zog sie nach einer Holzbildhauerlehre für eine Ausbildung nach Dresden, wo sie als eine der ersten Schülerinnen der fast gleichaltrigen Gret Palucca in den seinerzeit wichtigsten tänzerischen Techniken unterrichtet wurde. Als Schülerin von Mary Wigman gab Palucca dem Ausdruckstanz maßgebliche Impulse, machte sich 1925 selbständig und genoss unter den Bauhaus-Meistern hohes Ansehen: Schon 1926 würdigte Wassily Kandinsky ihre Arbeit in zwei Aufsätzen und druckte ein Bild von ihr im Sprung in seinem Buch *Punkt und Linie zu Fläche* ab; im Jahr darauf geriet László Moholy-Nagy angesichts ihres Auftritts im Bauhaus Dessau in Verzückung. Von diesem Gastspiel im April 1927 ist ein Foto überliefert, das Felix Klee von seinen Eltern Paul und Lily Klee anfertigte, die gemeinsam mit Palucca und der sie begleitenden Karla Grosch posieren.

So verwundert es kaum, dass sich das Bauhaus auf der Suche nach einer Lehrkraft für Sport und Gymnastik für diese Palucca-Schülerin entschied,

RECHTS **Karla Grosch und »Boby« Aichinger, 1930er-Jahre.**

Geboren: 1. Juni 1904 in Weimar (Deutschland)
Gestorben: 8. Mai 1933 in Tel Aviv-Jaffa (Israel)
Angestellt: 1928–1932: Lehrerin für Gymnastik und Sport am Bauhaus Dessau
Stationen ihres Lebens: Deutschland, Palästina

die die Einrichtung und ihr Lehrkonzept bereits kannte und ihre Körperlichkeit bedingungslos auslebte. »Ich habe eine kindliche Freude daran, wie ich meinen Körper in der Gewalt habe, wie ich Forderungen an ihn stellen kann, wie er nachgibt, funktioniert, und ich kann mich ganz in seinen Leistungsmöglichkeiten verlieren«, schrieb sie einmal. Im Sommersemester 1928 nahm Grosch ihre Tätigkeit auf – also genau zu jenem Zeitpunkt, als Walter Gropius die Leitung des Bauhauses an Hannes Meyer übergab, der ebenso von der Notwendigkeit eines Sportunterrichts überzeugt war wie sein Vorgänger. In der von sportlicher Betätigung besessenen Weimarer Gesellschaft genoss die körperliche Ertüchtigung eine hohe Popularität – so auch in Groschs Unterrichtsstunden, in denen die gymnastische Komponente im Mittelpunkt stand, wie eine 1930 entstandene Fotoserie von T. Lux Feininger verdeutlicht. Die vier Aufnahmen seiner Reportage zeigen einerseits klassische Turnübungen wie die Kerze oder den Strecksprung, zum anderen sind aber auch Paarübungen und ein Wurftraining mit dem Ball dokumentiert, was den athletischen Akzent dieses Unterrichts betont. Die Schüler auf den Bildern sind ausschließlich weiblich, männliche Bauhaus-Angehörige erhielten ihren eigenen Sportunterricht.

Aber Grosch, die zu dieser Zeit neben der Weberin Gunta Stölzl und Marianne Brandt in der Metallwerkstatt eine der wenigen weiblichen Lehrkräfte am Dessauer Bauhaus war, engagierte sich auch in den Tanzaufführungen der Bühnenklasse. Wichtige Beispiele hierfür sind ihre Auftritte im Rahmen der »Materialtänze« von Oskar Schlemmer, die 1929 bei einem Gastspiel an der Berliner Volksbühne uraufgeführt wurden. Grosch wirkte in den tänzerischen Umsetzungen von »Metall« und »Glas« mit; einmal gekleidet in ein stählern glänzendes Trikot, im anderen Fall den Kopf in eine durchsichtige Haube gezwängt. Gemeinsam mit dem futuristischen Bühnenbild aus reflektierenden Elementen und einer dramatischen Lichtinszenierung verschmilzt Groschs Körper zu einer neusachlichen Inszenierung des technischen Fortschritts. In jener Ausgabe der Bauhaus-Zeitschrift von 1929, die zum Abschied Schlemmers erschien, verwendete er zwei dieser

OBEN LINKS Gruppenfoto anlässlich der Palucca-Aufführung am Bauhaus. Von links nach rechts: Paul und Lily Klee, Gret Palucca, Herbert Trantow, Karla Grosch. Fotografie von Felix Klee, 1927.

OBEN Frauengymnastik mit Karla Grosch auf dem Dach vom Bauhaus Dessau, 1930. Fotografie von T. Lux Feininger.

Fotos als idealtypische Verkörperung des »Tänzer-menschen«. Mit ihrer Professionalität, die sie als ausgebildete Tänzerin den anderen Bauhaus-Schülerinnen und -Schülern voraus hatte, war Grosch zweifellos ein wertvolles Mitglied des Büh-nenensembles: Dass sie nicht nur Schlemmers Vor-gaben umsetzte, sondern auch selbst zur Choreo-grafie beitrug, lässt sich ihrem von Ludwig Mies van der Rohe ausgestellten Arbeitszeugnis ent-nehmen.

Während ihrer Zeit am Bauhaus, wo sie bis 1932 beschäftigt war, taucht sie einmal auch auf der Liste der Studierenden in der Fotografie-Klasse von Walter Peterhans auf, freilich ohne dass sie nach-weislich als Fotografin in Erscheinung getreten wäre (obwohl sie privat eine Kamera für Schnapp-schüsse besaß). Dafür war sie selbst ein beliebtes Fotomotiv, denn mit ihrer jugendlich-dynamischen Ausstrahlung, dem modischen Kurzhaarschnitt und ihrem durchtrainierten Körper entsprach sie durch-aus dem gängigen Schönheitsideal und war ge-eignet, als visuelle Identifikationsfigur die Genera-tion junger Bauhaus-Angehöriger zu vertreten. Sie stand für eine spezifische Variante der »Neuen Frau« jener Epoche, nämlich für die erfolgreiche, berufstätige Angestellte, die selbständig für ihren Lebensunterhalt sorgen konnte und nicht auf die Gründung einer Familie angewiesen war.

Und trotzdem sehnt sie sich nach einem Part-ner und einem Kind – »das einzige was noch zur Erfüllung meines Lebenskreises gehört«, wie sie in einem ihrer Briefe schreibt. Besonders eng verbun-den war sie der Familie Klee, die der jungen Sport-lehrerin sogar von 1928 bis 1930 ein Zimmer in deren Dessauer Meisterhaus bereitstellte. Lily Klee, die zeitweise psychisch und physisch schwer ange-schlagen war und von Grosch betreut wurde, nahm sie wie eine Tochter auf, Gatte Paul zeigte sich in ihre Katze Bimbo vernarrt, und mit Sohn Felix war sie schon während ihrer Zeit bei Palucca in Dresden liiert. Das Paar führte eine innige Beziehung und verreiste sogar gemeinsam; die Bezie-hung kühlte aber mit Klees Umzug nach Coburg ab, wo er eine Stelle als Regieassistent am Landestheater antrat und wohl auch einer Kollegin nä-herkam. Selbst nach dem Bruch mit Felix im September 1928 blieb Grosch der Familie Klee eng verbunden: Sie begleitete die Familie, die die (nach dem überraschenden Tod der Mutter 1931) Vollwaise Grosch sogar adop-tieren wollte, auf Ferienfahrten, und auch nach der Abreise der Klees aus Dessau blieb das herzliche Verhältnis erhalten.

Daneben verband sie eine vertraute Beziehung mit Max Werner Lenz, seinerzeit leitendes Ensemblemitglied am Dessauer Theater und 17 Jahre älter als sie. Es haben sich zahlreiche Briefe erhalten, die an der emotiona-len Nähe der beiden keinen Zweifel lassen; so schreibt sie einmal: »Irgend-was Wunderbares ist um uns zwei – oder kommt es von dir, und ich darf daran Anteil haben – auf alle Fälle: irgendwas Wunderbares ist um uns.«

»Ich habe eine kind-liche Freude daran, wie ich meinen Kör-per in der Gewalt habe, wie ich Forde-rungen an ihn stellen kann, wie er nach-gibt, funktioniert, und ich kann mich ganz in seinen Leis-tungsmöglichkeiten verlieren.«

Karla Grosch

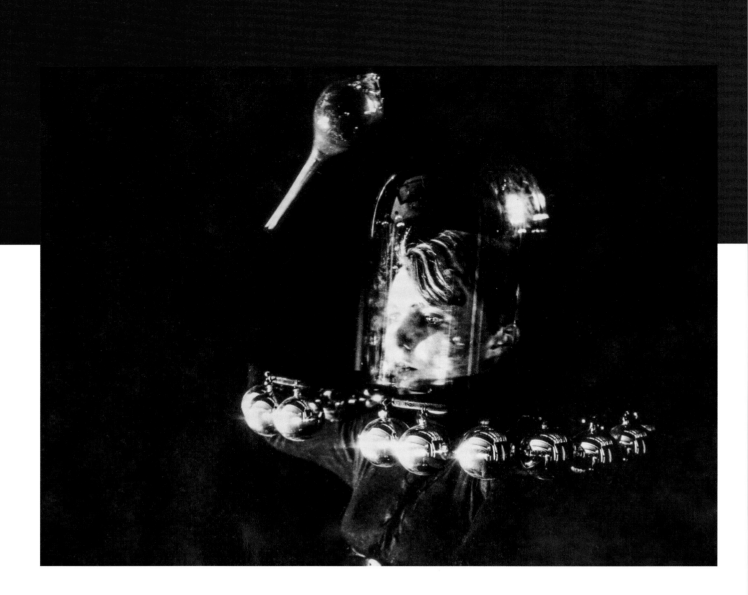

OBEN **Karla Grosch in Glasmaske von Oskar Schlemmer, 1929. Fotografie von T. Lux Feininger.**

RECHTS **Karla Grosch, Glastanz, 1929. Fotografie von T. Lux Feininger.**

Auch Lily und Paul Klee, selbst passionierte Theaterbesucher und nach den Erinnerungen ihres Sohnes Felix besonders vom örtlichen Friedrichtheater angetan, in dem Lenz als Oberspielleiter die künstlerische Gesamtverantwortung für die Schauspielsparte trug, schließen den intellektuellen Literaten ins Herz. Umgekehrt berührt diesen Klees Kunst ebenso im tiefsten Innern wie Lily Klees Herzlichkeit, weshalb der Kontakt auch nach der Trennung von Lenz und Grosch intensiv bleibt.

In Briefen an Lenz beschreibt Lily Klee die junge Tanzlehrerin später als »freundlich leuchtenden Stern«: »Ein entzückender, heiterer Mensch, ein in sich absolut geschlossenes Gebilde, ausgestattet mit einem reichen Gefühl«, das auf besondere Weise fähig sei, Liebe und Freude zu geben und zu empfinden; »voll Liebreiz und Güte, klug, künstlerisch reich begabt, ein zuverlässiger, gerader Charakter, so taktvoll, voll Lebensfreude, voll strahlender Heiterkeit.« Für Karla Grosch wird Lenz zu einem innigen Vertrauten, mit dem sie auch ihren »Weltschmerz« teilt, wenn es sie »nicht mehr interessiert zu leben«. Bei Lenz findet sie das Verständnis und die Geborgenheit, woraus sie erst die von anderen an ihr bewunderte Kraft und Selbständigkeit schöpft. »Deine Liebe hält mich, trägt mich über manches hinweg in erfüllte Ruhe. So sind wir einander notwendig, und ich danke Deinem Dasein wie Du dem meinen. Wir dürfen uns weiterhelfen.« Doch trotz der

vorbehaltlosen Hingabe von Lenz bleibt es von ihrer Seite eine »geistige«, eine »jungfräuliche Liebe«, denn sie kann sich ihm nicht restlos öffnen, bei Zärtlichkeiten fühlt sie sich unwohl, es kommt im Frühjahr 1931 zur Trennung in Freundschaft. »Ja, Lenzli, ich hab nie gesagt, daß ich dich lieb habe (...) Unsere Seelen sind verbunden, wir haben aber auch Körper, wir können ihn nicht verleugnen, es ist eine Einheit.« Sie erzählt ihm von ihrer immer noch während Liebe zu einem Mann (dem Bauhaus-Studierenden Fritz Levedag), von dem sie sich einst ein Kind wünschte – und der sie enttäuscht hat. Eine Passage aus Groschs Brief vom 14. Dezember 1930 erklärt ihr Zaudern gegenüber den Avancen des älteren Mannes:

> (Ich habe mich) als Frau erst furchtbar spät entdeckt. Erotik fand ich was höchst überflüssiges, und dann war sie immer mit dem Gedanken an das Kind verbunden, und soweit imponierte mir keiner. Von den an Tanzschulen üblichen Perversitäten lernte ich leider oder Gottseidank nichts kennen, dazu war ich zu normal und ließ meine Entwicklung einfach laufen – ich kam mir manchmal etwas lächerlich vor, wenn man mir nicht glauben wollte, daß ich den Dingen noch so fern stand, aber ich wußte sie würden auch für mich kommen. Und als das Erlebnis dann über mich kam, glaubte ich, daß keine Steigerung möglich sei – und doch erreichte es immer klarere Höhen, wo man sich der Auflösung am nächsten fühlt. – Nun ist es vielleicht die Angst vor Enttäuschung, die mich verschlossen hält. Ich sage mir selbst, es ist lächerlich, an einem verblassenden Phantom zu hängen, aber noch immer, wenn ich daran denke, rauscht es auf und ist gegenwärtig. Und ich kann den Menschen nicht davon trennen.

Grosch verletzt Lenz mit ihrer Offenheit, der daraufhin in einem nicht abgeschickten Brief an sie mit der Einsicht hadert, dass anscheinend seine »physisch sexuelle Kraft nicht ausreicht, die Liebesbereitschaft der Frau hervorzurufen.«

Schließlich kommt Grosch mit dem österreichischen Bauhaus-Schüler Franz Josef »Boby« Aichinger zusammen, der – fünf Jahre jünger als Grosch – ab dem Herbst 1931 in Dessau studierte. Schon den Jahreswechsel verbringen beide in seinem Elternhaus, Grosch wird der Familie vorgestellt, und Boby ist umgekehrt auch bei den Klees wohlgelitten. Mit der Schließung des Bauhauses 1932, dem Umzug nach Berlin 1933 (den Aichinger noch mitmacht) und angesichts der politischen Radikalisierung im Deutschen Reich, die Grosch unter anderem an dem Einfluss der Nazis auf das Friedrichtheater abliest, entschlossen sich Grosch und der Architekturstudent Aichinger (für die keine jüdische Herkunft bekannt wäre) schon früh

»Es war, als sollte unsere Freundschaft noch einmal einen Höhepunkt erreichen, ehe die Sonne ins Meer versank.«

Lily Klee

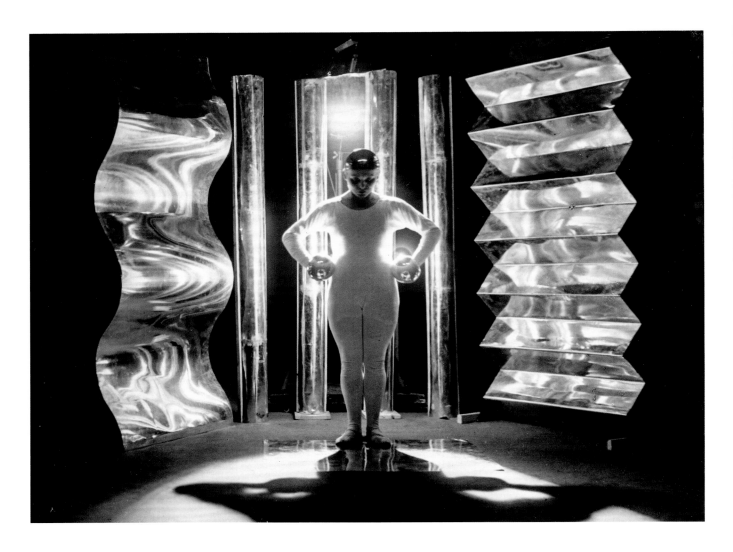

zur Emigration nach Palästina. Vor ihnen waren bereits andere ehemalige Bauhäusler dorthin ausgereist, wobei der Aufbau Tel Avivs auch Chancen für eine berufliche Betätigung bot. Beide wollten in der neuen Heimat heiraten und sich eine Existenz aufbauen; und endlich erwartete Grosch das ersehnte Kind, als sie im April 1933 ein letztes Mal vor ihrer Abreise die Familie Klee in Dessau trafen. Paul Klee nahm Kater Bimbo mit nach Bern, und später schrieb Lily Klee: »Es war, als sollte unsere Freundschaft noch einmal einen Höhepunkt erreichen, ehe die Sonne ins Meer versank.«

Am 26. April schiffte sich das Paar ein und schon am 8. Mai erlitt Karla Grosch beim Baden vor Tel Aviv einen Herzstillstand. Eine Welle hatte sie fortgerissen. Aichinger hielt sie fest, sodass sie in ein Rettungsboot gebracht werden konnte, wo ihr ein Arzt zwei Herzinjektionen setzte – ohne Erfolg. Der besinnungslose Aichinger kam erst am Strand wieder zu sich und erfuhr da vom Tod seiner Partnerin. Grosch wurde bereits tags darauf auf dem Deutschen Friedhof in Sarona bei Tel Aviv bestattet, und die Hinterbliebenen mutmaßten, dass Grosch den Unfall überlebt hätte, wäre sie nicht schwanger gewesen. Aichinger kehrte unverzüglich nach Deutschland zurück und traf dort Karlas nun ganz auf sich allein gestellte Schwester Paula, genannt »Ju«, wieder. Sie wurde später seine Ehefrau, mit der er einige Jahre im Weimarer Elternhaus der Groschs lebte, bevor das Paar in Aichingers österreichische Heimat zurückkehrte.

Margaret Leiteritz

Eigenwilligere Malereien hat wohl kaum ein anderes Mitglied des Bauhauses hervorgebracht: 39 wissenschaftliche Diagramme, in ihrer Abstraktion umgesetzt in farbige Leinwände von einer unwiderstehlichen Klarheit, verkörpern das Hauptwerk von Margaret Leiteritz, einer stillen Absolventin aus den Dessauer Jahren. Künstlerisch war sie nach ihrem Abschluss nur noch sporadisch tätig – ihre Berufung hatte sie in ihrem gelernten Beruf als Bibliothekarin gefunden, in einer Welt der Struktur und der Ordnung, die auch ihre strengen Kompositionen kennzeichnet. Zu einer bescheidenen Bekanntheit gelangte sie erst, als eines ihrer Gemälde, *Kreuzung am linken Rand*, nicht nur in die internationale Bauhaus-Wanderausstellung von 1968 aufgenommen wurde, sondern auch das Werbematerial der amerikanischen Station in Chicago zierte.

Als Tochter eines Dresdner Jugendstilmalers schien Margaret Camilla Leiteritz das Zeichnen in die Wiege gelegt. Ihren Vater verlor sie aber schon mit acht Jahren, und nach ihrem Schulabschluss nahm sie zunächst eine Ausbildung an der Universitätsbibliothek in Leipzig auf. Als Diplom-Bibliothekarin fand sie 1927 eine Anstellung bei der Kunstgewerbebibliothek Dresden, besuchte daneben aber auch den Tanzunterricht in der legendären Schule von Mary Wigman. Im Jahr darauf wird sie zum Vorkurs am Dessauer Bauhaus zugelassen; ihr damaliger Kommilitone Hans Fischli beschreibt sie als zurückhaltende junge Frau, ihr Aussehen von slawischem Typus, mit Sommersprossen und kurzem, struppigem Haar, schüchtern im Auftreten, aber von hoher Intelligenz und klar im sprachlichen Ausdruck. Im Folgesemester schrieb sie sich in der Werkstatt für Wandmalerei ein und belegte Kurse bei Paul Klee und Wassily Kandinsky, dessen analytisches Zeichnen sie besonders prägte. Mit Fischli wirkte sie 1929 am Innen- und Außenanstrich von zwei Musterhäusern in der Siedlung Dessau-Törten mit, ihr Außensemester verbringt sie als Volontärin im Malsaal am Staatstheater in Kassel.

Geboren: 19. April 1907 in Dresden (Deutschland)
Gestorben: 6. April 1976 in Karlsruhe (Deutschland)
Immatrikuliert: 1928
Stationen ihres Lebens: Deutschland, Polen

RECHTS **Margaret Leiteritz, 1932.**

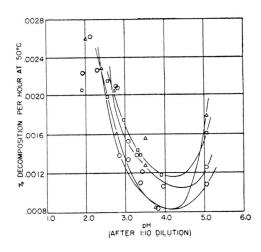

LINKS Margaret Leiteritz, Original-Diagramm mit vier Kurven, 1949.

UNTEN Margaret Leiteritz, *Dienstags-kurve*, 1966, aus der Serie *Gemalte Diagramme*.

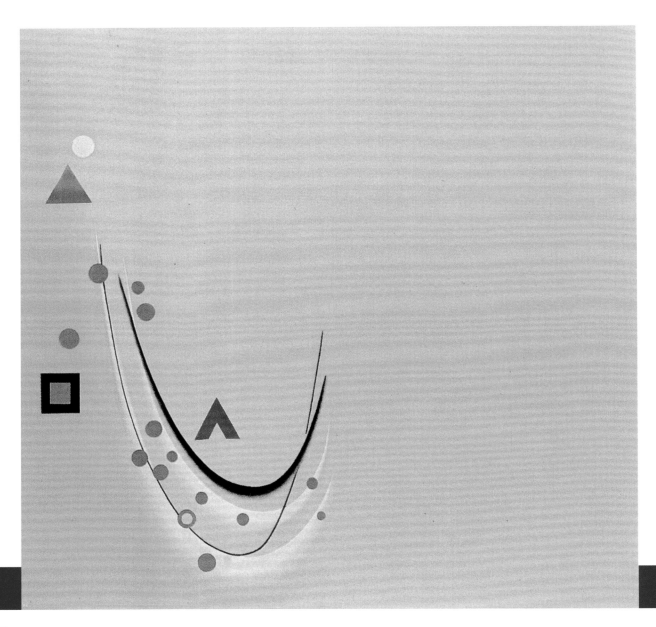

Bekannt wurde Leiteritz am Bauhaus aber durch ihre Beiträge für einen Tapetenwettbewerb, in dem sie mehrfach ausgezeichnet und anschließend als Vertreterin der Schule an die Tapetenfabrik Rasch zur Überwachung von Technik und Farbwahl abgeordnet wird.

Im Mai 1931 erhält sie das Bauhaus-Diplom Nr. 43; neben dem Direktor Ludwig Mies van der Rohe und dem Leiter der Wandmalerei Hinnerk Scheper attestieren ihr auch Klee und Kandinsky den Besuch der freien Malklassen. Margaret Leiteritz gehört damit zu den wenigen Frauen unter den »Jungen Bauhausmalern«, wie die überschaubare Gruppe der Bildenden Künstler unter den Bauhäuslern genannt wurde. Doch nach dem Ausscheiden aus dem Bauhaus und einem ganzen Jahr ohne Anstellung tritt sie 1933 wieder in den Bibliotheksdienst ein, an ihrer alten Wirkungsstätte in der Kunstgewerbeschule Dresden, im ersten Jahr sogar noch ohne Bezahlung. Bis zum Zusammenbruch des Deutschen Reiches hält sie an dieser Tätigkeit fest, wird in den letzten Kriegsmonaten nach der Zerstörung Dresdens gemeinsam mit ihrer Mutter in den kleinen Ort Giersdorf bei Breslau in Schlesien evakuiert. 1946 von dort vertrieben, entdeckt sie ihre kreativen Talente wieder und arbeitet zunächst als Entwerferin in Gebhardshagen im Harz. Zwischen 1950 und 1952 leitet sie dann die Abteilung »Malstoffkunde« (wozu auch die Verantwortung für die Bibliothek und die Sammlung zählt) in der Lackfabrik Dr. Kurt Herberts & Co. in Wuppertal-Barmen – jenem Unternehmen also, in dem während des Krieges die mit Berufsverbot belegten Ex-Bauhausmeister Oskar Schlemmer und Georg Muche übergangsweise Unterschlupf gefunden hatten.

Doch dies sollte lediglich ein künstlerisches Intermezzo bleiben: Margaret Leiteritz zog nach Karlsruhe und war dann für zwanzig Jahre, bis zu ihrer Pensionierung 1972 – trotz eines Angebots ihres früheren Kommilitonen Max Bill, an die Bibliothek seiner Hochschule für Gestaltung in Ulm zu wechseln – als Bibliothekarin am Institut für Gastechnik, Feuerungstechnik und Wasserchemie an der Technischen Hochschule Karlsruhe angestellt. In dieser Funktion kam sie tagtäglich mit naturwissenschaftlichen Publikationen in Kontakt, deren grafische Ergebnisdarstellungen sie dann zu ihrem Zyklus *Gemalte Diagramme* inspirierten. In strenger Übertragung des schwarz-weißen Originals – wie zur Überprüfung ist jeder Leinwand die volle akademische Zitation der Veröffentlichung beigefügt – suchte sie nach harmonischen Farbkonstellationen, mit der sie die strenge geometrische Anordnung in eine fließende, fast metaphysische Verkörperung der Lichtquellen übersetzte, mit denen an ihrem Institut hantiert wurde. Eine vierzigste und letzte Leinwand blieb unvollendet, als Leiteritz kurz vor ihrem 69. Geburtstag einem unheilbaren Krebsleiden erlag. Von ihren Kollegen wussten da die wenigsten von den kreativen Ambitionen ihrer so stillen und verschlossenen Kollegin.

Edith Tudor-Hart

Betrachtet man ihr Foto *Riesenrad im Prater* aus dem Jahr 1931, wird verständlich, weshalb Edith Tudor-Hart – damals noch Edith Suschitzky – für eine Studentin von László Moholy-Nagy gehalten wird. Durch ein Gitterwerk aus Eisen und Stahl fällt der Blick von oben auf winzige Kaffeehaustische und entfernt liegende moderne Vergnügungsstätten. Die Aufnahme scheint damit das Wiener Pendant zum drei Jahre zuvor von Moholy-Nagy in Berlin aufgenommenen Foto *Blick vom Radioturm*. Doch der Meister hatte das Bauhaus bereits verlassen, als Suschitzky sich dort im Herbst 1929 immatrikulierte. Dennoch wird sie seine Arbeit in Klassen anderer Lehrer, durch seine Publikationen oder im Rahmen der Film- und Fotoausstellung des Werkbundes *Film und Foto (FiFo)*, die 1930 auch in Wien gezeigt wurde, kennengelernt haben. Während urbane Strukturen und moderne Technik Tudor-Hart augenscheinlich interessierten, so ist das Vermächtnis ihres mitreißenden fotografischen Werkes doch ein ganz anderes: Ihr gelang es, das Menschliche mit Empathie und Würde einzufangen – ein Talent, das vor allem in ihren Kinderfotografien offenbar wird. Kunst und Politik trafen bei Edith Tudor-Hart fast immer aufeinander, und so wurde sie nicht nur zu einer der einflussreichsten Fotografinnen Großbritanniens, sondern auch zu einer der berüchtigtsten Spioninnen des sowjetischen Geheimdienstes KGB. Doch Aufzeichnungen und Wissen über Edith Tudor-Hart bleiben lückenhaft. Forschungen von Duncan Forbes und Peter Stephan Jungk haben erheblich dazu beigetragen, ihr Leben einer breiten Öffentlichkeit zugänglich zu machen.

Edith Suschitzky wuchs im Wiener Arbeiterviertel Favoriten auf. Obgleich sie während des Ersten Weltkrieges noch ein Kind war, war sie doch alt genug, um seine Auswirkungen zu begreifen. Sie gehörte zu den Kindern aus Favoriten, die mit der Kinderlandverschickung zu Obstbauern nach Schweden reisten, um wieder zu Kräften zu kommen. 1924 begann sie ehrenamtlich für den Montessori-Kindergarten Haus der Kinder in Favoriten zu arbeiten, wodurch sie Teil einer hochpolitisierten linken Szene wurde. Im Frühjahr 1925, im Alter von 16, wurde Suschitzky für einen dreimonatigen Montessori-Kurs nach London geschickt, ihre erste Reise in das Land, das eines Tages ihre Heimat werden würde. Es ist nicht ganz klar, wann sie Mitglied der kommunistischen Partei wurde, doch Forbes fand Aufzeichnungen, die belegen, dass sie als Betty Gray 1927 für die kommunistische Partei von Großbritannien arbeitete, und vermutet deshalb, dass sie zu dieser Zeit bereits formell oder informell mit der KPÖ (Kommunistische Partei Österreich) in Verbindung stand.

Geboren: Edith Suschitzky, 28. August 1908 in Wien (Österreich-Ungarn, heute Österreich)
Gestorben: 12. Mai 1973 in Brighton (Großbritannien)
Immatrikuliert: 1928
Stationen ihres Lebens: Österreich-Ungarn (heute Österreich), Schweden, Deutschland, Frankreich, Italien, Großbritannien

GANZ OBEN **Edith Tudor-Hart**, Selbstporträt, London, ca. 1936.

OBEN **Edith Tudor-Hart**, *Riesenrad im Prater*, Wien, ca. 1931.

Suschitzky reiste 1929 nach Paris und London, vermutlich zu verdeckten Einsätzen, und ließ sich eventuell auch auf geheime Aktionen ein, als sie später im selben Jahr ans Bauhaus nach Dessau kam. Sie erhielt im Herbst die Matrikelnummer 385 und blieb bis zum Frühjahr 1930, um den Vorkurs abzuschließen. Laut Leistungsbescheinigung von Hannes Meyer, die am 22. Mai 1930 ausgefüllt und an Suschitzkys Adresse in London geschickt wurde, belegte sie unter anderem Kurse wie Einführung in die künstlerische Gestaltung, Material- und Werklehre, Chemie, Mathematik, darstellende Geometrie, Schrift und Aktzeichnen. Obwohl im Protokoll des Kurses nicht vermerkt, so gehörte Suschitzky sicherlich zu den zehn Prozent, die in der KoStuFra, der kommunistischen Studentenfraktion, aktiv waren. Im darauffolgenden Semester war sie nicht als Studentin eingeschrieben, sondern als Hospitantin in der Fotoklasse von Walter Peterhans. Ihr Bruder Wolfgang Suschitzky erinnerte sich an ihre Bauhaus-Zeit wie folgt: »Edith entschied, sich in Fotografie bei Walter Peterhans zu spezialisieren. Das war mit Abstand eine der wichtigsten Entscheidungen ihres Lebens, denn bis zu ihrem Tod blieb sie der Fotografie treu.« Ihre frühesten noch erhaltenen Fotografien stammen aus dem Jahr 1930 – ein weiterer Beweis dafür, dass sie das Handwerk am Bauhaus erlernte.

Nicht einmal ein Jahr nach ihrem Fortgang, im März 1931, veröffentlichte Suschitzky in der Handelszeitung *Commercial Art* einen Artikel über das Bauhaus, in dem sie die konstruktivistische und soziale Orientierung der Schule betonte. »Es ist allgemein anerkannt, dass die Beschäftigung mit dem ›Genius‹ reine Zeitverschwendung ist, dass die Ausdrucksmittel unserer Zeit sich völlig von denen des 19. Jahrhunderts unterscheiden, dass der Film, stärker als die Malerei, die Massen bewegt, dass Tanz und Schauspiel näher an den Kollektivismus rücken, und dass nicht mehr nur der ›Star‹, sondern das Ensemble zählt.« Und es war in der Tat dieses Ensemble – die Gruppe –, worauf ihr Blick am häufigsten fiel. Suschitzky arbeitete mit der zweiäugigen Rolleiflex, die Kamera auf Brusthöhe haltend, sodass sie von oben herunterschauen musste, um ihre Aufnahme zu komponieren. Diese ungewöhnliche Kamerahaltung ermöglichte es ihr, eine von Empathie getragene Verbindung mit dem gewählten Motiv einzugehen.

In den frühen 1930er-Jahren wurde Suschitzky Bildkorrespondentin bei der TASS, der sowjetischen Nachrichtenagentur. Auch als sie begann, in österreichischen und deutschen Publikumszeitungen und linken Publikationen zu veröffentlichen, konnte sie ihre politische Arbeit unvermindert fortsetzen. Im Mai 1933, im Alter von 24 Jahren, wurde sie zum ersten Mal verhaftet, weil sie als geheimer Kurier für die KPÖ aufgeflogen war. Sie lebte in ihrem Elternhaus, wo die Polizei eine größere Menge an Fotomaterial beschlagnahmte, einschließlich Aufnahmen einer vor Kurzem

stattgefundenen Demonstration in Wien. Sie durfte das Gefängnis verlassen, um im August 1933 ihren Freund, den britischen Arzt und Mitaktivisten Alexander Tudor-Hart, zu heiraten, unter der Bedingung, dass die beiden Wien bis zum Oktober desselben Jahren verlassen haben würden. Als sie im Oktober nach England zogen, veröffentlichte die Polizei einige ihrer Negative; der Rest wurde Ende der 1930er-Jahre vernichtet.

In London gelang es Edith Tudor-Hart, mit Unterstützung des Designers und Bauhaus-Anhängers Jack Pritchard, an kommerzielle Aufträge zu kommen. Gemeinsam mit der Bauhaus-Fotografin Grete Stern, die ebenfalls in London im Exil lebte, arbeitete sie an einer Broschüre für das Frauen- und Kinderkrankenhaus in Südlondon. Ein Foto, das Tudor-Hart für dieses Projekt aufnahm, zeigt zwei Krankenschwestern, die sich um sechs kleine Kinder kümmern, die eine Therapie mit ultraviolettem Licht erhalten. Futuristischen Cherubim gleich, stehen sie unbekleidet nur mit Schuhen und Schutzbrillen da. Laut der Historikerin Tania Anne Woloshyn sei Tudor-Harts Foto nicht nur wunderschön und gespenstisch, sondern stelle auch eine technische Meisterleistung dar, da eine direkte Strahlung durch das Licht der Karbonbogenlampe das Foto ruiniert hätte. Die Fotografin positionierte sich hinter dem Jungen, um das direkte Licht abzuwehren – eine Perspektive, durch die er zur zentralen Figur des Bildes wird. Seine Körperhaltung – mit ausgestreckten Armen, um das Licht aufzunehmen – wiederholt sich bei der stehenden Krankenschwester und den anderen Kindern.

LINKS **Edith Tudor-Hart,** *Ultraviolett-Lichttherapie, South Hospital for Women and Children,* ca. 1935.

RECHTS *Lilliput,* **Ausgabe April 1939. Fotografien von Edith Tudor-Hart: Ein Hundesalon, London, ca. 1937, und Gee Street, Finsbury, London, ca. 1936.**

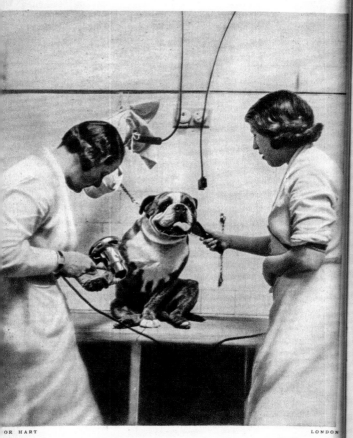

SHOULD WE HAVE THIS?
A beauty parlour for dogs
426

TUDOR HART   LONDON

MUST WE HAVE THIS?
A London Slum
427

Tudor-Harts eigener Sohn Tommy wurde 1936 geboren. Als es ihren Mann als Arzt in den spanischen Bürgerkrieg zog, wurde sie zur alleinigen Ernährerin ihrer großen Familie österreichischer Exilanten. Als Fotografin den Lebensunterhalt zu verdienen war zwar schwierig, doch sie setzte sich beruflich durch. Das Monatsmagazin für Kunst und Unterhaltung *Lilliput* druckte zwei ihrer Fotos ab, die Kritik durch Kontraste übten: Während für die Haustiere reicher Leute weder Kosten noch Mühe gescheut wurden, lebte die arme Bevölkerung zusammengepfercht in Slums.

1950 nahm Tudor-Hart eine außergewöhnliche Fotoserie für das britische Bildungsministerium auf, die in dem Doppelband *Moving and Growing* veröffentlicht wurde. Die Bilder zeigen Kinder beim Lernen und Spielen, konzentriert, spontan und wunderschön.

Die 1950er-Jahre waren vermutlich die schwierigste Zeit in Tudor-Harts hartem Leben. Sie stand unter ständiger Beobachtung und wurde regelmäßig vom MI5, dem britischen Inlandsgeheimdienst, verhört, da viele aus ihrem Agenten-Kreis entweder enttarnt wurden oder sich in die Sowjetunion absetzten. Sie konnte von der Fotografie allein nicht mehr leben und wurde Antiquitätenhändlerin, zunächst in London und später in Brighton. Edith Tudor-Hart reiste nie in die Sowjetunion, doch umfangreiche Dokumente über ihre jahrzehntelange Tätigkeit als Spionin für dieses Land lagern vermutlich in den Archiven des KGB in Moskau. Sie bleiben unter Verschluss, trotz zahlreicher Ersuchen von Wissenschaftlern, sie zu sichten.

Ivana Tomljenović

Bauhäuslerin, Modepuppe, Sportskanone, Mädchen aus reichem Hause, Revolutionärin und Spionin – das Leben der jugoslawischen Künstlerin und Fotografin liest sich wie ein spannender Roman. Sie war kreativ, athletisch, schön und scheinbar furchtlos. Tomljenović besuchte von 1929 bis 1930 das Bauhaus und fand dort einen Ort, an dem sie neue visuelle Techniken, und, im Laufe der Zeit, auch Methoden erforschte, um ihre Kunst mit ihrem wachsenden Engagement für die kommunistische Politik zu verbinden. Tomljenović verkörperte das späte Bauhaus-Ideal einer kühnen und radikalisierten neuen Weiblichkeit. Tomljenovićs Bauhaus-Fotografien zeigen eine scheinbar unbeschwerte Gemeinschaft, die jedoch immer stärker in die dramatischen Ereignisse außerhalb der Schule verwickelt war – als Folge der Weltwirtschaftskrise von 1929 und einer daraus resultierenden finanziellen Instabilität sowie einer gleichzeitigen politischen Polarisierung. Vor genau diesem wirtschaftlichen und politischen Szenario sollte Tomljenovićs Bauhaus-Arbeit verstanden werden. Sie fing das Bauhaus ein, wie es am Rande des Abgrunds tanzte. Unter ihren experimentellen Arbeiten findet sich ein Dokument, das für die Schule völlig neuartig war: der einzige je über das Bauhaus Dessau gedrehte Film.

Wie viele andere Bauhaus-Studierende hatte auch Tomljenović vor ihrer Ankunft in Dessau bereits eine grundlegende, wenn auch stärker traditionelle Ausbildung abgeschlossen. 1924 schrieb sie sich für ein Zeichen- und Malstudium an der Akademie der Künste in ihrer Heimatstadt Zagreb ein und erhielt 1928 ihr Cum-Laude-Diplom. Das folgende Jahr verbrachte sie an der Kunstgewerbeschule in Wien, wo sie bei dem berühmten Designer und Gründungsmitglied der Wiener Werkstätten, Josef Hoffmann, Metalldesign studierte. Zu dieser Zeit hielt Tomljenović als Athletin bereits mehrere Rekorde, sie war bekannt für ihre Talente in *hazena* (dem tschechischen Handball), Leichtathletik, Skifahren und Basketball und ein Liebling der Sportpresse in den 1920er-Jahren.

Nach dem Besuch einer Vorlesung bei dem charismatischen zweiten Direktor des Bauhauses, Hannes Meyer, gab sie ihr Studium in Wien auf und ging direkt nach Dessau. Sie traf im Oktober 1929 – also genau zum Zeitpunkt des weltweiten Börsenkrachs – am Bauhaus ein, das damals zugleich berauschend aufgeschlossen wie hoch politisiert war. Durch ihre bisherige Ausbildung verfügte Tomljenović über ausreichende Fertigkeiten in der Malerei und Farbtheorie und sie besaß einen Blick für ausgefallene Mode, wie sich an den miteinander verwobenen Figuren ihres

Geboren: 1906 in Zagreb (Österreich-Ungarn, heute Kroatien)
Gestorben: 1988 in Zagreb, Jugoslawien
Immatrikuliert: 1929
Stationen ihres Lebens: Jugoslawien (im heutigen Kroatien), Deutschland, Frankreich, Tschechoslowakei (im heutigen Tschechien)

OBEN Ivana Tomljenovićs Studentenausweis am Bauhaus, 1929–1930.

RECHTS Ivana Tomljenović, *Studentenfest am Bauhaus*, 1929–1930.

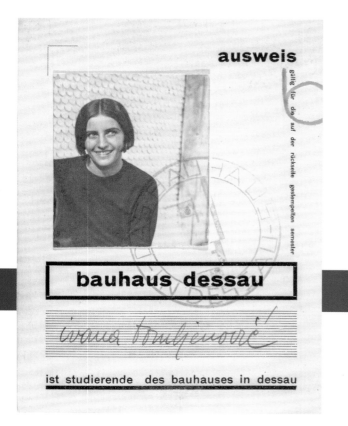

Gemäldes *Studentenfest* erkennen lässt, das sie vermutlich in ihrem ersten Semester fertigstellte. Das schmale Format der Arbeit bietet eine komprimierte Fläche für ausgefallen kostümierte Studierende, von denen einer einen Ei-Helm trägt, der an Kostüme aus Oskar Schlemmers Bauhaus-Phase denken lässt. Eine leicht bekleidete dunkelhaarige Schönheit erinnert an ein Selbstporträt.

In ihrem ersten Semester absolvierte Tomljenović erfolgreich den Vorkurs bei Josef Albers und Wassily Kandinsky und wurde anschließend zum weiteren Studium in Walter Peterhans' Fotoklasse zugelassen. Peterhans war einerseits streng und legte viel Wert auf technische Perfektion, ermutigte seine Studenten andererseits aber auch zum Experimentieren. Tomljenović verfolgte beide Ansätze, als sie das Leben der Bauhaus-Gemeinschaft in ihren Fotografien einfing. Ein von oben aufgenommenes Foto aus dem Jahr 1930 zeigt Mitstudenten, die ihre Bücher beiseitegelegt haben und sonnenbaden. Sie flirten, scherzen miteinander, schneiden Grimassen und lachen herzlich in die Kamera. Sie sind völlig im Augenblick dieser Fotografie gefangen.

Durch ihren Einblick in die neue Weiblichkeit der 1920er-Jahre sind Tomljenovićs Fotografien von ihren Mitstudentinnen am Bauhaus besonders feinsinnig

und bilden unterschiedliche Formen moderner Weiblichkeit ab. Für einige Aufnahmen benutzte Tomljenović experimentelle Drucktechniken und arbeitete mit Collagen und Fotomontagen, wie etwa in ihrer Porträtreihe von Margarete Mengel, der Bauhaus-Sekretärin, Partnerin von Hannes Meyer und Mutter seines Sohnes. In ihrer Funktion als Sekretärin hatte Mengel im Herbst 1929 Tomljenovićs Studentenausweis unterschrieben. Tomljenović verwendete das Foto, das sie im Frühjahr 1930 von Mengel aufgenommen hatte, als Grundlage für ihre druckgrafischen Experimente. Es sind formelle Übungen, doch die Kompositionen verleihen den Motiven eine ausgeprägte symbolische Würde und eine besinnliche Innerlichkeit. Genau wie Tomljenović sympathisierte auch Mengel mit den Idealen der Revolution; zusammen mit anderen Bauhaus-Mitgliedern trat sie der sogenannten Bauhaus-Stoßbrigade Rot Front bei, die der 1930 in die Sowjetunion emigrierte Meyer gegründet hatte.

Tomljenovićs Verbindung von Bauhaus-Leben und neuen Medien tritt in ihrem unbetitelten Film – von der Wissenschaftlerin Bojana Pejić auch *Das Bauhaus in 57 Sekunden* genannt – am deutlichsten zutage. Nachdem der Film lange Zeit in Vergessenheit geraten war, kam er in den 1980er-Jahren wieder ans Licht. Obwohl es sich um den einzigen Film über das Bauhaus-Gebäude in Dessau und seine Studenten handelt, wurde er – von einigen Ausnahmen einmal abgesehen – lange Zeit ignoriert. Tomljenović drehte ihn mit einer 9,5-mm-Kamera Pathé-Baby, einem günstigen Modell, das in den frühen 1920er-Jahren für Amateurfilmer und das private Betrachten von Filmen auf den Markt kam. Sie war zwar keine erfahrene Filmemacherin, doch sehr versiert im Avantgarde-Film.

Im Juni 1930 war Hans Richter zur Aufführung seiner und anderer Filme am Bauhaus eingeladen. Tomljenović erinnerte sich später, dass sie und andere Studenten seiner Arbeit gegenüber äußerst kritisch eingestellt waren und ihn als politisch rechts bezeichnet hatten; er hatte jedoch sein kom-

LINKS Ivana Tomljenović, Bauhaus-Studenten, Dessau, 1930.

RECHTS Ivana Tomljenović, Fotomontage-Porträt von Margarete Mengel, 1930.

RECHTS Ivana Tomljenović, Stand-
bilder aus einem unbetitelten
Bauhaus-Film, ca. 57 Sekunden,
1930. Zu sehen sind (von oben links
im Uhrzeigersinn) Otto Rittweger,
das Atelierhaus (Prellerhaus), Kitty
Fischer van der Mijll Dekker und
Grete Reichardt.

munistisches Parteibuch aus der Tasche gezogen, um seine Mitgliedschaft
zu beweisen.

Das Bauhaus in 57 Sekunden ist ein Film, der in schnellem Tempo dahin-
rast, eine wilde Abfolge von Rohaufnahmen der Bauhaus-Mitglieder und
unbekannter Figuren in Bewegung und im Zusammenspiel mit dem Bauhaus-Gebäude und der Kamerafrau. Zu sehen sind Bauhäusler wie der
Baukonstruktionslehrer Alcar Rudelt, die Weberinnen Grete Reichardt und
Kitty van der Mijll Dekker sowie der Metalldesigner Otto Rittweger. Andere
Sequenzen zeigen das Gebäude und das Leben am Bauhaus, mit Kame-
raschwenks über das Prellerhaus (das Wohnheim der Studenten) und wei-
ter über Kaffee und belegte Brote auf der Terrasse der Mensa, wodurch
Tomljenovićs Bauhaus-Fotografien zum Leben erweckt werden. Obwohl der
Film keine echte Geschichte erzählt, erscheint in der letzten Einstellung das
Wort »Ende« – eine surrealistische Anspielung auf das Kino jener Zeit.

Tomljenović wurde am Bauhaus zur bekennenden Kommunistin und unter
dem Decknamen Wirinea Hölz geführt. Mit ihrer arbeiterfreundlichen politischen Gesinnung wandte sie sich auch gegen die eigene Familie, welche
ihren beträchtlichen Wohlstand aus dem Bankenwesen und dem Kohle-
bergbau bezog und sich in den höchsten gesellschaftlichen Kreisen Jugo-
slawiens bewegte. 1922 war Tomljenović – damals 15 Jahre alt – Brautjungfer
bei der Hochzeit von König Alexander I. gewesen. Am Bauhaus radikali-
siert, suchte sie nach technischen und inhaltlichen Wegen, um ihre neuen
politischen Überzeugungen sichtbar zu machen. Sie fotografierte kommunistische Feiern zum Tag der Arbeit am 1. Mai 1930 und machte Porträts
von Arbeitern und dem kommunistischen Schriftsteller Ernst Toller, der bei
seinem Besuch am Bauhaus vor Studenten über die Revolution sprach.

Tomljenović reiste regelmäßig nach Berlin, wo sie in Kreisen jugosla-
wischer Exilanten verkehrte, die vor König Alexander I., der im Januar
1929 eine Diktatur errichtet hatte, geflohen waren. 1939 besuchte sie eine

Ausstellung mit dem Titel *Diktatur in Jugoslawien: Dokumente, Tatsachen*, auf der sie von einem der Gründer der jugoslawischen kommunistischen Partei gebeten wurde, eine Fotomontage für das Titelbild des Ausstellungskatalogs zu entwerfen. Ihr Bild ist ganz im Geiste des Dadaisten und Kommunisten John Heartfield gestaltet, den sie im Herbst 1930 oder auch schon früher kennenlernte. Seine Entwürfe für Buchumschläge waren, vor allem in kommunistischen Kreisen, weit verbreitet. Tomljenovićs Montage zeigt den ahnungslosen und grausamen König, der in seiner mit Orden bedeckten Uniform gut gelaunt posiert, während er inmitten von rotem Blut auf dem Leichnam eines Revolutionärs steht. Ein anderer Künstler fügte dem Bild den Titel der Ausstellung hinzu, während Tomljenovićs Name, vermutlich zu ihrer eigenen Sicherheit, nicht in der Publikation erwähnt wird.

Zunehmende Spannungen zwischen rechten und linken Gruppierungen sowohl am Bauhaus selbst als auch in der Stadt Dessau führten im Mai 1930 zum Ausschluss von Tomljenovićs gutem Freund Naftali Rubinstein (später Naftali Avnon), gefolgt von weiteren Exmatrikulationen zahlreicher anderer kommunistischer Studenten. Als der Bürgermeister der Stadt im Sommer 1930 Hannes Meyer entließ, entschied Tomljenović, dass es Zeit war, zu gehen. Später in ihrem Leben stellte sie ein Album mit ihren fotografischen Arbeiten zusammen, einschließlich einer doppelseitigen Collage aus dem Jahr 1930, die (auf Kroatisch) den Titel *Viel Glück, Bauhaus und Berliner Kameraden, wir sehen uns nach der Revolution* trägt. Die Worte »Bauhaus« und »Berlin« sind unter *sretno drugovi* (»Viel Glück, Kameraden« auf Kroatisch) eingefügt, wobei der rote »Bauhaus«-Schriftzug so wirkt, als handle es sich hier um eine kommunistische Institution. Tomljenović setzt auf die Kraft der Fotomontage, um die Schule in die Luft zu sprengen: Ein elektrischer roter Blitz fährt auf das Bauhaus nieder, während es in dunkle Wolken gehüllt ist. Diese kommen aus Berlin, symbolisiert durch den Berliner Bären und den Radioturm. Tomljenović selbst ragt daneben als lächelnde junge Pionierin auf, die den Blitz auf ihre Alma Mater willkommen heißt. Neben dem Wort *drugovi* (»Kameraden«) sind die Köpfe von drei

LINKS **Fotomontage für Broschüre-Titelseite,** *Diktatur in Jugoslawien*, 1930.

RECHTS *Viel Glück, Bauhaus und Berliner Kameraden, wir sehen uns nach der Revolution*, ca. 1930.

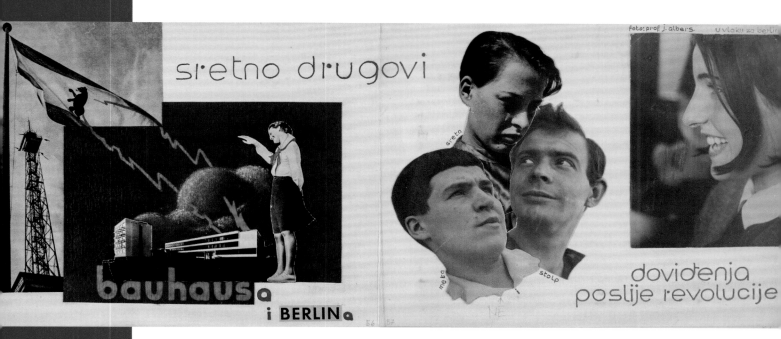

Freunden Tomljenovićs zu sehen: Grete Krebs, Kurt und Meta Stolp. Auf der rechten Seite ist ein von Albers aufgenommenes Profilfoto von Tomljenović zu sehen, das den Titel »Mit dem Zug nach Berlin« trägt und sie mit Bob-Frisur und voller Zuversicht in die Welt blickend zeigt. Es ist, bissig-witzelnd, mit den Worten »Wir sehen uns nach der Revolution« untertitelt.

Aus dem Leben am Bauhaus herausgerissen, ging Tomljenović zusammen mit den meisten ihrer Freunde nach Berlin; sie arbeitete als Grafikerin und Bühnenbildnerin für den kommunistischen Theaterdirektor Erwin Piscator, Seite an Seite mit John Heartfield. Nebenbei spielte sie tschechischen Handball für den SC Charlottenburg und gewann mit ihrer Mannschaft die Europameisterschaft. 1931 reiste sie unter dem Vorwand, Literatur an der Sorbonne zu studieren, nach Paris, doch eigentlich war sie hauptsächlich als kommunistische Agentin im Einsatz. Im darauffolgenden Jahr zog Tomljenović weiter ins weltstädtische Prag, wo sie als Grafikerin arbeitete und 1933 Alfred Meller heiratete. Zusammen entwarfen sie spektakuläre Schaufenster für Kaufhäuser mit elektrischem Licht und raffinierten beweglichen Elementen, einige funktionierten sogar interaktiv mit dem Betrachter. Diese Schaufensterdekorationen zogen das Publikum derart in ihren Bann, dass die Polizei einschreiten musste.

Ihr Mann starb 1934 und Tomljenović zog nach Belgrad, um dort als Grafikerin und Dozentin zu arbeiten. 1938 kehrte sie nach Zagreb zurück, jene Stadt, die 1941 von den Nazis zur Hauptstadt des unabhängigen Marionettenstaats Kroatien ernannt werden sollte. Sie überstand den Krieg und wurde Kunstlehrerin, zunächst an einem Mädchengymnasium und dann an einer Berufsschule.

1983 – fünf Jahre vor ihrem Tod – entdeckten Kuratoren und Wissenschaftler Tomljenovićs Arbeiten wieder und widmeten ihr verschiedene Ausstellungen und Publikationen. Die Auseinandersetzung mit dem Werk dieser emanzipierten Kommunistin fördert eine Reihe aufregender visueller Experimente zutage, in denen der Kern dessen aufscheint, was das späte Bauhaus ausmacht: die Einheit von Kunst und Politik.

Monica Bella Ullmann-Broner

von Andrea-Beate Dipp

Man kann nicht behaupten, dass der Künstlerin Monica Bella Ullmann-Broner daran gelegen war, der Nachwelt ihren Lebenslauf lückenlos und fehlerfrei zu hinterlassen. Das fängt schon damit an, dass sie sich bis zuletzt jünger machte als sie war: Noch in dem zu ihren Lebzeiten, nämlich 1968 erschienenen Standardwerk *50 Jahre Bauhaus* tauchte ihr Name in einer weiteren Variante auf und das Geburtsdatum war mit 1911 falsch angegeben. Zahlreiche Aliasnamen, wechselnde Lebenspartner und Ortswechsel zum Teil im Jahrestakt verunklären den Blick auf eine unabhängige, aber auch unstete, von den Zeitläufen mitgerissene Künstlerin, deren Schaffen noch zu entdecken ist. Während sich über Jahrzehnte die meisten veröffentlichten Biografien auf ihre Selbstauskunft stützten, die sie für das Bauhaus-Archiv verfasst hatte, ermöglichte es einige Detektivarbeit der letzten drei Jahre, die Puzzlesteine ihrer Biografie zu verbinden. Mangels größerer Archivfunde muss dennoch manches offen bleiben, womit Bella Ullmann zu den wenigen Bauhaus-Persönlichkeiten gehört, deren Spuren sich trotz ihrer unstrittigen Bedeutung immer wieder verlieren. Letztlich zeigt sich auch in ihrem Fall, dass Nachlässe von Künstlerinnen, zumal kinderlosen, weitaus weniger häufig gepflegt und der Nachwelt erhalten werden als die ihrer männlichen Kollegen.

Geboren laut Meldekarte im Nürnberger Stadtarchiv am 2. März 1905 in Nürnberg als Bella Ullmann in eine assimilierte jüdische Hopfenhändlerfamilie, erscheint ihr Lebensweg als höhere Tochter zunächst vorgezeichnet. Doch die junge Frau zeigte sich künstlerisch ambitioniert und von reformpädagogischen Ideen fasziniert. Ihre Eltern haben ihr eine umfassende Ausbildung ermöglicht – erleichtert wurde dies durch ein international gespanntes Netz, das zunächst familiär geprägt war und später zahlreiche künstlerische Kontakte über die Kontinente hinweg umfasste. Zunächst studierte Ullmann um 1926 an der im selben Jahr wie das Bauhaus, nämlich 1919, in der Nähe von Fulda begründeten alternativen Loheland-Schule. Das ganzheitliche, an Rudolf Steiner orientierte Konzept der beiden Gründerinnen Hedwig von Rohden und Louise Langgaard beinhaltete Unterricht in Werken und Kunst, aber auch Gymnastik und Landbau. Die Bekanntheit der Loheland-Schule reichte so weit, dass auch Aufenthalte von Lucia Moholy und László Moholy-Nagy verbürgt sind.

Von 1927 bis 1929 war Bella Ullmann in Hildesheim tätig, wo sie wahrscheinlich eine Ausbildung zur Werklehrerin absolvierte, bevor sie an das rund 200 Kilometer entfernte Bauhaus nach Dessau wechselte. Sie gehörte

Geboren: Bella Ullmann, 2. März 1905 in Nürnberg (Deutschland)
Gestorben: 7. Dezember 1993 in Stuttgart (Deutschland)
Immatrikuliert: 1929
Stationen ihres Lebens: Deutschland, Israel, USA, Frankreich

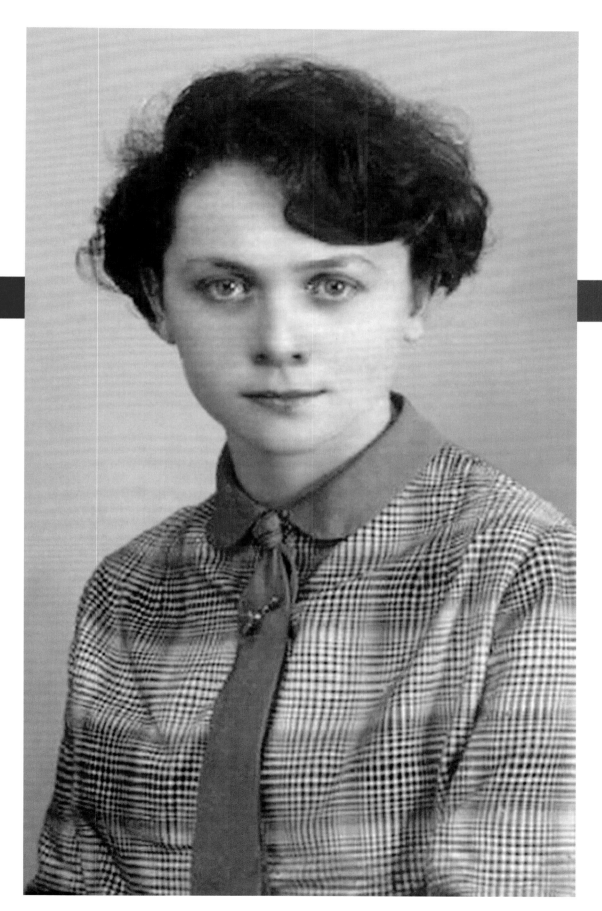

Bella Ullmann-
Broner auf ihrer
Meldekarte,
undatiert.

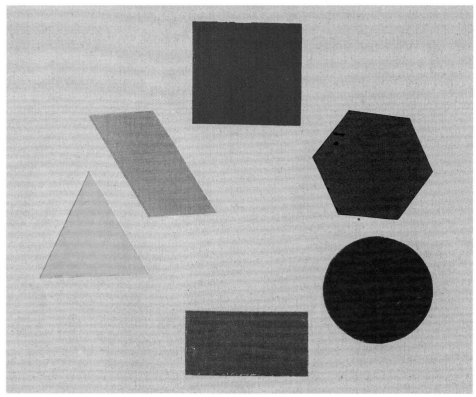

OBEN Bella Ullman-Broner posiert als Kämpferin für Frauenrechte. 1930, in *Kämpferin für Frauenrechte* von Max Gebhard. Die Montage wurde später als Cover für den Ausstellungskatalog *Bauhaus Dessau 1928–1930* abgedruckt, Moskau, 1931.

OBEN LINKS Bella Ullmann-Broner, Bewegungsstudie, aus dem Vorkurs von Josef Albers, 1929–1930.

UNTEN LINKS Bella Ullmann-Broner, *Versuch einer Farbgebung für die Sekundärfarben*, 1931.

damit zur Mehrheit der Studentinnen, die sich nach bereits abgeschlossenen Berufsausbildungen für das Bauhaus entschieden. Dort schrieb sie sich zum Wintersemester 1929/1930 mit der Matrikelnummer 394 ein.

Ihr Studienverlauf ist aus den dem Bauhaus-Archiv übergebenen Blättern gut nachvollziehbar. Ihre Mitschriften aus den Vorkursen »Farblehre« bei Josef Albers und »Analytisches Zeichnen« bei Wassily Kandinsky wurden in der Literatur vielfach zitiert, vornehmlich zum Thema Farbe. Daneben besuchte die vielseitig interessierte junge Künstlerin offenbar auch Kurse von Hinnerk Scheper, Joost Schmidt und dem Fotografen Walter Peterhans. 1930 posierte Bella Ullmann als Kämpferin für Frauenrechte in der gleichnamigen Montage des Mitstudenten und KPD-Mitglieds Max Gebhard, die ein Jahr später als Cover für den Moskauer Ausstellungskatalog *Bauhaus Dessau 1928–1930* abgedruckt wurde.

Bei Hinnerk Scheper erlernte sie womöglich die Wandmalerei und bei Joost Schmidt die Illustration. Beides sind Arbeitsfelder, die sie in ihrem späteren Berufsleben zumindest zeitweise praktizierte. Selbst architektonische Entwürfe für ein Wochenendhaus (1929) sind von ihr erhalten. Ihre Ambitionen endeten jedoch wie die vieler Mitstudentinnen in der Textilwerkstatt des Bauhauses. In der Weberei-Klasse war sie unter Gunta Stölzl nachweislich an Entwürfen für die Industrie beteiligt. Innerhalb der unrühmlichen Affäre um Stölzls Kündigung ist sie 1930 als Mitunterzeichnerin eines Briefes von Otti Berger an die Stölzl-kritischen Mitstudentinnen zu finden. Mit ihrer Lehrmeisterin hielt sie dann auch nach der Studienzeit über die Jahre hinweg Kontakt. In den 1950er-Jahren besuchte die nun als Bella Ullmann-Broner firmierende Künstlerin Gunta Stölzl regelmäßig in Zürich und organisierte noch 1977 eine Ausstellung mit deren Werken in Stuttgart.

Im Zuge der nationalsozialistischen Verfolgung nach 1933 geriet Bella Ullmanns Leben als Halbjüdin in Gefahr. Ihre Mutter bemühte sich, mit ihren insgesamt sieben Kindern aus Deutschland zu emigrieren. Ein Teil der Familie fand ab 1936 in Amerika Zuflucht. Ullmann selbst ging nach Palästina, wo sie von 1937 bis 1938 mit dem ehemaligen Bauhaus-Studenten und Exmann von Gunta Stölzl, dem Architekten Arieh Sharon zusammenarbeitete. Möglicherweise wirkte sie bei dessen Entwürfen für Genossenschaftsbauten in Tel Aviv mit. Die Art ihrer Beziehung zu Arieh Sharon konnte bislang ebenso wenig detailliert werden wie ihre vorangegangene kurze Ehe mit dem Bauingenieur Karl Ernst Rosenthal, die sie 1933 in München geschlossen hatte und die 1938 geschieden wurde. Gut möglich, dass sie mit ihm bereits 1933 nach Palästina emigriert war, nachdem ein Fluchtversuch über Rotterdam im selben Jahr gescheitert war. Rosenthals Namen hat sie im Gegensatz zu dem von Erwin Broner nicht angenommen.

Die Eheschließung mit dem als Erwin Heilbronner in eine jüdische Münchener Bankiersfamilie geborenen Broner fand in Palästina statt. Mit ihm teilte Bella Ullmann nicht nur den spartenübergreifenden künstlerischen

Ansatz, sondern bis zur Trennung um 1948 auch einige Lebensstationen: Broner hatte Malerei an den Kunstakademien in München, Dresden und Stuttgart studiert. Als Maler stand er unter dem Einfluss seines Lehrers Hans Hofmann.

Als Architekt profitierte er von seiner genauen Kenntnis der 1927 im Rahmen der Werkbund-Ausstellung errichteten Weißenhofsiedlung in Stuttgart. Gemeinsam ließen sie sich 1938 in Los Angeles nieder, wo er als Kameramann und Architekt und sie als Ausstatterin beim Film arbeitete. Im Zuge der Annahme der amerikanischen Staatsbürgerschaft änderten sie 1944 ihren Familiennamen in »Broner«. 1948 zogen sie schließlich nach Krumville im Staat New York, wo Bella Ullmann-Broners Familie seit 1941 die Farm Beaver Lake House (auch Ullmann's Farm) besaß, in der sie ein Gästehaus einrichtete. Hier trafen sich zahlreiche illustre Prominente, darunter Marc Chagall, Nahum Goldmann, David Ben Gurion und Kurt Blumenfeld. Krumville brachte Bella Ullmann-Broner jedoch persönlich kein Glück, denn in dem geselligen Treffpunkt vornehmlich jüdischer Emigranten lernte Erwin Broner seine dritte und letzte Frau Gisela kennen.

OBEN Gruppenfoto mit Bella Ullmann, 1929–1930. Von links nach rechts: Wera Meyer-Waldeck, Margarete Dambeck, Otti Berger, Bella Ullmann-Broner und Gertrud Preiswerk (Dirks).

RECHTS Gertrud Arndt mit einem ihrer Entwürfe für Vorwerk, frühe 1990er-Jahre.

GANZ RECHTS Bella Ullmann-Broner, Teppichmuster für Vorwerk, Entwurf Nr. 2434/6.

Bella Ullmann-Broner kehrte nach dem Zweiten Weltkrieg kurzzeitig nach Europa zurück. Von 1947 bis 1949 hielt sie sich in Paris auf. Anlass waren Aufnahmen des französischen Musical-Films *Alice in Wonderland* (1951), der im selben Jahr wie die weitaus bekanntere Verfilmung des Märchenklassikers von Lewis Carroll durch Walt Disney erschien und bis heute als künstlerisch eigenwilliger Geheimtipp gilt. Broner begleitete das Projekt als Filmfotografin. Danach war Ullmann-Broner wiederum in den USA als *textile stylist* für die amerikanische Textilindustrie in den Südstaaten und später als Kinderbuchillustratorin in New York tätig. Erhaltene Entwürfe für ein Kinderbuch (1958) zeigen den Einfluss Picassos. 1956 wurden ihre Arbeiten neben Werken von Pablo Picasso und Marc Chagall in der Ausstellung *Textiles USA* im Museum of Modern Art in New York gezeigt; unter den Jury-Mitgliedern fand sich mit Anni Albers eine ehemalige Bauhaus-Kollegin. Die umfangreiche Schau gilt bis heute als erste Präsentation ausschließlich in Amerika fabrizierter Textilien. Broner zeigte im Bereich »Home furnishings« einen handgewebten Wandteppich aus Wolle und Baumwolle mit Pelzstreifen von 1954. Zur großen Jubiläumsausstellung *50 Jahre Bauhaus*, die der Württembergische Kunstverein 1968 in Stuttgart veranstaltete, kam Ullmann-Broner auf Vermittlung von Tut Schlemmer, der Witwe Oskar Schlemmers, und Max Bill nach Deutschland zurück. In der Ausstellung war sie mit einer 1933 entworfenen Decke und Möbelstoffen von 1966, die von der großen amerikanischen Textilfirma Neisler Mills in Kings Mountain (North Carolina) gefertigt worden waren, vertreten.

Wie die Literaturwissenschaftlerin Ulrike Müller aus Zeitzeugenberichten rekonstruierte, war Ullmann-Broner nach ihrer Rückkehr nach Stuttgart nicht mehr künstlerisch tätig. Ihren Unterhalt bestritt sie unter anderem

durch Verkäufe aus ihrem Bauhaus-Bestand. Zwar bewohnte sie noch ein Atelier, aber tatsächlich wirkte sie im Verbund mit Tut Schlemmer und der ehemaligen Mitstudentin Gertrude Arndt als Vermittlerin des Bauhauses im Südwesten Deutschlands. Mit dem zweiten Direktor des Bauhaus-Archivs, Peter Hahn, bereiste sie in den 1970er-Jahren die Republik auf der Suche nach Nachlässen und Archivalien.

Daneben setzte sie sich insbesondere für das Schaffen des in Nürnberg aufgewachsenen und etwa gleichaltrigen Künstlers Richard Lindner ein, der als Jude 1941 ebenfalls in die USA emigriert war. Umso überraschter musste sie sein, als Anfang der 1990er-Jahre der Teppichhersteller Vorwerk bei ihr vorstellig wurde. Innerhalb der Kollektion *Classic: Frauen am Bauhaus*, in der noch nicht umgesetzte Originalentwürfe für die Serienproduktion aufbereitet wurden, sollten zwei Entwürfe von Ullmann-Broner realisiert werden. Im Firmenarchiv von Vorwerk hat sich eine Reihe von Fotoaufnahmen erhalten, die die betagte Künstlerin bei der Abnahme der Stoffmuster zeigen. Der Teppich mit dem Design 2434/6 wird als Foulard-Druck bis heute produziert. Er zeigt Gestaltungsprinzipien, die Ullmann-Broners gesamtes Schaffen kennzeichnen: Die im Bauhaus vermittelten streng geometrischen Formen werden weich modelliert und unter dem Einsatz unterschiedlicher Farbkontraste variiert. Als Bella Ullmann-Broner 1993 in Stuttgart starb, verlieh ihr die *Stuttgarter Zeitung* posthum den Ehrentitel »Die Bauhausdame«.

Kitty Fischer van der Mijll Dekker

von Anke Blümm

Jeder Niederländer kennt Kitty Fischer van der Mijll Dekker – zumindest wegen ihrer Entwürfe für Küchenhandtücher, deren Design sie in den 1930er-Jahren erneuerte: Die althergebrachten, schweren Karomuster verwandelte sie in helle, abstrakte Dessins, geschickt variiert durch Farben und Bindung. Dazu waren die Tücher gut zu waschen, farbecht und robust. Noch heute sind sie als Re-Edition zu kaufen, während sich die Originale nunmehr in Museen befinden. Damit gehört Kitty Fischer van der Mijll Dekker zu den bekanntesten Weberinnen des 20. Jahrhunderts in den Niederlanden.

Catharina Louisa van der Mijll Dekker – genannt Kitty – wurde 1908 als Tochter eines niederländischen Kolonial-Offiziers in Yogyakarta, Indonesien, geboren. Als sie acht Jahre alt war, kehrte die Familie zurück nach Holland. In Den Haag besuchte Kitty eine Mädchenschule und erhielt 1925 bis 1927 eine umfassende Sprach- und Kunstausbildung in der Schweiz und in England. Zudem reiste sie mit ihren Eltern vier Monate durch Nordamerika. Anschließend arbeitete sie zunächst im Büro des Innenarchitekten Cor Alons, bis sie ihr Onkel Jan Buijs, ein bekannter moderner Architekt, auf das Bauhaus aufmerksam machte. Mit dem Ziel, Innenarchitektin zu werden, begann sie 1929 im Bauhaus Dessau ihr erstes Semester. Im einführenden Vorkurs waren Wassily Kandinsky, Josef Albers, Paul Klee und Oskar Schlemmer ihre Lehrer, wobei insbesondere Josef Albers ihr riet, es lieber mit Textildesign zu versuchen.

Auch wenn van der Mijll Dekker damit einer typischen Frauenausbildung folgte, glich die Webabteilung am Dessauer Bauhaus nur noch wenig einer traditionellen Webereiwerkstatt. Der seit 1928 amtierende zweite Bauhaus-Direktor Hannes Meyer hatte den Lehrbetrieb wesentlich auf die Zusammenarbeit mit der Industrie ausgerichtet – eine Entwicklung, die spätestens seit 1923 von Walter Gropius verfolgt worden war. Leiterin der Werkstatt war die Jungmeisterin Gunta Stölzl, deren Unterricht der umfassenden theoretischen und praktischen Ausbildung am mechanischen Webstuhl diente. Die Schülerinnen entwarfen nicht nur die textilen Muster, laut Lehrplan sollten sie gleichzeitig die Stoffe auf »Reißfestigkeit, Scheuerfestigkeit, Elastizität, Dehnbarkeit, Lichtdurchlässigkeit oder -undurchlässigkeit, Farbechtheit, Lichtechtheit« testen. Hinzu kamen Fächer wie Buchführung und Lohnkalkulation, zusätzlich wurde ein Außensemester in einem Industriebetrieb empfohlen. Auch Kitty van der Mijll Dekker experimentierte mit neuen Materialien wie Cellophan, Eisengarn, Bast oder synthetischen Garnen.

Geboren: Catharina Louisa van der Mijll Dekker, 22. Februar 1908 in Yokyakarta (Indonesien)
Gestorben: 6. Dezember 2004 in Nijkerk (Niederlande)
Immatrikuliert: 1929
Stationen ihres Lebens: Indonesien, Niederlande, Schweiz, Großbritannien, Deutschland

OBEN LINKS Kitty Fischer van der Mijll Dekkers Entwurf für ein Küchentuch, moderne Reproduktion vom Textiel-Museum, Tilburg.

OBEN RECHTS Kitty Fischer van der Mijll Dekker, Teppich im Ratssaal des Provinzhauses Gelderland, Arnheim, Niederlande, 1954–1955.

LINKS Kitty Fischer van der Mijll Dekker in ihrem Zimmer in Dessau-Ziebigk, ca. 1929–1932.

Nach vier Semestern absolvierte sie ihre Gesellenprüfung in der Tuchfabrik Meschke in Rummelsburg (Pommern). Die Fabrik gehörte dem Vater ihrer Kommilitonin Margot Meschke. Im April 1932 erhielt Kitty van der Mijll Dekker ihr Bauhaus-Diplom mit der Nr. 66 und kehrte nun zurück in die Niederlande, um in der Kleinstadt Nunspeet eine eigene Webereiwerkstatt zu eröffnen, De Wipstrik. Zwei deutsche Mitstudenten aus dem Bauhaus hatten sich ihr angeschlossen: das Ehepaar Greten Fischer-Kähler und Hermann Fischer. Greten hatte zur selben Zeit das Weberei-Diplom erhalten, Hermann legte sein Architektur-Diplom im August 1932 ab. Bereits 1931 hatten Greten und Hermann geheiratet; nach Nunspeet brachten sie ihren kleinen Sohn Klaus mit. Der Werkstattbetrieb startete zunächst in einem Haus von Freunden der Eltern, im Mai 1933 zog das Trio in größere Räume an der Stationslaan in Nunspeet um. Die Dreierkonstellation ging allerdings nicht lange gut – bereits im Frühjahr 1934 ließ sich das Ehepaar scheiden, Hermann Fischer lebte nun mit Kitty zusammen und 1950 heirateten beide.

Nachdem Greten Fischer-Kähler Nunspeet verlassen hatte, nannte sich die Werkstatt »Handweverij en Ontwerpatelier Kitty van der Mijll Dekker«. Bald machte sich Kitty van der Mijll Dekker durch ihre enorme Tüchtigkeit einen Namen: Bereits im November 1932 wurde sie von Weberei-Klassen der Amsterdamer Kunstgewerbeschule (Instituut voor Kunstnijverheidsonderwijs) besucht. Im Januar 1933 waren einige ihrer Werke im Stedelijk Amsterdam in einer Ausstellung zu sehen. Im September 1933 nahm sie an der Mailänder Triennale teil und erhielt eine Silbermedaille für Vorhänge und Decken. Im Jahr darauf erwarb das Stedelijk Museum einen ihrer Teppiche für seine neu aufgebaute Sammlung angewandter Kunst. Von 1934 bis 1935 arbeitete sie zwei Tage in der Woche bei der Firma Spanjaard in Borne, die Haushaltstextilien herstellte, gab die Tätigkeit aber für einen Auftrag der Leinenfabriken Van Dissel u. Söhne in Eindhoven wieder auf. Dort entstanden im Laufe mehrerer Jahre die eingangs erwähnten populären Entwürfe für Geschirrtücher. 1937 kauften die Museen der Gemeinde Amsterdam Werke an. Gleichzeitig wurde ihre Arbeit auf der Weltausstellung in Paris 1937 prämiert und sie stellte zwei Teppiche im Metropolitan Museum of Art in New York aus.

Die deutsche Besetzung der Niederlande im Jahr 1940 stellte das Ehepaar vor große Schwierigkeiten, denn Hermann Fischer musste damit rechnen, in den deutschen Kriegsdienst eingezogen zu werden. Dies konnte er durch die Hilfe befreundeter Ärzte, die ihm Untauglichkeit attestierten, erfolgreich bis Kriegsende verhindern. In dieser Zeit trat Kitty Fischer in die niederländische Kulturkammer ein – eine Institution, die nach dem Vorbild im NS-Deutschland errichtet worden war. Nur so konnte sie weiter Aufträge annehmen und ausführen, möglicherweise bot sie damit auch ihrem Ehemann einen gewissen Schutz.

RECHTS Kitty Fischer van der Mijll Dekker unterrichtet an der Kunstgewerbeschule Amsterdam, 1955–1960.

UNTEN Kitty Fischer van der Mijll Dekker, Decke in Panamabindung, 1933.

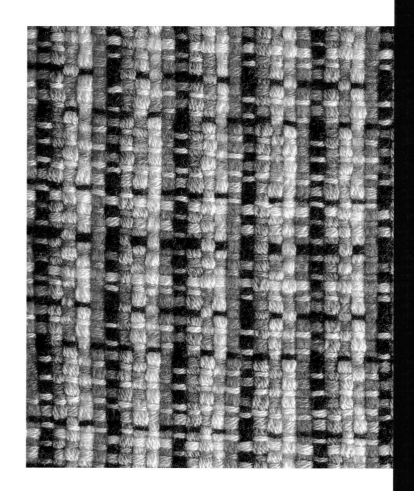

Eine heutige Bewertung dieser Entscheidung ist schwierig; allerdings sollte sie wegen dieser Mitgliedschaft in der Kulturkammer nach dem Zweiten Weltkrieg kein Mitglied in der neuen Vereinigung der angewandten Künste (GKF – Gebonden Kunstenaars Federatie) werden können.

Über mangelnden Erfolg konnte sich Kitty Fischer im Laufe der Jahrzehnte nicht beklagen. Sie akquirierte auch nach 1945 diverse Aufträge von Städten und Gemeinden, etwa Gardinen für die Telefonzentrale in Amsterdam (1952/1953) und für den Ratssaal des Provinzhauses Gelderland (1954/1955). Ihr wurden diverse Ehrungen zuteil, ihre Werke auf zahlreichen Schauen ausgestellt. Während sie und ihr Name in der Öffentlichkeit standen, blieb Hermann Fischer im Hintergrund tätig und erhielt den laufenden Betrieb aufrecht, denn er war vor allem für die Ausführung zuständig. Teils scheint er auch selbst entworfen zu haben, vor allem Tapeten und Teppiche. Bis 1966 blieb die Werkstatt in dem Haus an der Stationslaan aktiv, dann schloss das Ehepaar den Betrieb und führte nur noch gelegentlich private Aufträge aus. Hermann Fischer starb 1974, seine Ehefrau sollte ihn noch dreißig Jahre überleben.

Neben ihrer Tätigkeit als freie Textilkünstlerin lehrte Kitty Fischer bis 1970 an der Kunstgewerbeschule in Amsterdam (Instituut voor Kunstnijverheidsonderwijs, heute: Gerrit Rietveld Academie). Bereits 1934 hatte sie an der damals noch traditionell ausgerichteten Schule den Unterricht als Lehrerin aufgenommen. 1939 wurde der Architekt Mart Stam, der 1929 einen Gastkurs am Bauhaus in Dessau gegeben hatte, zum Direktor ernannt. Er zielte darauf ab, die Ausbildung nach dem Vorbild des Bauhauses reformieren. Dazu holte er 1951 eine weitere Bauhäuslerin an die Schule: Greten Neter-Kähler, die inzwischen verwitwete und wiederverheiratete ehemalige Kommilitonin und Mitstreiterin von Kitty Fischer. Aufgrund der privaten Beziehungskonflikte, die am Anfang ihrer gemeinsamen Zeit in den Niederlanden gestanden hatten, sollten die Klassen Weben und Textil jedoch nie so eng zusammenarbeiten, wie es für eine Ausbildung wünschenswert gewesen wäre.

Wie Kitty Fischer später häufiger betonte, war das Bauhaus-Studium die wichtigste Grundlage für ihr Berufsleben und ihre Lehrtätigkeit. Anders als viele Entwerfer lehnte sie den Rückgriff auf die Volkskunst ab, denn nach ihrer Ansicht konnte eine Erneuerung nur aus der Freiheit kommen, ganz Neues zu tun, wobei grundsätzliche Theorie-Kenntnisse und eine umfangreiche technische Ausbildung dafür die Basis bildeten. Sie galt als strenge Lehrerin, die großen Wert auf die Beherrschung der Theorie legte. Durch ihre Lehre hob sie den Webunterricht von einer dekorativen Ausrichtung auf ein neues, umfassend an Material und Technik orientiertes Niveau. Ihre Erfahrungen fasste sie in den 1940er-Jahren in drei Büchern über Webtechnik zusammen, die zwar nie gedruckt wurden, aber noch lange Zeit zum Grundbestand in der Lehre an der Gerrit-Rietveld-Akademie gehörten.

Zsuzska Bánki

von Esther Bánki

Zsuzsanna Klara Bánki entstammte einer wohlhabenden jüdischen Familie von Gutbesitzern und Kornhändlern aus Győr, einem wichtigen Handels- und Industriezentrum im Nordwesten Ungarns. Ihre Eltern, Zoltán Reichenfeld und Olga Goldschmied, heirateten 1902, nachdem sie im Rahmen der sogenannten Magyarisierung ihre ursprünglichen Namen in Zoltán Bánki und Olga Árpási geändert hatten. Als Kohanim (Tempeldiener) nahm die Familie Bánki innerhalb der jüdischen Gemeinde Győr eine besondere Stellung ein. Der Vater Zoltán Bánki führte eine Praxis als Gynäkologe, außerdem war er ab 1902 Direktor der Hebammenschule in Győr und veröffentlichte regelmäßig Beiträge zu gynäkologischen Themen im In- und Ausland. Die Mutter Olga Árpási, ebenfalls aus begütertem Haus, widmete sich mit Leidenschaft der Wohnungseinrichtung und sammelte Antiquitäten. Zsuzska Bánki wuchs also in einer liberalen und intellektuellen Umgebung auf – ihre Eltern waren kulturell vielseitig interessiert, man unternahm gemeinsame Auslandsreisen nach Italien oder verbrachte Tage in Wien oder in Budapest. Ihr älterer Bruder Ödön musste nach dem Sturz der Regierung Béla Kuns das Gymnasium wegen kommunistischer Aktivitäten verlassen und studierte ab 1920 Medizin in Würzburg und München, bevor er im Anschluss an seine Promotion 1927 in den Niederlanden lebte und arbeitete.

Als Zsuzska Bánki im Sommer 1930 das Abitur am örtlichen Gymnasium bestanden hatte, wollte sie zunächst – wie bereits ihr Vater und ihr Bruder – Medizin studieren. Nach intensiven Diskussionen innerhalb der Familie rieten ihr die Eltern und besonders die Mutter, lieber Innenarchitektin zu werden, weil nach deren Meinung der Arztberuf für eine Frau nicht passend und mit einer Familiengründung schlechter zu vereinbaren sei. So orientierte sich Zsuzska Bánki (wie zuvor ihr Bruder) Richtung Deutschland und schrieb sich im Oktober 1930 als Studentin am Bauhaus in Dessau ein, wo sie unter der Matrikelnummer 459 geführt wurde. Warum die Wahl ausgerechnet auf das Bauhaus fiel, lässt sich heute nicht mehr genau sagen: Eventuell hatte dies die mit der Familie befreundete Keramikerin Margit Kovács empfohlen, vielleicht hatte Bánki aber auch 1929 den Wettbewerbsbeitrag des Büros von Walter Gropius und Stefan Sebők für den Neubau des Theaters in Győr gesehen. Die Entscheidung für Deutschland allerdings hing mit dem in Ungarn 1920 eingeführten Numerus Clausus zusammen, der die Zulassung von Juden zu Universitäten und Hochschulen auf sechs Prozent reduzierte. Viele Freunde und Bekannte studierten im

Geboren: Zsuzsanna Klara Bánki, 21. März 1912 in Győr (Österreich-Ungarn, heute Ungarn)
Gestorben: 1944 in Auschwitz
Immatrikuliert: 1930
Stationen ihres Lebens: Österreich-Ungarn (heute Ungarn), Deutschland, Österreich

> »(Sie) war sicher die schönste und liebste Studentin des Bauhauses. Viele waren in sie verliebt.«
>
> Jaschek Weinfeld, Kommilitone

RECHTS **Zsuzska Bánki**, 1930er-Jahre.

Deutschen Reich, wo das Leben für ungarische Verhältnisse damals eher günstig und die Entfernung zu Ungarn noch akzeptabel war.

Mit 18 Jahren zählte sie zu den jungen Studentinnen und mietete ein Zimmer in einer Villa in der Nähe der Schule, für »55 Mark incl. Licht und Schuhe putzen«. Von hier schreibt sie an Bruder Ödön: »Es gibt soviel zu berichten. Die Schule selbst ist gewaltig. Die Lehrer unterrichten hervorragend, strengen sich bis zum Äußersten an, setzen sich sehr ein, aber schließlich kann ich hier nicht studieren, was ich will. Ich studiere ja mit Eifer Architektur, aber für ein Mädchen hat das keine Zukunft (noch weniger wie der Beruf eines Arztes) und auch die sogenannte Innenarchitektur kann man hier nicht studieren«. Im Rückblick beschrieb ihre damalige Kommilitonin Iréna Blühovà sie als »wirklich sympathisch, sehr schön und sehr intelligent, das kann man ohne weiteres sagen. Sie hat einen gewissen Charme gehabt, ja, sie hat den Burschen sehr gut gefallen. Aber sie war nicht sehr

zugänglich, nein, und auch nicht besonders mitteilsam«. Nach den Erinnerungen von Jaschek Weinfeld war Bánki »sicher die schönste und liebste Studentin des Bauhauses. Viele waren in sie verliebt.«

Auf den Vorkurs im Wintersemester 1930/1931 folgten im zweiten und dritten Semester die Lehrveranstaltungen in der Abteilung »Bau und Ausbau«
bei Ludwig Mies van der Rohe und Lily Reich. Zweimal pro Woche arbeitete sie außerdem in der Tischlerei, und während ihrer Freizeit hospitierte
sie in der Textilwerkstatt. Obwohl sie Ende März 1931 für das zweite Semester in der Abteilung »Bau und Ausbau« angenommen wurde, war dies sicher
nicht der einfachste Weg für eine Frau am Bauhaus, weshalb sie sich dieser
Wahl und einer zukünftigen Selbstständigkeit nicht sicher war. »Gegen
meine Überzeugung werde ich nun also Architektur studieren, was nun ausgerechnet am allerwenigsten für Mädchen geeignet ist, Mädchen können
auf diesem Gebiet nicht einmal anständige Ergebnisse erzielen«, schreibt
sie an ihren Bruder. »Denn Du denkst doch nicht etwa, daß eine Frau ein
Haus bauen kann, ich kann es mir jedenfalls nicht vorstellen.« Trotzdem
entwarf sie zumindest im Wintersemester 1931/1932 einige Siedlungshäuser.

Anfangs hatte Zsuzska Bánki wenig Interesse für die politischen Diskussionen innerhalb des Bauhauses und den »unaufhörlichen Radau« einiger
verbliebener Anhänger des entlassenen Direktors Hannes Meyer. Diese
unpolitische Haltung veränderte sich jedoch im Laufe des zweiten und
dritten Semesters: Wahrscheinlich kam es aufgrund ihrer Freundschaft unter
anderem zu Jaschek Weinfeld, Iréna Blühová und Waldemar Alder zu einem
Engagement für die Aktivitäten der Kostufra, der kommunistischen Zelle
innerhalb des Bauhauses. Zsuzska Bánki solidarisierte sich mit deren politischen Aktionen, allerdings ohne selbst Mitglied zu werden. Nachdem Mies
van der Rohe die Bauhaus-Kantine am 19. März 1932 polizeilich räumen ließ,
um die dortige Studierendenversammlung aufzulösen, beteiligte sie sich
wie andere ihrer Kommilitoninnen und Kommilitonen nicht an der obli-
gatorischen Ausstellung der Semesterarbeiten. Daraufhin wurden sie und
zwölf weitere Studierende zum nächsten Semester nicht wieder zugelassen,
was sie ihrem Bruder einige Tage später berichtete: »Ich werde am Bauhaus doch nicht wieder angenommen. Nun muß ich in die Welt ziehen. Bis

»Denn Du denkst
doch nicht etwa, daß
eine Frau ein Haus
bauen kann, ich
kann es mir jedenfalls
nicht vorstellen.«

Zsuzska Bánki

jetzt habe ich noch nicht einmal eine Idee, wohin ich gehen sollte. Hier
sagt man, daß ich einzig und allein deshalb nicht aufgenommen werde,
weil wir dem Niveau der Anderen nicht folgen können. Und es ist keine Zeit,
um sich mit jedem Einzelnen zu befassen. Aber wahrscheinlich hat diese
Sache auch einen anderen Grund.« Auch der im April 1932 gemeinsam mit
Mathy Wiener erneut gestellte Aufnahmeantrag wurde vom Direktorium
des Bauhauses abgewiesen.

Weil die Fortsetzung ihres Studiums scheiterte, verließ Zsuzska Bánki die
Schule ohne Zeugnis. Zusammen mit Munio Weinraub zog sie nach Frankfurt am Main, wo sie von Mai 1932 bis April 1933 von dem Wiener Architekten Franz Schuster, einem der zentralen Vertreter des Neuen Frankfurt, in
die Abteilung »Wohnungsbau und Innenausstattung« der Frankfurter
Kunstschule aufgenommen wurde. Hier traf sie mit Jaschek Weinfeld,
Heinz und Ricarda Schwerin oder Albert Mentzel bereits mehrere ehemalige, vom Bauhaus verwiesene Studierende. Über ihre Frankfurter Zeit ist
wenig überliefert, denn im Krieg gingen die betreffenden Akten der Kunstschule verloren. Gesichert ist hingegen, dass Zsuzska Bánki wie die anderen Ex-Bauhäusler schon bald diffamiert wurde und Frankfurt wenige Wochen, nachdem der Direktor Fritz Wichert wie auch Franz Schuster im März
1933 von den Nationalsozialisten entlassen worden waren, verließ. Zum
zweiten Mal innerhalb eines Jahres musste sie also ihre Ausbildung aus
politischen Gründen abbrechen. Sie kehrte nach Györ zurück und beantragte eine Zulassung zur Technischen Universität in Budapest oder Prag,
aber weil sie dafür nur geringe Chancen sah, zog sie Ende Mai 1933 für
einige Wochen nach Wien. Hier bewarb sie sich an der Kunstgewerbeschule bei Oskar Strnad, wo sie sich weiter auf die Innenarchitektur spezialisieren wollte.

Da auch die Kunstgewerbeschule hohe Studienbeiträge verlangte, stellte
sie sich im Juli 1933 zudem als Volontärin bei Clemens Holzmeister an der
Wiener Akademie der bildenden Künste vor. Ab Oktober 1933 nahm sie
offiziell an dessen Meisterkurs für Architektur teil und studierte dort drei Jahre
lang. Der Korrespondenz mit ihrer Familie ist zu entnehmen, dass sie während des Studiums einige Inneneinrichtungsaufträge in Wien und Györ

LINKS Christkönigskirche, Vogel-
weidplatz, Wien, Österreich.

UNTEN LINKS Zsuzska Bánki und
Olga Árpási, 1934. Fotografie
von Hilde Hubbuch.

erhielt. Bisher ist es nicht gelungen, ihre Mitarbeit an Projekten durch schrift-
liche Quellen aus dem Nachlass Holzmeisters zu belegen. Und es ist auch
nur ein einziges Projekt namentlich bekannt, an dem sie sicher beteiligt
war, obwohl sie durch den frühen Tod ihres Vaters 1934 wahrscheinlich während ihrer gesamten Wiener Zeit auf einen Zuverdienst angewiesen war.

Aufgrund der Erinnerungen der Schwägerin Zsuzska Bánkis wissen wir, dass
sie am Bau der so genannten Christkönigskirche im Wiener Stadtteil Neu-
fünfhaus mitwirkte. Dieser als Kanzler-Gedächtniskirche bekannte Bau wurde
unter Holzmeister ab 1933 errichtet und im September 1934 geweiht. In wel-
cher Form genau sie bei der Realisierung Aufgaben übernahm, ist leider
unbekannt. Zsuzsanna Bánki war dann die einzige Frau, die 1936 an der
Akademie ihre Diplomprüfung ablegte (und übrigens auch deren einzige
Studierende jüdischen Glaubens). Für die Examensaufgabe, den Entwurf
eines Taufbeckens, erhielt sie eine hohe Anerkennung: Im Sitzungsproto-
koll des akademischen Professorenkollegiums werden unter den Auszeichnungen »1 silberne Fügermedaille für die beste Ausführung eines Taufbeckens« sowie eine Hansen-Medaille »für die beste Studie nach der Antike«
für Zsuzska Bánki erwähnt. Eine Aufgabenstellung für einen sakralen Bau gilt
als typisch für Holzmeister, und das Taufbecken könnte als Einzelentwurf
oder in Zusammenhang mit der Planung einer Kirche gedacht gewesen
sein. Bemerkenswert bleibt, dass Bánki als Jüdin in einer massiv katholischen
Umgebung nur mit Aufträgen zu religiösen Themen beschäftigt war.

Wahrscheinlich kehrte sie am Ende des Jahres 1936 nach Györ zurück,
wo ihre Mutter weiterhin lebte und Zsuzska Bánki bis 1944 ihr eigenes Büro
für Innenarchitektur führte. Zwei Jahre nach dem Tod ihres Vaters entwarf
sie seinen Grabstein, der sich bis heute auf dem jüdischen Friedhof des
Ortes befindet und unter dem Einfluss ihres Lehrmeisters Clemens Holzmeister als Naturstein in einer Mischung aus klassischer und moderner Formensprache ausgeführt ist. Außerdem erhielt sie 1936 von den städtischen Behörden den Auftrag, die Einladung zum Lloydball zu zeichnen und aus
diesem Anlass das Interieur des Kiosks zu verändern. Weitere Aufträge aus
dieser Zeit sind deswegen kaum bekannt, weil in Ungarn 1939 ein antisemi-
tisches Gesetz in Kraft trat, das die Teilnahme von Juden am öffentlichen
und wirtschaftlichen Leben stark einschränkte.

1938 heiratete Zsuzska Bánki den gut situierten Internisten István Sterk,
der als Arzt bei der ungarischen Eisenbahn tätig. Die Hochzeitsreise führte
das Ehepaar nach Italien und Nordafrika; aber Pläne, wegen der politischen Situation in Ungarn in eine holländische Kolonie auszuwandern, gaben sie nicht zuletzt aus Rücksicht auf die Mutter auf. Ihr Mann nahm allerdings einen christlichen Namen an, den er zufällig aus dem Telefonbuch
auswählte, und nannte sich fortan István Pál (was im Deutschen Paulus
bedeutet). Er überlebte den Krieg in einem Arbeitslager. Nach dem Einmarsch der Wehrmacht in Ungarn im März 1944 wurde sofort mit der Deportation der ungarischen Juden in die Vernichtungslager begonnen. Am
23. Mai brachte man die 5600 Juden aus Györ ins Ghetto Györsziget – unter ihnen Zsuzska Bánki und ihre Mutter, womit all ihre Zeichnungen und
Entwürfe verloren gingen. Zwei Wochen später, am 7. Juni, wurden die De-
portierten in ein Schulgebäude zusammengetrieben und ihrer Wertsachen
beraubt. Kurz danach folgte erneut eine Verlagerung, nunmehr in einige
aus dem Ersten Weltkrieg übrig gebliebene Soldatenbaracken außerhalb
der Stadt. Von hier begann am 11. Juni die Deportation nach Auschwitz,
wo Zsuzska Bánki und ihre Mutter ermordet wurden.

Ricarda Schwerin

Die Freude, die Ricarda Schwerin so vielen Kindern mit ihren Holzspielzeugen schenkte, blieb ihr selbst in vielen Phasen ihres Lebens versagt. Nach dem frühen Tod der Mutter stand die Dreijährige der Karriere ihres Vaters im Weg und wuchs im Kinderheim auf; als eine ihrer Kindergärtnerinnen zur Stiefmutter wird, verschickt man sie quer durch das Reich von Tante zu Tante. Bei den Großeltern im sächsischen Zittau kommt sie so lange unter, bis ihr Großvater stirbt, die Rückkehr in die Familie klappt mehr schlecht denn recht und nur so lange, bis sie sich ihrer Konfirmation verweigert und damit einen öffentlichen Eklat auslöst. Das Internat in Königsfeld (Schwarzwald) besucht Ricarda Meltzer anschließend gemeinsam mit Meret Oppenheim – die spätere Avantgarde-Künstlerin wird ihr zur engen Freundin und das Fotografieren mit einer kleinen Boxkamera zur liebsten Beschäftigung. Ohne Wissen ihrer Familie bewirbt sie sich kurz vor ihrer Reifeprüfung am Bauhaus Dessau, neugierig geworden durch die Broschüre *junge menschen kommt ans bauhaus!* Das Portfolio mit Arbeitsproben überzeugt, und zu ihrer Überraschung wird sie aufgenommen. Noch mehr verblüffte sie aber die Reaktion ihres Vaters, der ihr das Studium am Bauhaus ermöglichte – vermutlich, weil sie damit dem Elternhaus fernblieb.

Im Sommersemester 1930 schrieb sich Meltzer am Bauhaus ein und erlebte so noch die letzten Amtshandlungen des Direktors Hannes Meyer mit. Schon am ersten Tag opferte sie ihre langen blonden Zöpfe dem Kurzhaarschnitt junger Bauhäuslerinnen und avancierte zu einem beliebten Fotomotiv ihrer Kommilitonen. Der Kontrast zwischen dem strengen Alltag im Internat und dem ungezwungenen Leben am Bauhaus dürfte kaum größer gewesen sein, und während sie der »Freien Kunst« eines Kandinsky oder Klee wenig abgewinnen konnte, konzentrierte sie sich schnell auf die Fotografie und den Unterricht von Walter Peterhans. Auch die Reklamewerkstatt schien sie zu beeindrucken, wenn sie sich Jahrzehnte später in einem autobiografischen Versuch erinnert: »Die neuen klaren Formen die in den Werkstätten entstanden begeisterten mich ungeheuer (…) die Art, den Raum einer Seite neuartig auszunutzen bei einem Lay-out, die Möglichkeiten mit Druck einem Text ganz neue Wirkung zu geben fand ich grossartig«.

Ihre Beteiligung an den Veranstaltungen der kommunistischen Studentenvereinigung Kostufra gelten weniger den haarspalterischen Ideologiediskursen, sondern dem Kommilitonen Heinz Schwerin; seit jener Zeit, so wird sie zitiert, habe sie genug diskutiert für ihr ganzes Leben. Mit dem jüdischen Architekturstudenten, den sie zunächst für einen »Angeber« hält, verbindet

Geboren: Ricarda Meltzer, 30. Januar 1912 in Göttingen (Deutschland)
Gestorben: 29. Juli 1999 in Jerusalem (Israel)
Immatrikuliert: 1930
Stationen ihres Lebens: Deutschland, Tschechoslowakei, Ungarn, Israel, Griechenland

RECHTS **Ricarda Meltzer und Heinz Schwerin**, ca. 1932.

sie eine Liebe auf den ersten Blick. Als Schwerin im Frühjahr 1932 den Protest gegen die Bauhausleitung unter Ludwig Mies van der Rohe mitorganisiert, wird auch Meltzer vom Unterricht ausgeschlossen und später sogar mit Hausverbot belegt. Das Paar geht danach für kurze Zeit nach Berlin, wo Meltzer übergangsweise im Studio von Ellen Auerbach und Grete Stern (ringl + pit) arbeitete. Auch das Studium an der Frankfurter Schule für freie und angewandte Kunst (Städelschule) unter Fritz Wichert nahm mit der Machtübergabe an die Nationalsozialisten ein jähes Ende: Der weiterhin politisch aktive Heinz Schwerin wurde schon im April 1933 wegen der illegalen Verteilung von Flugblättern verhaftet, konnte aber fliehen. Als jüdischer und kommunistischer Ex-Bauhäusler, angeklagt wegen Widerstands und Hochverrat, blieb ihm nur der Weg ins Exil, und seine Partnerin Meltzer, obgleich selbst nicht unmittelbar bedroht, begleitete ihn nach Prag und ins Riesengebirge, wo sie mit ihrer Kamera drei Monate lang die Folterspuren von Flüchtlingen aus deutschen Konzentrationslagern dokumentierte. Ihrer Heirat im ungarischen Pécs im Mai 1935 wohnten Ernst Mittag und Etel Mittag-Fodor, alte Freunde aus Dessauer Tagen, als Trauzeugen bei. Im selben Sommer erhielt das frisch vermählte Paar dann ein Touristenvisum für Palästina und vergrößerte dort die Gemeinde ehemaliger Bauhaus-Angehöriger.

Der Anfang in der neuen Heimat war von Entbehrungen und fehlenden Arbeitsmöglichkeiten gekennzeichnet. Ein improvisiertes Werbeblatt, im Nachlass der Familie erhalten, zeigt auf geradezu rührende Weise, mit welch einfachen Mitteln man Fuß zu fassen suchte: Gemeinsam mit dem früheren Kommilitonen Selman Selmanagic offerierte Heinz Schwerin »Hoch-,

Tief-, Ladenbau, Innendekoration, Gartenanlagen« in modernster Ausführung zu billigsten Preisen, mit der »Spezialitaet: la Blumenkaesten«. Ricarda Schwerin wiederum stellt sich so vor: »Sie brauchen Fotos? Besuchen Sie mein Atelier / Sie werden zufrieden sein.« Der Nachsatz, dass sie aufgrund der starken Nachfrage um vorherige Anmeldung bitte, dürfte freilich nicht mehr als ein bescheidener Marketing-Trick gewesen sein.

Aber erst mit ihrer ebenfalls annoncierten Werkstatt für Kunstgewerbe – Schwerin Wooden Toys – , in der sie massive Holzspielzeuge herstellten, die 1937 sogar im Pavillon Palästinas auf der Pariser Weltausstellung gezeigt wurden, stellten sich bescheidene Erfolge ein. In der Tageszeitung *Ha'aretz* schrieb der Kunsthistoriker Karl Schwarz, 1933 für kurze Zeit Gründungsdirektor des Jüdischen Museums in Berlin und nach seiner Emigration erster Direktor des Tel Aviv Museum of Art, in seinem Artikel »Erziehung zur Kunst«:

(…) bisher hatten wir kein Spielzeug, das würdig gewesen wäre, »richtiges Spielzeug« zu heissen. Aber vor einigen Tagen sah ich in Jerusalem einige Spielsachen, die meine Begeisterung erregten. Einfache Holzspielsachen, stabil und von besonders schöner, künstlerischer Form. Ich gab sie einigen Kindern zum spielen, und sie nahmen sie mit grosser Begeisterung und wollten nicht von ihnen lassen. (…) Zwei junge Künstler in Jerusalem, Mr. und Mrs. Schwerin, machen diese Sachen, mit Formgefühl und pädagogischem Verständnis. Schwerins gehen von einer Grundform aus, vermeiden jede Komplizierung, unterdrücken jegliche Verzierung und so entstehen aus einfachen und natürlichen Mitteln Werke echter Künstler.

Was sich wie die Übersetzung des Bauhausgedankens in Kinderspielzeug liest und schon in den Holzwerkstätten des Weimarer Bauhauses geschätzt wurde, sicherte den Schwerins ihren Lebensunterhalt und ermöglichte eine Familiengründung: 1941 kam Tochter Jutta zur Welt, Sohn Tom folgte 1945. Das bescheidene Glück sollte aber schon bald ein Ende finden, denn Vater Heinz – nach der Teilung Palästinas in die Hagana, den Vorläufer der israelischen Armee, einberufen – starb im Januar 1948 bei einem Einsatz. Vermutlich aufgrund seines Hirntumors verlor er das Gleichgewicht und fiel vom Dach eines dreistöckigen Hauses. Ricarda Schwerin, die nie (wie andere Ehefrauen) zum jüdischen Glauben übergetreten war, verzich-

tete wegen ihrer pflegebedürftigen Schwiegereltern auf die Ausreise. Als alleinerziehende Mutter konnte sie die Werkstatt nicht alleine weiter betreiben, weshalb sie (nach verschiedenen Versuchen, ein Auskommen zu finden) letztlich eine private Kinderbetreuung eröffnete, um ihr Überleben und das ihrer beiden Kinder zu sichern.

Eine neue alte Lebensperspektive ergab sich erst 1955, als Schwerin den 27 Jahre älteren, verwitweten Jerusalemer Fotografen Alfred Bernheim kennenlernte, einstmals Student bei Walter Hege an der Bauhochschule in Weimar. In dessen Studio kehrte sie zur Fotografie zurück, und mit ihm sollte sie dann knapp zwanzig Jahre lang eine erfüllte Arbeits- und Lebensbeziehung führen, in der sie wieder auf ihre am Bauhaus erworbenen Kenntnisse zurückgreifen konnte. Gleichzeitig fasste sie in einem lokalen Kreis von deutschsprachigen Künstlerinnen und Künstlern Fuß, mit denen sich das Paar regelmäßig in einem Kaffeehaus traf. Auch ließen sich wichtige Politiker des jungen Staats Israel wie Martin Buber, Menachem Begin oder Itzhak Rabin im Studio Bernheim porträtieren, das günstig in der Nähe des Gebäudes der Knesset lag. Berühmt wurden Schwerins eindringliche Porträts von Golda Meir und David Ben-Gurion – und ihre Fotoserie mit Hannah Arendt, die

HENSCHELS
PROMPT / SERVICE:

KLEINE UND GROSSE FUHREN
IM GESAMTEN NÄHEREN OSTEN
IN ELEGANTER LUXUSLIMOUSINE!

VON KÜNSTLERHAND GEFERTIGTE
HOLZSKULPTUREN, BINT UND
NATUR FÜR DIE VERWÖHNTESTEN
KENNER!

GEDICHTE FRÖHLICHEN UND TIEF=
BETRÜBLICHEN INHALTS FÜR ALLE
LEBENSLAGEN!

WAND = SOWIE KLEIN = UND
REKLAMEGEMÄLDE IN VIELEN
FARBEN MIT DER HAND GEMALEN!

KÜCHENCHEF FÜRSCHABBATH
SOWIE FÜR ALLE FAMILIENFESTE!

AUF HENSCHEL KÖNNEN
SIE SICH VERLASSEN!!!

»Ricarda ist sehr eigensinnig, und man brauchte Wochen, um sie in Ordnung zu bringen. (...) Und lebt da in Jerusalem, zwar nicht bettelarm, aber doch sehr schwer!!«

Hannah Arendt

sie anlässlich des Jerusalemer Prozesses gegen den NS-Kriegsverbrecher Adolf Eichmann kennengelernt hatte. Die beiden Frauen freundeten sich an, und ihrem Mann Heinrich Blücher berichtete die Philosophin in einem Brief: »Ricarda ist sehr eigensinnig, und man brauchte Wochen, um sie in Ordnung zu bringen. (...) Und lebt da in Jerusalem, zwar nicht bettelarm, aber doch sehr schwer!! (...) sie kann kaum Hebräisch, lebt also stumm!!« Auf Einladung Blüchers, eines Freundes aus Prager Tagen, unternahm Schwerin eine gemeinsame Reise mit Arendt und anderen nach Griechenland, dessen Landschaften sie in zahlreichen Reisefotografien festhielt, für die sie unter anderem von dem Philosophen Karl Jaspers großen Beifall erhielt.

Auf Vermittlung von Arendt und Blücher kam schließlich auch die erste Veröffentlichung mit Fotos von Ricarda Schwerin zustande: Der Bildband *Jerusalem. Rock of Ages* erschien 1969 im New Yorker Verlag Harcourt, Brace & World und parallel in dem renommierten Londoner Verlag von Hamish Hamilton. Wie Schwerins Tochter Jutta, die ausführliche Erinnerungen an ihre Familie veröffentlicht hat, später festhielt, habe sich ihre Mutter davon verletzt gefühlt, dass auf dem Titelblatt ihr Name neben dem Bernheims kleiner gedruckt war und auf dem Umschlag gar nicht genannt wurde, obwohl das Buch zweifellos ein Gemeinschaftswerk darstellte. Dieses Schicksal teilte Schwerin mit zahlreichen weiblichen Bauhaus-Angehörigen, deren Leistungen innerhalb der ehelichen Arbeitsgemeinschaften oft nicht angemessen gewürdigt wurden. Volle Anerkennung erhielt sie hingegen für ihre Fotoillustrationen zu zwei populären israelischen Kinderbüchern von Jemima Tschernowitz, einer der angesehensten Autorinnen des Landes.

1974 starb Alfred Bernheim. Ricarda Schwerin betrieb das Fotostudio alleine weiter, bis ihr Alter sie zur Aufgabe des Unternehmens zwang. Noch mit 66 Jahren schulte sie sich zur Fremdenführerin um und führte bis in die 1980er-Jahre deutsch- und englischsprachige Touristen durch Jerusalem. Dort verstarb sie 1999. Ihrer Tochter Jutta, die Israel 1960 verlassen hatte, sich in den 1970er-Jahren als Politikerin in der Bundesrepublik Deutschland für eine gesellschaftliche Neuorientierung engagierte und für Die Grünen in den Bundestag gewählt wurde, schrieb sie lakonisch: »Nichts Neues. Freie Erziehung, Freiheit für Frauen, Frauen-Kommunen. Alles gab es schon, als ich am Bauhaus war.«

LINKS Improvisierter Werbezettel für Dienste von Heinz und Ricarda Schwerin, Jerusalem, ca. 1935.

GANZ OBEN Ricarda Schwerin, Hannah Arendt, Jerusalem, 1961.

OBEN Ricarda Schwerin, *Erinnerungen an eine Reise nach Griechenland*.

Grete Stern

Es wird gern behauptet, Reklame als Kunstform sei nach dem Zweiten Weltkrieg in den USA entstanden, vor allem an der Madison Avenue in New York. Doch bereits einige Jahrzehnte zuvor erlebte Deutschland in der Zwischenkriegszeit ein ähnlich produktives Aufeinanderprallen von Konsumkultur und neuen visuellen Techniken, was zu einer Omnipräsenz hochwertiger Fotoaufnahmen in Zeitschriften und in der Reklame führte. In diesem von Bildern geprägten Umfeld gründeten zwei junge Frauen, die Bauhäuslerin Grete Stern und ihre enge Freundin und Mitstudentin bei Walter Peterhans Ellen Rosenberg (spätere Auerbach), das avantgardistische Fotostudio ringl + pit. Ihre Zusammenarbeit vereinte eine akribisch genaue Technik mit einer tollkühn-verrückten Reaktion auf das Weltgeschehen. Von 1930 bis 1933 führten sie die Agentur durch die Weltwirtschaftskrise und benannten sie nach ihren Rufnamen aus Kindertagen. Stern war »ringl« und Rosenberg »pit«. Sie arbeiteten im Kollektiv und stempelten den Namen der Agentur und dessen Logo auf die Rückseite aller Fotos. Für sie war irrelevant, wer den Auslöser der Kamera gedrückt hatte.

Die in Wuppertal geborene Stern absolvierte von 1923 bis 1925 ihre Ausbildung an der Stuttgarter Kunstgewerbeschule, wo der Design-Unterricht bereits recht progressiv gestaltet war. Ihr wohl einflussreichster Lehrer war der beim Werkbund ausgebildete Grafikdesigner und Setzer Friedrich Schneider. Stern fügte plakative grafische Elemente mit Fotocollagen, Texten und farbigem Papier zusammen, wie ein Plakatentwurf für die aufstrebende Luftfahrtindustrie zeigt. 1926 begann sie als freie Grafikerin in Wuppertal zu arbeiten und zog dann nach Berlin, wo sie eine Ausbildung zur Fotografin machte. Dort traf sie Umbo (Otto Umbehr), den berühmten Fotografen und früheren Bauhaus-Studenten, der ihr empfahl, mit Walter Peterhans in Kontakt zu treten. Sie folgte seinem Rat und wurde 1927 Peterhans' erste Studentin. 1929 kam Peterhans' zweite Studentin, Ellen Rosenberg aus Karlsruhe. Sie hatte bei Karl Hubbuch gelernt, dessen Frau Hilde wiederum kurz darauf zum Bauhaus kam und von Stern in Peterhans' Methoden unterrichtet wurde. Peterhans wurde 1929 als erster in Vollzeit beschäftigter Fotodozent ans Bauhaus Dessau berufen. Stern folgte ihm im April 1930 zusammen mit anderen Studentinnen wie Gertrud Arndt und Bella Ullmann. 1930 verkaufte Peterhans seine Studioausrüstung an Stern und das Studio ringl + pit war geboren. In der Zwischenzeit setzte Stern ihr Bauhaus-Studium – zunächst in Dessau und dann ab 1932 in Berlin – bei Peterhans fort, bis die Schule 1933 schloss.

Geboren: 4. Mai 1904 in Wuppertal-Elberfeld (Deutschland)
Gestorben: 24. Dezember 1999 in Buenos Aires (Argentinien)
Immatrikuliert: 1930
Stationen ihres Lebens:
Deutschland, Großbritannien, USA, Argentinien, Frankreich, Griechenland, Israel

OBEN LINKS **Grete Stern am Bauhaus.**

RECHTS **Grete Stern,** *D.L.H. (Deutsche Lufthansa)*, 1925.

Über Peterhans sagte Stern, er habe ihr gelehrt, wie man eine Vorstellung dessen entwickelt, was man ablichten will, bevor man die Kamera benutzt. Dieses Konzept beschrieb Peterhans als »fotografisches Sehen« und darauf basierte auch die Arbeit von ringl + pit. Eine sorgfältige Komposition und eine genaue Ausrichtung von Beleuchtung und Kamera machten eine Bildretusche überflüssig. Das Ergebnis waren außergewöhnliche Fotografien des Alltäglichen. ringl + pit erhielt Aufträge von Ernst Mayer (Gründer der Fotoagentur Mauritius) und von Bildagenturen, die die Fotos in der Werbung ihrer Kunden einsetzten. Zu den Fotografen, die für Mauritius tätig waren, gehörte auch Lucia Moholy. Die Agentur gab bei ringl + pit spezielle Werke für Kunden wie Petrole Hahn in Auftrag.

Dem 1931 erschienenen Artikel über ringl + pit von Traugott Schalcher in der einflussreichen zweisprachigen Grafikdesign-Zeitschrift *Gebrauchsgraphik: International Advertising Art* war ein ausdrucksstarkes Bild vorangestellt, das eine elegante, auf einem Marcel-Breuer-Stuhl sitzende Dame zeigt. Schalcher sieht Stern und Rosenberg als Vorreiterinnen ihrer Generation. Das Duo würde, so Schalcher, die Werbefotografie erneuern. Wer die Fotografie für ihre naturalistische Reproduktion der Motive lobte, würde ihre Bedeutung als eigenständige Kunstform verkennen.

Was der Apparat an elementarer Kraft aufnimmt und wiedergibt, das wird dann vielfach von der Retusche zerstört. ringl + pit legen Wert auf die Feststellung, daß ihre Aufnahmen niemals retuschiert sind. Diese Unerbittlichkeit ist ein erfreuliches Zeichen dafür, daß die Photographie in ein neues Stadium getreten ist. Man »schmeichelt« nicht mehr, man charakterisiert. Man hat erkannt, daß die Natur unantastbar ist, und daß alles »Verschönern« nur ein Abschwächen, ein Verniedlichen ist.

Zu ihrem Geburtstag 1931 schenkte Rosenberg Stern ein *Ringlpitis*-Album mit den Fotos, die das Duo von sich gemacht hatte – in verrückten Posen und ausgefallenen Kleidern. Ihre Arbeit fand breite Anerkennung und sie gewannen 1933 den ersten Preis im Rahmen der *Deuxième Exposition Internationale de la Phtographie et du Cinéma* (Zweite Internationale Foto- und Filmausstellung) in Belgien. Als die Nazis 1933 an die Macht kamen, wollten weder Rosenberg noch Stern das Risiko eingehen, in Deutschland zu bleiben – weniger wegen ihrer jüdischen Herkunft, sondern aufgrund kommunistischer Überzeugungen, die anfangs ein wichtigerer Grund für die Verfolgung durch die Nazis waren. Sie schlossen das Atelier und gingen getrennte Wege: Rosenberg emigrierte, unterstützt durch ein Darlehen von Stern, mit ihrem Partner Walter Auerbach nach Israel. Währenddessen zog Stern mit ihrem Freund Horacio Coppola – ein argentinischer Fotograf, den sie am Bauhaus kennengelernt hatte – nach Großbritannien. In London traf sie ihre ehemalige Bauhaus-Kommilitonin Stella Steyn und machte ein Porträt von ihr, umwerfend schön und scheinbar halb schlafend (Seite 185).

Mitte der 1930er-Jahre heirateten Stern und Coppola und siedelten nach Argentinien über, wo ihre Tochter Silvia geboren wurde. Sie eröffneten in Buenos Aires ihr eigenes Foto- und Werbe-Atelier, durch das sie in Kontakt mit Intellektuellen und Künstlern kamen und einen entscheidenden Beitrag zur Modernisierung der Fotografie in Argentinien leisteten, wie 2015 die Ausstellung ihrer Arbeiten im Museum of Modern Art (New York) demonstrierte. Nach der Geburt eines Sohnes 1940 trennte sich das Paar und ließ sich im darauffolgenden Jahr scheiden. Stern blieb in Argentinien. Sie wusste gut über die Psychoanalyse in Europa Bescheid und so war sie die richtige Person, um diese Methode zusammen mit einigen befreundeten Psychoanalytikern im Argentinien der Nachkriegszeit populär zu machen. Die Zeitschrift *Idilio* veröffentlichte in ihrer Kolumne »Psychoanalyse kann helfen« von 1948 bis 1951 eine spektakuläre Serie von Sterns Fotomontagen mit dem Titel *Sueños* (»Träume«) – zusammen mit Essays der Fotografin. Ähnlich den für ringl + pit entstandenen Arbeiten haben diese Fotomontagen häufig etwas Spielerisches, zeugen dabei aber sowohl von Sterns psychoanalytischen Kenntnissen wie auch von ihrer eigenen Traumatisierung. *Dream No. 1* beschwört sowohl die Lächerlichkeit von Träumen – eine winzige Frau, die an Alice im Wunderland erinnert, wird zum Lampensockel – zum anderen, verbildlicht in der Hand eines ansonsten unerkannt bleibenden Mannes, der den Finger ausstreckt, um die Frau anzuknipsen, wird auf unterdrückte Wünsche angespielt, auf die Träume hinweisen können. Von 1959 bis 1960 unterrichtete Stern an der Universidad Nacional del Nordeste in Resistencia, der Hauptstadt der Provinz Chaco. Vier Jahre später erhielt sie den Fondo Nacional de las Artas (Nationaler Kunstförderpreis), der es ihr ermöglichte, die Region zu bereisen. In mehr als achthundert Fotografien hat sie das Leben, die Arbeit, die handwerklichen Traditionen und den täglichen Kampf ums Überleben der einheimischen Bevölkerung festgehalten.

Die Vorgeschichte von ringl + pit als Pioniere des Reklamewesens führt uns zurück zur Madison Avenue und zu den Fotografien der Agentur Mauritius. Auch deren Gründer Mayer hatte fliehen müssen und war mit drei Koffern voller Fotografien in New York angekommen. Diese bildeten das Startkapital der berühmten, von Mayer gemeinsam mit Kurt Szafranski und Kurt Kornfeld gegründeten Bildagentur Black Star, zu deren Kunden die Magazine *Life* und *Time* gehörten. Die Aufnahmen waren ohne die Namen der Fotografen im Umlauf und wurden, wenn sie ausgedient hatten, einfach entsorgt. Ellen Auerbach (frühere Rosenberg) ließ sich ebenfalls in New York nieder und Stern, ihre lebenslange Freundin, besuchte sie 1972 auf ihrer Reise, die sie auch nach England, Frankreich, Griechenland, Israel und – zum ersten Mal seit 1933 – nach Deutschland führte. 1992, als sie ihr Handwerk wegen ihres nachlassenden Sehvermögens aufgeben musste, sagte Stern: »Die Fotografie hat mir großes Glück geschenkt. Ich habe viel gelernt und konnte all das sagen, was ich sagen und darstellen wollte.«

RECHTS *Attraktion*, 1930–1931. Collage mit Ellen Auerbach und Grete Stern in Kostümen aus *Die Ringl-Pitis*, Geschenk von Ellen Auerbach (pit) an Grete Stern (ringl).

UNTEN LINKS Artikel von Traugott Schlachter, »Fotostudien/Kamerastudien, ringl + pit (Ellen Rosenberg, Grete Stern)«, in der zweisprachigen Grafikdesign-Zeitschrift *Gebrauchsgrafik*, 1931.

UNTEN RECHTS Grete Stern, *Sueño (Traum No. 1)*, 1949.

TRAUGOTT SCHALCHER:

FOTOSTUDIEN
CAMERA STUDIES

ringl
+pit

(ELLEN ROSENBERG)
(GRETE STERN)

ringl + pit gehören zu den seltenen Photographen, die in ihren Werken außer den Tonwirkungen, außer dem körperbildenden Spiel von Licht und Schatten, auch die Linie in den Bereich ihrer Wirksamkeit ziehen. Das Gemüsestilleben mit seiner überaus sensibeln Zeichnung bestätigt dies besonders. Mit dem Sinn für Zeichnung verbindet sich eine frische Auffassung, die künstlerische Neugier, der Mut zu den eigenen kühnen Einfällen. Oder ist es etwa nicht verwegen, eine bekannte Dame aus der Gesellschaft (nicht etwa ein Modell) in großer Toilette, von hinten aufzunehmen, ohne Kopfwendung und damit doch ein ähnliches, elegantes

ringl + pit are among the very few photographers who study not only the tone effects, not only the play of light and shade which builds up the outward forms, but also the line itself. This care for line is especially apparent in the vegetable still life with its especially finely-felt lines. This feeling for line is bound up with freshness of conception, artistic curiosity and courage to carry out bold original ideas. Is it not daring to photograph a well-known society lady (by no means a mannequin) in full evening dress as a pure back view, without the least turn of the head and thereby to achieve a good likeness and a refined and original picture? Yet ringl

33

Michiko Yamawaki

Wohl die internationalste der Bauhaus-Frauen war Michiko Yamawaki, die auf einer Weltreise mit ihrem Mann, dem Fotografen und Architekten Iwao Yamawaki, an die Schule kam. Das Ehepaar immatrikulierte sich im Herbst 1930 am Dessauer Bauhaus und blieb dort für die letzten zwei Jahre der Schule unter Leitung von Ludwig Mies van der Rohe. Zusammen brachten die beiden Yamawakis japanische Ideen in die internationale Atmosphäre am Bauhaus ein und wurden nach ihrer Rückkehr zu den wichtigsten Botschaftern des Bauhaus-Gedankens in Japan. Sie nahmen nicht nur ihre zweijährige Erfahrung am Bauhaus mit, sondern auch Texte und Objekte von Mit-Bauhäuslern, die sie an Künstler, Designer und ihre Studenten in Tokio weitergaben. Michiko und Iwao Yamawaki wurden beide Dozenten an der Hochschule für Architektur und Design in Tokio, die häufig als das »japanische Bauhaus« bezeichnet wurde.

Bevor sie ihren Mann kennenlernte, war Michiko Yamawaki kaum mit modernem Design oder moderner Architektur in Berührung gekommen, war aber fest verwurzelt in japanischen ästhetischen Traditionen wie der Kunst der Teezeremonie, die sie von ihrem Vater, einem Meister dieses Fachs, gelernt hatte. Seit ihrem ersten Zusammentreffen mit dem Bauhaus spürte sie eine tiefe Verbundenheit zwischen Bauhaus und japanischen ästhetischen Grundsätzen. Diese beschrieb sie in ihren reich illustrierten, 1995 erschienenen Memoiren *Bauhausu to Chanoyu* (»Bauhaus und Teezeremonie«), die leider nur auf Japanisch veröffentlicht sind: »Die Funktionalität der Werkzeuge für die Teezeremonie unterscheidet sich kaum von der Bauhaus-Funktionalität, die sich von allen unnützen Gegenständen befreit. Einige Elemente, die übrig bleiben, nachdem alles Überflüssige entfernt wurde, harmonieren miteinander und zeigen eine Präsenz, die von Beginn an da gewesen zu sein scheint.«

Als anständige junge Frau aus wohlhabendem Hause schloss Michiko mit 18 Jahren das Mädchengymnasium ab und begann eine traditionelle »Braut-Ausbildung« im Klavierspielen, im Kochen und in der Haushaltsführung. Die ersten Treffen mit ihrem zukünftigen Ehemann, Iwao Fujita, zwölf Jahre älter als sie, waren arrangiert und beaufsichtigt. Doch anders als die Umstände vermuten lassen, sollte diese Heirat Michiko die Welt der modernen Architektur und des Design öffnen. Zusammen sollten die beiden in die Welt hinausgehen. In einer Hinsicht war sie im Vergleich zu den anderen Bauhaus-Frauen ziemlich ungewöhnlich: Michiko trug zeit ihres Lebens stets denselben Namen. Da sie dazu bestimmt war, ihrem Onkel als Kopf

Geboren: 1910 in Japan
Gestorben: 2000 in Japan
Immatrikuliert: Herbst 1930
Stationen ihres Lebens:
Japan, USA, Deutschland, Großbritannien, Niederlande, Italien

OBEN **Studentenausweis von »Mityiko«** Yamawaki.

RECHTS **Michiko Yamawaki, Studie aus dem Kurs »Analytisches Zeichnen« bei Wassily Kandinsky, 1930. Nachträglich veröffentlicht 1933 in der August-Ausgabe von *Architecture Craft/Aishi Oru* (»Ich sehe alles«).**

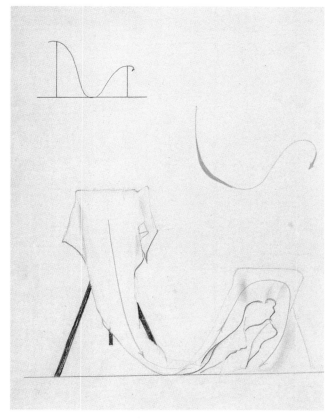

des Familienzweigs nachzufolgen, wurde es zur Bedingung der Heirat gemacht, dass Michiko ihren Mädchennamen behielt. So nahm Iwao Fujita ihren Familiennamen an und wurde Iwao Yamawaki.

Michiko Yamawaki war erst zwanzig Jahre alt, als sie und ihr Mann im Mai 1930 Japan verließen und nach Hawaii reisten. Von dort ging es nach Kalifornien und dann durch die Vereinigten Staaten weiter bis New York, wo sie zwei Monate lebten. Yamawaki kaufte dort westliche Kleidung und ließ sich – gegen die ausdrückliche Weisung ihrer Mutter – einen kurzen Bob schneiden. Im Juli 1930 trafen die beiden in Berlin ein, um von dort aus das Bauhaus zu besuchen, von dem sie bereits so viel gehört hatten. Iwao erinnerte sich später an die japanische Begeisterung in den späten 1920er-Jahren für alles, was mit dem Bauhaus zu tun hatte, und an zwei junge Tokioter Architekten, die sich um Ausgaben von László Moholy-Nagys *Von Material zu Architektur* stritten. Auf seine Bewerbung hin erhielt Iwao Yamawaki innerhalb weniger Tagen eine Zusage, verbunden mit der Aufforderung, sich Mitte Oktober am Bauhaus einzufinden. Wie viele andere Bauhäusler hatte Iwao Yamawaki bereits vor der Bewerbung am Bauhaus ein Hochschulstudium abgeschlossen. Er war diplomierter Architekt mit Berufserfahrung und hatte sich selbst das Fotografieren beigebracht. Michiko hingegen hatte keinerlei relevante Erfahrung vorzuweisen, dennoch wurde sie probeweise für den Bauhaus-Vorkurs zugelassen. Ihr Porträt in ihrem Studentenausweis ist ein von ihrem Ehemann aufgenommenes Schwarzweißfoto, das sie als Verkörperung der *moga* zeigt, des modernen japanischen Mädchens. Um den Deutschen die Aussprache ihres Namens zu erleichtern, schrieb sie während ihres Aufenthalts ihren Namen »Mityiko«.

Michiko machte am Bauhaus schnelle Fortschritte. Sie schloss den Vorkurs bei Josef Albers in einem Semester ab und erinnerte sich später daran, dass er fortwährend ihre Arbeit lobte, sowohl wegen ihres intuitiven Konzeptverständnisses als auch wegen ihres sehr geschickten Umgangs mit Materialien. Im selben Semester belegte sie Analytisches Zeichnen bei Kandinsky und wurde von seinen Ideen zur Spannung beeinflusst, wie eine ihrer Zeichnungen von 1930 zeigt, die später in einer japanischen Designzeitschrift abgedruckt wurde. Im März 1931 teilte Mies van der Rohe Michiko Yamawaki in einem direkten Schreiben ihre uneingeschränkte Zulassung zur Weberei mit. Er empfahl ihr, sich »intensiv« um ihre Sprachfertigkeiten zu kümmern, da das weiterführende Studium sich sonst schwierig gestalten könnte. Michiko Yamawaki erinnerte sich später an die Liebenswürdigkeit der Meister wie etwa Kandinsky, der häufig nach dem Unterricht

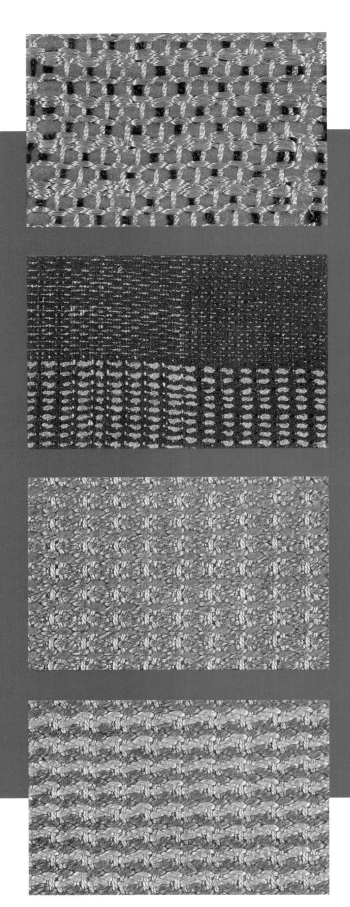
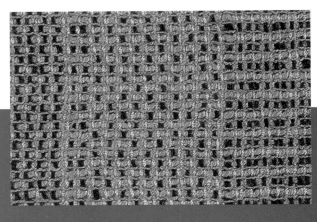
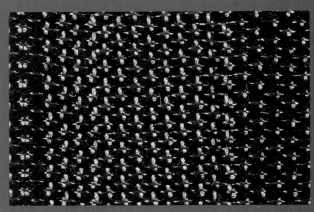

LINKS Webe-Probearbeiten von
Michiko Yamawaki.
Obere Reihe: Decke, 1931.
Zweite Reihe: Decke, 1931.
Dritte Reihe: Decke, 1931 (links).
Vorhang, 1932 (rechts).
Untere Reihe: Decke, 1931. Vorhang,
1932 (rechts). Dieses Teil wurde als
komplette Decke gewebt und als
Semester-Abschlussarbeit ausgestellt.

RECHTS Michiko Yamawaki, Entwurfs-
zeichnung für einen dekorativen Stoff/
Wandbehang, 1932.

mit dem Ehepaar einige Gedanken aus den Vorlesungen besprach,
manchmal auf Englisch, das die beiden besser beherrschten als Deutsch.

Michiko hatte ein Sechs-Tage-Wochenprogramm: zwei bis sechs Stunden
täglich war sie in der Weberei; dazu kamen Zeichenkurse bei Albers, freies
Malen, ein Seminar bei Kandinsky und Typografie bei Joost Schmidt. Bei
Karlfried Graf Dürckheim aus Leipzig, der im akademischen Jahr 1930/1931
am Bauhaus dozierte, belegte sie Kurse in der Gestaltpsychologie, die die
Wahrnehmung von Objekten und Bildern hinterfragt. Unter Lilly Reichs Leitung der Weberei lernte Yamawaki vor allem bei Gunta Stölzl und Anni
Albers. Mit einem abenteuerlichen Mix aus Farben, Stichen und Materialien
wie Zellophanstreifen waren ihre Textilarbeiten typisch für diese Bauhaus-
Periode. Yamawaki entwarf Textilmuster und -designs für abstrakte Arbeiten, einschließlich eines farbenprächtigen Teppichs von 1932. Sie arbeitete
auch mit anderen Medien wie *A Safety Zone* offenbart, ein Materialgefüge
aus dem Jahr 1931, das sie im Rahmen der Jahres-Abschluss-Ausstellung
zeigte und welches sich in einer unheimlichen Mischung aus Archaischem
und Modernem, Gefahr und Sicherheit präsentiert.

1932 wurde das Bauhaus zur Schließung gezwungen und sah einer unge-
wissen Zukunft in Berlin entgegen. Die Yamawakis zogen es vor, nach Japan

zurückzukehren. Zuerst reisten sie nach England und in die Niederlande, wo sie den De-Stijl-Architekten J. J. P. Oud kennenlernten, bevor sie nach Neapel weiterfuhren, um dort ein Schiff nach Japan zu besteigen. In einem Brief an die Yamawakis aus dem Jahr 1932 bedankte sich Kandinsky, auch im Namen seiner Frau, für ihre Abschiedsgeschenke: »Wir bewundern immer die geschmackvolle und feine Arbeit der japanischen Sachen.«

In Tokio bezogen die Yamawakis Ende 1932 eine zweistöckige Wohnung im mondänen Stadtteil Ginza. Die obere Etage war dem Bauhaus gewidmet; hier fanden sich mitgebrachte Bücher und Objekte sowie zwei Webstühle, Metallarbeiten von Marianne Brandt, Textilproben von Otti Berger und Möbel von Marcel Breuer. Die Bauhaus-Texte in ihrem Gepäck wurden von Renshichir Kawakita ins Japanische übersetzt, um sie für die Lehrpläne seiner erst kurz zuvor eröffneten Hochschule für neue Architektur und Design zu verwenden. Michiko arbeitete in der Modebranche als Model und Designerin. 1933 veröffentlichte sie *Geschmolzenes Tokio* in der Zeitschrift *Asahi Camera*, ein Sampling von 24 Fotografien, das, aufgenommen in der Sommerhitze von Ginza, die traditionellen und modernen Kleidungsstile der Stadtbewohner zeigt. Im selben Jahr zeigte die Shiseido-Galerie Michikos handgewebte Textilien innerhalb einer Ausstellung zu Bauhaus-Objekten und -Fotografien. Kawakita lud die Yamawakis ein, an seiner Hochschule zu unterrichten, und nahm Anfang 1934 einen Webkurs in den Lehrplan auf, den Michiko leitete. Studenten benutzten den von ihr entwickelten Michiko-Handwebstuhl. Dieser war relativ kompakt, doch trotzdem konnten rund zwanzig verschiedene Muster damit gearbeitet werden. Ende Juli 1934 gab sie das Unterrichten auf, da sie im Herbst das erste von zwei Kindern erwartete, und die Weberei wurde geschlossen.

Angesichts des aufkommenden Nationalismus und Militarismus sah sich die Hochschule für neue Architektur und Design gezwungen, 1932 unter dem Druck des Bildungsministeriums zu schließen. Beide Yamawakis setzten im Laufe der Jahre ihre Dozententätigkeit sowie ihre Arbeit an Entwürfen und Veröffentlichungen fort, die die Geschichte und den Geist des Bauhauses weiter trugen. Sie hatten zahlreiche ehemalige Bauhaus-Mitglieder zu Gast, darunter Walter Gropius. Nach dem Krieg unterrichtete Michiko an der Showa-Mädchenschule und an der Nihon-Universität in Tokio. Ein Kernelement ihres Unterrichts waren die intuitiven ästhetischen und philosophischen Verbindungen, die zwischen dem Bauhaus und der japanischen Tradition bestanden. In einem 1993 geführten Interview mit der Designhistorikerin Akiko Shoji plädierte sie nachdrücklich: »Kopiere nie etwas. Du musst dich selbst erkennen.« Aber vor allem: »Das Allerwichtigste ist die Kenntnis des Materials.« Die Idee von der Wahrhaftigkeit der Materialien war in Japan schon immer fest verankert; durch Michikos Arbeit erlebte sie unter dem Banner des Bauhauses weitere Verbreitung.

»Kopiere nie etwas. Du musst dich selbst erkennen. Das Allerwichtigste ist die Kenntnis des Materials.«

Michiko Yamawaki

Rechts **Michiko Yamawaki,** *Der Sicherheitsbereich*, 1930.

UNTEN **Michiko Yamawaki,** *Geschmolzenes Tokio*, veröffentlicht in *Asahi Camera*, 1933.

Irena Blühová
von Julia Secklehner

Irena Blühová erinnerte sich gern an ihre drei Semester am Bauhaus, die im Frühjahr 1931 begannen. So schrieb sie etwa, dass ihr »jeder Tag neue, schöpferische Impulse für meine politische und professionelle Arbeit« gegeben habe. Als eine der bekanntesten Fotografinnen der Slowakei studierte Blühová Typografie und Reklamewesen, widmete einen Teil ihrer Zeit am Bauhaus aber auch der politischen Arbeit. Sie war Mitglied in der Kommunistischen Studenten-Fraktion, kurz Kostufra. Sowohl ihre politische als auch ihre künstlerische Arbeit wurden durch ihre Erfahrungen am Bauhaus geprägt, das sie liebevoll »eine hohe Schule der Gestaltung des Menschen, des Menschwerdens« nannte.

Blühová wurde in eine große jüdische Familie in Považská Bystrica im Nordwesten der Slowakei hineingeboren und hatte von klein auf mit finanziellen Schwierigkeiten zu kämpfen. Ihr Vater besaß einen Lebensmittelladen, doch nach dem Ersten Weltkrieg konnte er das Schulgeld für seine Tochter nicht länger aufbringen. Daher begann die 14-Jährige als Sekretärin und Bankangestellte zu arbeiten, um sich den Besuch des Gymnasiums selbst zu finanzieren. 1921, im Alter von 17 Jahren, trat Blühová der tschechoslowakischen Kommunistischen Partei (KSČ) bei, um etwas gegen die Armut zu unternehmen, die sie als Kind selbst kennengelernt hatte. Ihr Heimatland, die Erste Tschechoslowakische Republik, wurde für seine Fortschrittlichkeit gefeiert, doch die ländliche Region, aus der auch Blühová stammte, litt unter Unterentwicklung und wirtschaftlicher Not. Auf Bergtouren, die sie mit dem Jugendklub der KSČ in diese Gegend unternahm, entdeckte Blühová die Fotografie für sich. Bald schon fotografierte sie nicht nur ihre Abenteuer, sondern auch Menschen, die sie unterwegs traf: Bettler, Vagabunden, Landarbeiter, Behinderte. Mit ihren Aufnahmen gab Blühová den Ausgestoßenen der Gesellschaft ein Gesicht und dokumentierte ihre erbärmlichen Lebensumstände.

Nachdem sie 1929 für die kommunistische Partei in Považská Bystrica kandidiert hatte, entsandte sie die Bank, für die sie arbeitete, aus »disziplinarischen Gründen« in das weit entfernt liegende Kysuca-Tal. Noch weitaus ärmlicher als ihre Heimat, animierte die Region Blühová dazu, ihre fotografischen Fertigkeiten weiterzuentwickeln: »Fotografieren, das ursprünglich mein Hobby war, wurde hier zu einer meiner schärfsten Waffen gegen Armut, Ausbeutung, Unrecht«, schrieb sie später. Ende der 1920er-Jahre wurden Blühovás Fotos nicht nur von kommunistischen Abgeordneten genutzt, um bei Parlamentsdebatten die soziale Ungerechtigkeit

Geboren: 2. März 1904 in Považská Bystrica (Österreich-Ungarn, heute Slowakei)
Gestorben: 30. November 1991 in Bratislava (Slowakei)
Immatrikuliert: 1931
Stationen ihres Lebens: Österreich-Ungarn (heute Slowakei), Deutschland, Tschechien

»Kunst (…) ist nur dann echte Kunst, wenn sie auch hilft, den Menschen zu verändern, vorwärtszubringen.«

Irena Blühová

RECHTS *Lotte* (Irena Blühová), 1931. Foto von Judit Kártász.

anzuprangern, sondern auch in progressiven Kulturmagazinen wie *DAV* abgedruckt.

Eine von Blühovás eindringlichsten Aufnahmen vor ihrem Studium am Bauhaus stammt aus dem Jahr 1929 und zeigt ihren Jugendfreund und späteren Ehemann, den surrealistischen Maler Imro Weiner-Král, nackt auf Skiern. Gestützt auf seine Skistöcke hebt sich Weiner-Král vor einer idyllisch verschneiten Waldszene nach oben, während das Sonnenlicht die Konturen seines muskulösen Körpers betont. Weiner-Králs Sprungposition verleiht dem – von beiden gemeinsam – wirkungsvoll arrangierten Bild einen humorigen Ton. Mit dieser Aufnahme kehrte Blühová die gängige Beziehung zwischen Künstler und Modell um und schuf das erste Aktfoto eines Mannes, das in der Slowakei von einer Frau aufgenommen wurde.

Blühová hatte sich das Fotografieren selbst beigebracht, unterstützt durch ihr Interesse an moderner Kunst und Kultur. Sie lernte als Kind Slowakisch, Ungarisch und Deutsch und hatte so Zugang zu einem breiten Literaturkanon. Zusammen mit Weiner-Král reiste sie in ihren Ferien durch Europa und schuf sich ein Netzwerk an Freunden, die sie mit Literatur versorgten, um immer »up to date zu sein«. So bildete sich auch ihr Vorhaben heraus, am Bauhaus zu studieren. Blühová informierte sich gründlich über die Schule, nachdem sie im Mai 1927 Ilja Ehrenburgs Artikel über seinen Besuch am Bauhaus Dessau in der *Frankfurter Zeitung* gelesen hatte. Als sie herausfand, dass zahlreiche Bauhaus-Meister, darunter László Moholy-Nagy, Paul Klee und Wassily Kandinsky, ihre Arbeiten der Internationalen Arbeiterhilfe (IAH) gewidmet hatten, nachdem der damalige Direktor der Schule Hannes Meyer um Unterstützung einer Kampagne der IAH für die streikenden britischen Bergarbeiter gebeten hatte, war Blühová endgültig überzeugt, dass Dessau der ideale Studienort war. Sie befand, »daß hier nicht nur auf dem Gebiet der Kunst und Fachpädagogik ein hohes Niveau herrschte, sondern auch im Bereich der Menschlichkeit, des Mitgefühls, der Solidarität.«

Als Blühová im Frühjahr 1931 nach Dessau kam, begann ihre Ausbildung mit dem Vorkurs bei Joost Schmidt, bevor sie in die Werkstatt für Druck und Reklame aufgenommen wurde und neben Schmidts Schriftkurs auch Walter Peterhans' Fotoklasse besuchte. Die Werkstatt unterrichtete sie im Umgang mit typografischer Gestaltung zu Werbezwecken und half ihr, selbst erlernte technischen Fertigkeiten weiter auszubauen. Bei Peterhans beschäftigte sich Blühová intensiv mit Bild-Komposition und fertigte Arbeiten, in denen sie den Effekt von Licht auf unterschiedliche Formen untersuchte.

Blühovás technische Erkundungen machten auch vor dem Klassenzimmer nicht Halt. Sie hatte stets die Kamera dabei, um das Leben am Bauhaus in all seinen Facetten zu dokumentieren. In *Siesta* kombinierte Blühová zwei Negative zu einem traumähnlichen Doppelbild: Auf dem ersten sitzen zwei Bauhaus-Studentinnen am Tisch zum Mittagessen, während im zweiten – überlagerten – Negativ ein anderer Student schläft. Dieser spielerische Ansatz steht im starken Gegensatz zu Blühovás Dokumentarfotos aus den 1920er-Jahren, doch sie bewahrte sich stets einen nahen Blick auf den Menschen und das Alltägliche. Blühová hielt das Leben so

OBEN **Irena Blühová,** *Imro Weiner-Král auf Skiern*, 1929.

RECHTS **Irena Blühová,** *Siesta*, 1931.

UNTEN RECHTS **Irena Blühová,** *Experimente mit zwei Negativen am Bauhaus*, 1931–1932.

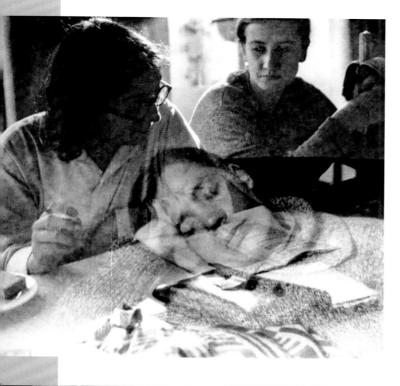

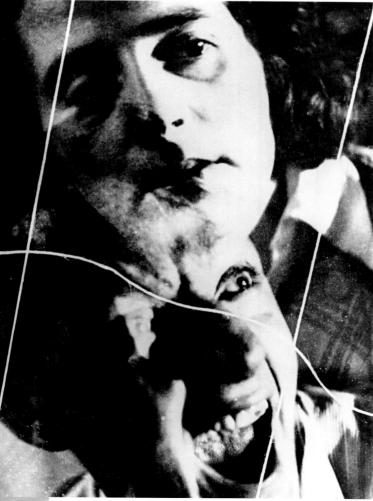

fest, wie sie es sah, und blieb ihrer Arbeit als Sozial-
fotografin treu.

Sie nutzte die Technik der übereinanderliegen-
den Negative mehrfach in ihren Bauhaus-Arbeiten,
so auch in ihren persönlichsten Bildern wie etwa
Experimente mit zwei Negativen am Bauhaus. Während der Titel auf einen technischen Prozess verweist, eröffnen diese Fotografien durch das Doppel-
porträt von Weiner-Král und ihr einen Einblick in das
private Leben der Fotografin. Blühová machte das
Foto von Weiner-Král; ihr eigenes Porträt stammt
von der Kommilitonin Hilde Hubbuch. Das entstandene Doppelbild kommentiert einerseits Weiner-
Králs künstlerisches Schaffen durch visuelle Verweise
auf den Surrealismus; gleichzeitig zeigt es, wie Blühová in Zusammenarbeit mit anderen Studenten
Bilder einsetzte und wiederverwendete. Das Bild
zeugt von der Freiheit, die ihr das Bauhaus gab, um
sowohl ihre künstlerischen als auch ihre sozialen
Anliegen zu verfolgen.

Blühovás Modelle waren nicht nur Bauhaus-Studenten und -Lehrer. *Bedienerin im Bauhaus* ist das
Porträt einer jungen Frau in Nahaufnahme, das in
seiner Komposition den Fotos ähnelt, die die Studenten von einander aufnahmen. Doch Blühová
wahrt die Anonymität der Frau, indem sie nur ihren
Beruf nennt, und inszeniert sie durch die untersich-
tige Kameraperspektive als Ikone körperlicher Arbeit.
In *Fuhrmann vor dem Bauhaus* wird der Körper des
Fuhrmanns völlig anonym – ohne Kopf – dargestellt.
Beide Bilder zeugen davon, dass Blühová die pro-
letarischen Sujets ihrer früheren Jahre keinesfalls
aufgegeben hatte. Stattdessen hatte sie diese
weiterentwickelt, in ihre neue Umgebung eingefügt
und so körperliche Arbeit mit dem modernistischen
Bauhaus zusammengebracht.

Sie mietete ein Zimmer im Wohnheim der örtlichen
Junkers-Werke und kam so in Kontakt mit Studierenden und Arbeitern. Als Mitglied der Kostufra ging
Blühová zusammen mit den Junkers-Arbeiterinnen
und -Arbeitern auf Protestmärsche gegen die aufstrebende nationalsozialistische Partei. Sie organisierte gemeinsam mit den Mitgliedern Judit Kárász
und Ricarda Schwerin sogar eine Berlin-Fahrt für
die Kinder der Arbeiter. Blühová engagierte sich
auf verschiedene Weise für die Kostufra und aus
ihren Schriften und Interviews wissen wir, dass diese
Gruppe in ihrem Leben am Bauhaus eine wichtige
Rolle spielte. Seit Bauhaus-Direktor Ludwig Mies van
der Rohe 1930 alle politischen Aktivitäten verboten
hatte, mussten die Mitglieder heimlich agieren, doch
die Studenten ließen sich davon nicht beirren; sie

Irena Blühová, *Fuhrmann vor dem Bauhaus*, 1931.

nahmen an Märschen teil, organisierten Treffen mit den Arbeitern der Junkers-Werke, verteilten Flugblätter und produzierten ihre eigene Bau-haus-Zeitschrift: *bauhaus – sprachrohr der studierenden*. Blühová verteilte auch die populäre kommunistische *Arbeiter-Illustrierte-Zeitung (A-I-Z)*, eine links-orientierte Alternative zu den Hochglanz-Magazinen des Bürgertums.

Als Blühová 1932 von der KSČ unerwartet in die Tschechoslowakei zurückbeordert wurde und vorzeitig ihr Studium abbrechen musste, bot ihr die Tätigkeit für die *A-I-Z* eine gewisse Kontinuität. Einige Monate arbeitete sie für den Verlag Runge & Co. in Liberec, Nordböhmen, der die *A-I-Z* druckte, bevor sie ihren eigenen Buchladen in Bratislava eröffnete. Auch wenn das Geschäft unter Blühovás Namen als *Blüh kníhkupectvo* geführt wurde, diente es de facto als Zweigstelle der Kommunistischen Internatio-nalen und war in Besitz von Willi Münzenbergs kommunistischem Medien-konzern. Hauptzweck des Ladens, der Propagandamaterial druckte und Treffen der örtlichen und internationalen Parteiintellektuellen ausrichtete, war die Unterstützung der Kommunisten in Österreich, Ungarn und Deutsch-land, wo die Partei verboten worden war. 1934 war Blühová Mitbegründerin der Agitprop-Theatergruppe *Dielňa-Werkstatt-Mühely*, organisierte linke

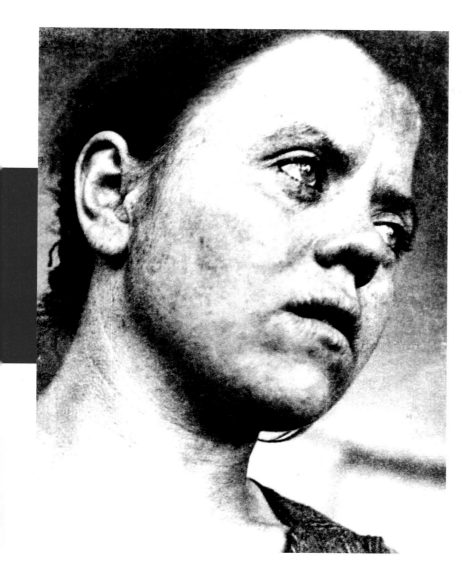

Irena Blühová, *Bedienerin am Bauhaus*, 1931.

Dokumentarausstellungen in Bratislava und zeigte ihre sozialkritischen Aufnahmen als Teil einer anonymen Gruppe, die ihre Arbeiten lediglich mit »Soziofoto« signierte.

Auch in Bratislava passte Blühová ihre Fotografie dem Umfeld an: Sie produzierte Fotoserien, darunter eine Reihe über die Arbeiterinnen einer Tabakfarm. Sie beschäftigte sich in Fotomontagen mit dem Hunger und der Armut der Industriearbeiter und kritisierte offen die negativen Auswirkungen des Kapitalismus. Diese Arbeiten wurden ab 1932 anonym als Titelbilder mehrerer Zeitschriften (wie etwa der *AIZ*) publiziert.

1938 nahm Blühová kurzfristig ihr Studium wieder auf und besuchte die Filmklasse von Karol Plicka an der Kunstgewerbeschule in Bratislava, oftmals wegen ihres ähnlichen Konzepts auch »Bauhaus Bratislava« genannt. Als im darauffolgenden Jahr der Zweite Weltkrieg ausbrach und die Slowakei zum nationalsozialistischen Satellitenstaat wurde, musste die Schule schließen. Blühová schloss sich der geheimen Widerstandsbewegung an, doch 1942 flog ihre Deckung durch einen nationalsozialistischen Spion auf und sie tauchte unter dem Pseudonym Elena Fischerová bis zum Kriegsende unter. Viele Familienmitglieder, darunter auch ihr Vater Móric, kamen im Holocaust ums Leben.

Mit der Errichtung der kommunistischen tschechoslowakischen Republik 1948 begann Blühová als Erzieherin zu arbeiten und war Gründerin und Leiterin des Verlages Pravda in Bratislava. Sie gründete zudem die Slowakische Pädagogische Bibliothek und veröffentlichte daneben mehrere Kinderbücher. Ihr politisches Engagement für die kommunistische Partei endete in einer großen Enttäuschung, vor allem, nachdem sie im Zuge des sogenannten Normalisierungsprozesses der 1970er-Jahre zu einer »Person von besonderem (polizeilichen) Interesse« erklärt wurde. Doch sie bewahrte sich ihr starkes gesellschaftliches Engagement, unterrichtete weiterhin und kümmerte sich um Kinder mit Behinderung.

Später nahm Blühová am dritten und vierten Internationalen Bauhaus-Kolloquium (1983 beziehungsweise 1986) in Weimar teil. Blühovás Schriften aus dieser Zeit belegen, dass das Bauhaus ihre Arbeit und ihr Denken weiterhin beeinflusste. 1983 schrieb sie: »Kunst, bildende, gestaltende Kunst, ist nur dann echte Kunst, wenn sie auch hilft, den Menschen zu verändern, vorwärtszubringen. Das Bauhaus, die, die es bildeten, die es waren, verstanden es, die Kunst mit dem Leben – das Leben mit der Kunst zu verschmelzen. Das Bauhaus lebt in uns für immer!«

Judit Kárász von Julia Secklehner

Judit Kárász kam im Frühjahr 1931 zum Bauhaus Dessau, im Alter von nur 18 Jahren. Zuvor hatte sie sechs Monate Fotografie an der École de la Photographie in Paris studiert. Kárász, in Österreich-Ungarn geboren, interessierte sich schon als Jugendliche für die Fotografie. Aus einem Land stammend, in dem die Sozialfotografie Mitte der 1920er-Jahre starke Verbreitung fand, wurde sie in den 1930er-Jahren eine ihrer führenden Vertreterinnen.

In Dessau studierte Kárász Fotografie bei Walter Peterhans, nachdem sie den Vorkurs bei Joost Schmidt und Wassily Kandinsky erfolgreich absolviert hatte. Sie fotografierte eine Nahaufnahmen-Serie von Materialien, bei der sie zu ihrer bevorzugten Perspektive fand: der Vogelperspektive, von oben aufgenommen. In einem der wenigen Porträts von Kárász, das sie zusammen mit einem unbekannten Kameraden zeigt, ist diese Perspektive auf raffinierte Weise umgedreht: die junge Fotografin, in androgyner Kleidung und mit Kurzhaarschnitt – von unten fotografiert.

Eine von Kárászs Mitstudentinnen im Vorkurs und in der Fotoklasse war Irena Blühová, acht Jahre älter als sie und eine erfahrene kommunistische Aktivistin. Blühová und Kárász waren nicht nur im Unterricht zusammen; Kárász trat bald der Kostufra (Kommunistische Studentenfraktion) bei, der auch Blühová angehörte. Die enge Verbindung zwischen den beiden Frauen ist durch zahlreiche Fotografien dokumentiert, die Kárász von ihrer Kommilitonin aufnahm: einige eher dokumentarischer Natur, auf denen Blühová im Studentenwohnheim entspannt oder die kommunistische *Arbeiter-Illustrierte-Zeitung (A-I-Z)* austeilt, sowie einige intime Porträtaufnahmen.

Kárászs Mitgliedschaft in der Kostufra war auch der Grund für ihre vorzeitige Abreise aus Dessau. Sie war beim Drucken von kommunistischem Material erwischt worden und musste im März 1932 die Schule verlassen. Kárász ging nach Berlin, wo sie für die Deutsche Photoagentur (DEPHOT) als Laborassistentin arbeitete. In der Zwischenzeit konzentrierte sie sich in ihren eigenen fotografischen Arbeiten auf soziale Themen und dokumentierte das Leben der armen Bevölkerungsschichten. Und zwar mit großem Erfolg: Im August 1933 widmete die Ausstellung *Soziofoto* in Budapest ihren Fotografien einen eigenen Raum.

Mit dem Herannahen des Zweiten Weltkrieges floh Kárász auf die dänische Insel Bornholm, wo sie bei ihrem Freund Hans Henny Jahnn und seiner Familie lebte. Sie kehrte erst 1949 ins inzwischen kommunistische Ungarn zurück. Dort arbeitete sie als Fotografin für das Kunstgewerbemuseum in Budapest. Nach einer Krebsdiagnose nahm sie sich im Mai 1977 das Leben.

Geboren: 21. Mai 1912 in Szeged (Österreich-Ungarn, heute Ungarn)
Gestorben: 30. Mai 1977 in Budapest (Ungarn)
Immatrikuliert: 1931
Stationen ihres Lebens: Österreich-Ungarn (heute Ungarn), Frankreich, Deutschland, Dänemark

OBEN LINKS Judit Kárász, 1931.

OBEN RECHTS Judit Kárász, Wiederaufbau der 1956 während des Aufstands zerstörten Kuppel des Museums für Angewandte Kunst, 1958.

RECHTS Judit Kárász, *Lesender Mann (Auf seine Arbeit wartender Erdarbeiter)*, 1932.

Hilde Hubbuch

Die Fotografin Hilde Hubbuch starb ohne Nachkommen 1971 in New York. Ihre Geschichte und ihr Werk rückten im Laufe der Zeit immer mal wieder für kurze Zeit in den Fokus, doch die Spuren, die sie hinterließ – sowohl als Künstlermuse wie auch als eigenständige Künstlerin – zeichnen das Bild einer lebensbejahenden, intellektuellen und unkonventionellen Frau, die zu einer der versiertesten Porträtistinnen des Bauhauses werden sollte. Ihre Ausbildung zur Fotografin ermöglichte ihr eine berufliche Existenz, nachdem sie aus Nazi-Deutschland zunächst nach Wien und später nach New York hatte fliehen müssen.

Hilde Isay wurde am 17. Januar 1905 als einziges Kind einer jüdischen Familie, die ihr Vermögen im Bankenwesen und im Tuchhandel gemacht hatte, in Trier geboren. Im Alter von zwanzig Jahren verließ sie das Elternhaus, um im Wintersemester 1925/1926 an der Badischen Landeskunstschule in Karlsruhe zu studieren. Ihr Zeichenlehrer war der Maler Karl Hubbuch, ein führender Vertreter der Neuen Sachlichkeit. Wie sich ihr Malerkollege Georg Scholz später erinnerte, sorgte sich Hilde Isays sittenstrenger Vater um das Treiben seiner Tochter und beauftragte einen Privatdetektiv der Detektei Argus mit ihrer Beschattung. Dieser überraschte sie und ihren Professor in einem Hotelzimmer in Wiesbaden. Unter einigem Druck heirateten Isay und Hubbuch Anfang 1928. Zu Beginn war die Ehe durchaus glücklich: Sie richteten das gemeinsame Atelier zum Teil mit Stahlrohrmöbeln des Bauhauses ein und er porträtierte sie als Inbegriff der emanzipierten Neuen Frau in Gemälden wie *Viermal Hilde* von 1929. Es ist unklar, ob sie schon fotografiert hatte, bevor sie Karl kennenlernte, doch seitdem die beiden zusammen waren, experimentierte Hilde Hubbuch mit der Fotografie, sowohl allein als auch zusammen mit ihrem Mann, wie in ihrer Serie von komischen Selbstporträts, die sie durch einen großen Spiegel aufnahmen. Sie benutzten eine Mittelformatkamera, welche die Kuratorin Karin Koschkar – deren Forschungen einen deutlichen Blick auf Hilde Hubbuchs Leben und Werk vermitteln – als eine Zeiss-Ikon Cocarette I Lux 521/2 identifizierte, die allerneueste tragbare Technik der damaligen Zeit. Hilde Hubbuch fotografierte auch in Paris, vermutlich auf einer Reise mit Karl zu Beginn der 1930er-Jahre, und dokumentierte beider gemeinsames Künstlerleben, darunter die Vorliebe ihres Mannes für Aktmodelle.

Anfang 1931 besuchten Hilde und Karl Hubbuch das Bauhaus, die Schule, deren moderne Möbelentwürfe sie gekauft hatten. Hilde Hubbuch war derart beeindruckt, dass sie entschied, sich im Sommer 1931 dort einzuschreiben;

Geboren: Hilde Isay,
17. Januar 1905 in Trier
(Deutschland)
Gestorben: 1971 in New York
(USA)
Immatrikuliert: 1931
Stationen ihres Lebens:
Deutschland, Frankreich,
Österreich, Tschechoslowakei,
Großbritannien, USA

OBEN Hilde Hubbuch, 1931. Foto von Irena Blühová.

RECHTS Hilde Hubbuch, Ohne Titel, Stillleben mit Gipshand, Abdeckung, Fotografien, 1931/1932.

sie wurde zunächst als Hospitantin in der Fotoklasse geführt und belegte zusätzliche Kurse in Werklehre, künstlerischem Gestalten und Schrift.

Als versierte Fotografin lernte sie schnell und genügte den hohen technischen Anforderungen, die Walter Peterhans an die Studenten stellte. Eine surrealistische Materialstudie von 1931 oder 1932 ist durch die deutliche Tiefenschärfe perfekt auf die Objekte ausgerichtet. Die untere Hälfte der Komposition ist mit umherliegenden, leicht gewellten Fotos und Fotoschnipseln gefüllt – vermutlich von Hubbuch aufgenommene Porträts, Interieurs und Straßenszenen –, in deren Mitte ein hölzernes Ei liegt. Eine nüchtern wirkende obere Bildhälfte bildet ein Gegengewicht zu dem Durcheinander aus Fotos – mit der ausgestreckten Gipshand, die nach den Fotos zu greifen scheint, doch unter der Glocke aus Drahtgeflecht gefangen ist. Das kleine Porträt von Hubbuch scheint stoisch inmitten des Chaos zu verharren.

Hubbuch entwickelte sich rasch zu einer technisch beschlagenen Porträtfotografin mit einem frischen Blick für Gesichter und Körper; besonders bemerkenswert sind ihre Aufnahmen von modernen Frauen. Ein Foto zeigt eine burschikose, dennoch ernsthafte Bauhäuslerin in deutlichem Kontrast zum gemusterten Hintergrund. Auf einem anderen Foto erscheint die Porträtierte verletzlich in ihrer freizügigen Abendgarderobe und zugleich unnahbar in ihrer inneren Zurückgezogenheit. Mit dem langen Rock, der locker fallenden Bluse und dem funkelnden Käppi auf dem kurz geschnittenen Haar mag sie sich für eine der berühmt-berüchtigten Bauhaus-Partys zurechtgemacht haben. Auf unterschiedliche Weise zeichnen die beiden Aufnahmen ein Bild der Neuen Frau: die erste Frau erscheint in fast trotziger Ernsthaftigkeit, die zweite in vollem Bewusstsein ihrer sexuellen Attraktivität. Hubbuchs soziales Umfeld am Bauhaus bestand zum Teil aus politisierten Fotografinnen – Frauen wie Irena Blühová beispielsweise. Die beiden fotografierten sich gegenseitig; einige erhalten gebliebene Porträts von Hubbuch, von Blühová aufgenommen, zeigen andere Aspekte ihrer Persönlichkeit. Auf einem Foto aus dem Jahr 1932, möglicherweise ein Bewerbungsfoto, stellte Hubbuch sich als berufstätige Frau dar.

Hubbuch war anscheinend nicht an einem Abschluss am Bauhaus interessiert; sie schien ihren Status als Hospitantin beibehalten zu haben und Peterhans notierte sich, so die Fotohistorikerin Jeannine Fiedler, in einer Liste vom Sommer 1932, dass sie die Prüfung verweigert hatte. Als das Bauhaus Dessau im Oktober 1932 seine Pforten schloss, folgte Hubbuch ihrer Mutter nach Wien, wo sie eine Stelle als Fotografin im sozial engagierten Pressebüro von Max Fau annahm. In dieser Zeit war Hilde Hubbuch noch immer mit Karl Hubbuch verheiratet, doch ihre Ehe war schwierig, nicht zuletzt durch seine Affären mit anderen Frauen. 1935 ließen sich die beiden scheiden. Anscheinend blieben sie Freunde; 1936 schickte sie ihm eine Postkarte aus Prag, wohin sie im Auftrag der Agentur per Bus gereist war, um traditionelle osteuropäische Straßenszenen zu fotografieren.

Nach dem Tod ihrer Mutter und infolge des auch in Österreich aufkeimenden Nationalsozialismus entscheid sich Hubbuch 1936, von Wien nach

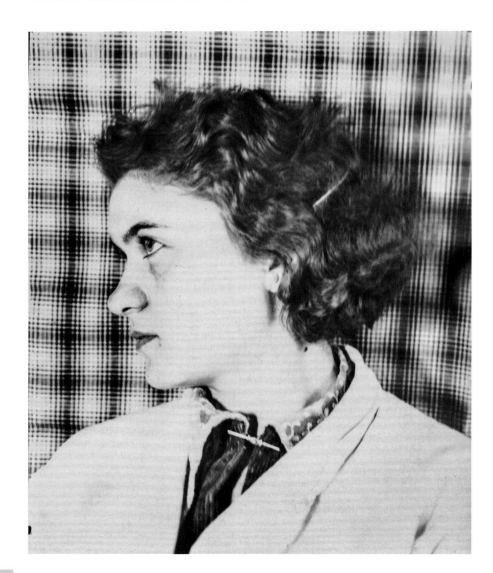

London zu ihrem dort lebenden Onkel zu ziehen. Über ihre Zeit dort ist wenig bekannt. Im Januar 1939, kurz vor ihrem 34. Geburtstag, reiste sie mit dem Schiff von Southampton nach New York, wo sie sich als »Hilde Hubbuck« registrieren ließ. In einem amerikanischen Zensus vom April 1940 wird sie in New York als Mieterin, Haushaltsvorstand, geschieden und Fotografin geführt. In einer Ausgabe der Literatur- und Kulturzeitschrift *The New Yorker* von 1945 bot sie ihre Dienste als »Modernes Konzept der Kinderfotografie« an. Daneben arbeitete Hubbuck als Gesellschaftsfotografin; zu ihren Kunden zählten der Schriftsteller Norman Mailer und auch William Shawn (ab 1952 Herausgeber des *The New Yorker*), der stets einen gewissen Widerwillen gegenüber der Öffentlichkeit hegte – und ganz besonders gegenüber Fotografen. Hubbucks Foto von Shawn aus dem Jahr 1952 zeigt ihn in einem glücklich-nachdenklichen Moment – ein Beleg dafür, dass sie das Vertrauen der von ihr Porträtierten zu gewinnen wusste.

Hilde Hubbuck verbrachte den Rest ihres Lebens in New York, kehrte aber mehrfach nach Europa zurück und besuchte 1962 sogar Karl Hubbuch und seine zweite Frau Ellen in Karlsruhe. 1971 starb sie im Alter von 66 Jahren. Ihre Fotos finden sich heute in der Sammlung des Bauhaus-Archivs in Berlin, im Getty-Museum in Los Angeles und im Museum of Modern Art in New York.

Stella Steyn

Als einziges irisches Bauhaus-Mitglied besuchte Stella Steyn die Schule in dem turbulenten Studienjahr 1931/1932. Zuvor war sie bereits als erfolgreiche Malerin in Paris tätig gewesen, wo sie Illustrationen zu James Joyces *Finnegans Wake* veröffentlicht hatte und eine Affäre mit dem ebenfalls aus Dublin stammenden Samuel Beckett eingegangen war. Mit Anfang zwanzig suchte Steyn eine neue Herausforderung und bewarb sich am Bauhaus, zu der Zeit die wohl berühmteste Kunstschule in Europa. Sie erhielt die Zulassung und nahm im Juli 1931 ihr Studium auf. Im ersten Semester besuchte sie den Vorkurs bei Josef Albers und verwarf ihren überspannten Fauvismus zugunsten des Konstruktivismus der Schule, der Ideen und Reproduzierbarkeit gegenüber einer emotional gefärbten Künstlerhandschrift bevorzugte. Sie fertigte eine Serie von Gemälden mit bunten gestempelten und vorgefertigten Elementen, die auf spielerische Weise das Industrielle heraufbeschwören.

Steyns Collage *Tramway* setzt auf ein für das Bauhaus typisches Konzept der grafischen Gestaltung; dynamisch und verkürzt in ihrer Darstellung nutzt die Komposition nur einige wenige plakative Elemente – Untergrund, Straßenbahn, Schienen und Fahrer –, um die Effizienz des modernen Stadtverkehrs in der Zwischenkriegszeit zu demonstrieren. Und doch integriert Steyn zeitgenössische Elemente der Gebrauchsgrafik aus dem britischen Art Déco: Die kecke gelbe Mütze des Fahrers thront über dem konzentriert dreinblickenden, mit wenigen schnellen Strichen skizzierten Gesicht. Sie lässt ihn als flüchtige Figur erscheinen, derweil die Straßenbahn durch die Stadt ruckelt.

Das Jahr, das Steyn am Bauhaus erlebte, war eines der elektrisierendsten seit Bestehen der Schule überhaupt und läutete zugleich das Ende der Zeit in Dessau ein. Dem dritten und letzten Bauhaus-Direktor, Ludwig Mies van der Rohe, gelang es nicht, die Schule vor dem Zugriff der örtlichen Nazis zu schützen, die das Institut als Bastion ausländischen Einflusses und undeutscher Moral betrachteten. Als die Nationalsozialisten 1932 die Wahlen in Dessau gewannen, war eine ihrer ersten Handlungen, das Bauhaus aus der Stadt zu vertreiben. Auch Steyn sagte Dessau und Deutschland für immer Lebewohl. Später sollte sie sich von ihrer Studienzeit am Bauhaus distanzieren und sie als »falschen Schritt« bezeichnen, »abgesehen von dem Interesse an der damaligen politischen Landschaft Deutschlands und dem Resultat, dass ich mich dauerhaft der Malerei zuwenden sollte«.

Geboren: 26. Dezember 1907 in Dublin (Irland)
Gestorben: 21. Juli 1987 in London (Großbritannien)
Immatrikuliert: 1931
Stationen ihres Lebens: Irland, Frankreich, Deutschland, Großbritannien

OBEN *Stella Steyn* oder *Londoner Dame*, 1934, Foto von Grete Stern.

LINKS Stella Steyn, *Tramway*, ca. 1931/1932, Collage auf Papier.

Auf ihren folgenden Reisen begegnete sie ihrer ehemaligen Bauhaus-Kommilitonin Grete Stern – eine Hälfte des Fotografinnenduos ringl + pit –, die ein fantastisches Porträt von Steyn aufnahm, als die beiden sich 1934 in London wiedertrafen. Stern fotografierte Steyn, zurückgelehnt und mit halb geschlossenen Augen, in einem Meer aus schweren Stoffen. Sie wirkt zugleich passiv und wachsam und erscheint in ihrer makellosen Perfektion als surrealistische Schönheit in einem Moment, als die kosmopolitische und experimentelle Kultur des Kontinents ihrer Wurzeln entrissen und durch den drohenden Faschismus ihrem Schicksal überlassen wurde.

Lilly Reich

Der Gedanke erscheint heute befremdlich: Hätte man das Bauhaus unter dem NS-Regime fortführen können, eingegliedert als »Deutsches Bauhaus« in den Kampfbund für deutsche Kultur des NS-Chefideologen Alfred Rosenberg, den antisemitisch-völkischen Unterstützungsverein für »die Idee Adolf Hitlers auf kulturellem Felde«? Alfred Rosenberg glaubte eine Zeitlang daran, und auch Lilly Reich, die – damals Lebensgefährtin des letzten Bauhaus-Direktors Ludwig Mies van der Rohe und zuletzt einzige Frau im Meisterrat – dies gemeinsam mit Kandinsky vorschlug. Aus der Idee wurde bekanntlich nichts, aber auch danach stellt sich angesichts verschiedener Tätigkeiten, die zumindest mittelbar der NS-Propaganda zugeordnet werden können, immer wieder die Frage nach Lilly Reichs Haltung zum faschistischen Staat. Zwar unterzeichnete sie, anders als Mies, den umstrittenen »Aufruf der Kulturschaffenden« von 1934 nicht, in dem sich ein Teil der künstlerischen Elite des Reichs auf die Gefolgschaft Hitlers verpflichtet. Aber den Maßnahmen zur Gleichschaltung des Deutschen Werkbundes stimmte sie 1933 zu, und in den Folgejahren beteiligte sie sich immer wieder prominent an Propagandaschauen des Regimes.

Dabei sind Lilly Reichs Meriten als fortschrittliche Designerin unbestritten – 1920 wurde sie erstes weibliches Vorstandsmitglied eben jenes Deutschen Werkbundes, nachdem sie schon vor dem Ersten Weltkrieg als Innenarchitektin reüssiert hatte. Ausgebildet bei Josef Hoffmann an den Wiener Werkstätten hatte sie 1911 in Berlin ihr Atelier für Innenraumgestaltung, Dekorationskunst und Mode gegründet; gemeinsam mit dem befreundeten Ehepaar Muthesius gab Reich Impulse für zeitgemäßes Wohnen in der ästhetischen Aufbruchstimmung des späten Kaiserreichs. Sie eröffnete 1924 ein Atelier in Frankfurt am Main, mit dem sie sich an Ausstellungen für das örtliche Messeamt beteiligte. In dieser Funktion war sie auch auf der Stuttgarter Werkbund-Ausstellung *Die Wohnung* von 1927 vertreten, die Mies van der Rohe leitete. Sie erhielt lukrative Folgeaufträge und siedelte wieder nach Berlin über; an der Internationalen Ausstellung in Barcelona (1929) und der Deutschen Bauausstellung (1931) wirkte sie maßgeblich mit. Inzwischen wird angenommen, dass Lilly Reich auch einige der Mies zugeschriebenen Design-Klassiker (wie etwa den Barcelona-Sessel) zumindest mit entworfen haben dürfte, zumal von ihr zahlreiche Entwürfe für Stahlrohr-Sitzmöbel überliefert sind.

Mit der Berufung von Mies van der Rohe zum Leiter des Bauhauses (1930) schien es nur eine Frage der Zeit, wann seine ohne Zweifel hoch qualifi-

Geboren: 16. Juni 1885 in Berlin (Deutschland)
Gestorben: 14. Dezember 1947 in Berlin (Deutschland)
Angestellt: 1932
Stationen ihres Lebens: Deutschland, USA, Österreich

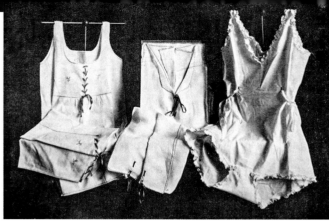

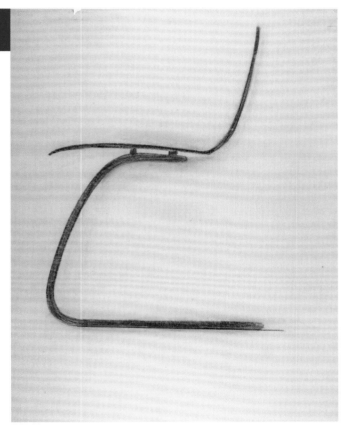

zierte Lebenspartnerin ebenfalls in den Lehrkörper eintreten würde. Im Januar 1932 nahm sie denn ihre Tätigkeit als Leiterin der Ausbauabteilung und der Weberei auf – was nicht ohne Resonanz in der Schülerschaft blieb, die den Eindruck gewann, sie habe die beliebte Interims-Leiterin Otti Berger vertrieben. Selbst keine ausgebildete Weberin, verlagerte sie die Unterrichtsziele hin zum Entwerfen von Stoffdruckmustern, was auch im Einklang mit Mies' Neuausrichtung der Schule stand. Und obgleich sie angesehene Karriereoptionen wie die als Direktorin der heutigen Meisterschule für Mode in München ausschlug, galt sie manchen doch nur als die Gattin des Direktors. Vielfach zitiert ist die Einschätzung von Wandmalerei-Leiter Hinnerk Scheper, Reich sei eine »kalte, geschäftstüchtige Frau« ohne Empathie für andere Menschen; geäußert allerdings in einem Konflikt um seine eigene Zukunft am finanziell und politisch angeschlagenen Bauhaus, an dem Lilly Reich in den zur Ausbauabteilung zusammengefassten Metall-, Möbel- und Wandmalerei-Werkstätten seine direkte Vorgesetzte war.

Auch im NS-Staat waren später ihre eleganten und ausgereiften Designs willkommen, weshalb sie 1934 innerhalb der Propagandaschau *Deutsches Volk – deutsche Arbeit* die Verantwortung für die Abteilung Glas, Keramik und Porzellan trug. Gemeinsam mit Mies van der Rohe, von dem sie sich Mitte der 1930er-Jahre privat wieder trennte, entwarf sie Pläne für große Textilausstellungen in Berlin und Paris, aber in den Folgejahren verschlechterte sich ihre Auftragslage erheblich. Von einem Besuch bei Mies in dessen Exil in Chicago kehrte sie noch 1939 wieder nach Deutschland zurück, um – so ihre Darstellung – beider Interessen in einem Streit um ihre gemeinsamen Urheberrechte zu vertreten. Während des Krieges beschäftigte sie der frühere Bauhaus-Student Ernst Neufert, Albert Speers Beauftragter für Normungsfragen, während ihr eigenes Atelier 1943 Opfer eines alliierten Bombenangriffs wurde. Schon kurz nach Kriegsende verstarb Lilly Reich, aber nicht ohne zuvor noch die Wiedergründung des Deutschen Werkbundes mit initiiert zu haben.

OBEN LINKS Lilly Reich (vorn) und Annemarie Wilke während eines Ausflugs mit ehemaligen Studenten am Bauhaus, Berlin, 1933.

OBEN RECHTS Lilly Reich, Unterwäsche, ca. 1922.

OBEN Lilly Reich, Stuhlentwurf, ca. 1931.

Allgemeine Literatur

In einem Großteil der Fachliteratur ist von weiblichen Bauhäuslern – wenn überhaupt – die Rede, ohne speziell auf geschlechtsspezifische Aspekte einzugehen. In der nachfolgenden Auswahl werden jedoch einige wissenschaftliche Quellen zusammengefasst, die sich, zumindest teilweise, direkt mit den Frauen am Bauhaus beschäftigen.

Bauhaus-Archiv (Hrsg.). *Bauhaus Global: Gesammelte Beiträge der Konferenz Bauhaus Global vom 21. bis 26. September 2009*. Berlin: Gebr. Mann, 2010.

Baumhoff, Anja. *The Gendered World of the Bauhaus: The Politics of Power at the Weimar Republic's Premier Art Institute, 1919–1932*. Frankfurt a. M.: Peter Lang, 2001.

Baumhoff, Anja. »What's in the Shadow of the Bauhaus Block? Gender Issues in Classical Modernity«. In: *Practicing Modernity: Female Creativity in the Weimar Republic*. Christiane Schönfeld (Hrsg.). Würzburg: Köningshausen & Neumann, 2006.

Budde, Christina, Mary Pepchinski, Peter Cachola Schmal und Wolfgang Voigt (Hrsg.). *Frau Architekt: Seit mehr als 100 Jahren, Frauen im Architekturberuf*. Tübingen: Wasmuth, 2017.

Droste, Magdalena. *Bauhaus: 1919–1933*. Köln: Taschen, 2011.

Droste, Magdalena, und Manfred Ludewig (Hrsg.). *Das Bauhaus webt: Die Textilwerkstatt am Bauhaus*. Berlin: Bauhaus-Archiv, 1998.

Fiedler, Jeannine, Peter Feierabend und Norbert Schmitz (Hrsg.). *Bauhaus*. Köln: Könemann, 1999.

Günter, Melanie. *Die Textilwerkstatt am Bauhaus: Von den Anfängen in Weimar 1919 bis zur Schließung des Bauhauses in Berlin 1933*. Saarbrücken: AV Akademikerverlag, 2008.

Hansen-Schaberg, Inge, Wolfgang Thöner und Adriane Feustel (Hrsg.). *Entfernt: Frauen des Bauhauses während der NS-Zeit, Verfolgung und Exil* (Frauen und Exil, Bd. 5). München: Edition Text & Kritik, 2012.

Hildebrandt, Hans. *Die Frau als Künstlerin*. Berlin: 1928.

Müller, Ulrike. *Bauhaus-Frauen: Meisterinnen in Kunst, Handwerk und Design*. München: Elisabeth Sandmann, 2014.

Otto, Elizabeth, und Patrick Rössler (Hrsg.). *Bauhaus Bodies: Gender, Sexuality, and Body Culture in Modernism's Legendary Art School*. New York: Bloomsbury Academic, 2019.

Stutterheim, Kerstin, und Niels Bolbrinker (Regisseure). *Bauhaus – Modell und Mythos*. Film. 1998/2009, absolutMedien GmbH.

Vadillo, Marisa. *Las disenadoras de la Bauhaus: Historia de una revolucion silenciosa* (El árbol del silencio. Vol. 7). Cordoba: Cantico, 2016.

Wortmann Weltge, Sigrid. *Bauhaus-Textilien: Kunst und Künstlerinnen der Webwerkstatt*. Schaffhausen: Edition Stemmle, 1993.

Literatur zu einzelnen Künstlerinnen

Eckdaten zu allen Frauen am Bauhaus finden sich unter https://forschungsstelle.bauhaus.community.
Die Forschungsergebnisse in diesem Buch stützen sich auf Primärquellen aus Archiven und auf folgende Texte:

ALBERS, ANNI

Albers, Anni. *On Designing*. New Haven: Pellango Press, 1959.

Albers, Anni. *On Weaving*. Middletown: Wesleyan University Press, 1965.

Albers, Anni. *Bildweberei, Zeichnung, Druckgrafik*. Düsseldorf: Kunstmuseum, und Berlin: Bauhaus-Archiv, 1975.

Coxon, Ann, Briony Fer und Maria Müller-Schareck (Hrsg.). *Anni Albers*. London: Tate, 2018.

Danilowitz, Brenda, und Nicholas Fox Weber (Hrsg.). *Anni Albers: Selected Writings on Design*. Middletown: Wesleyan University Press, 2000.

Danilowitz, Brenda, und Heinz Liesbrock (Hrsg.). *Anni und Josef Albers: Begegnung mit Lateinamerika*. Ostfildern: Hatje Cantz, 2007.

Danilowitz, Brenda. *Anni Albers: Notebook 1972–1980*. New York: David Zwirner, 2017.

Fox Weber, Nicholas, und Pandora Tabattabai Asbaghi. *Anni Albers*. New York: Guggenheim, 1999.

Gardner Troy, Virginia. *From Bauhaus to Black Mountain: Anni Albers and Ancient American Art*. Aldershot: Ashgate, 2002.

Helfenstein, Josef, und Henriette Mentha. *Josef und Anni Albers: Europa und Amerika*. Köln: DuMont, 1998.

ARNDT, GERTRUD

Das verborgene Museum (Hrsg.). *Photographien der Bauhaus-Künstlerin Gertrud Arndt*. Berlin: Das verborgene Museum, 1994.

Wolsdorff, Christian. *Eigentlich wollte ich ja Architekt werden: Gertrud Arndt als Weberin und Photographin am Bauhaus 1923–31*. Berlin: Bauhaus-Archiv, 2013.

BÁNKI, ZSUSZKA

Bánki, Esther. »»Denn du denkst doch nicht etwa, dass eine Frau ein Haus bauen kann.‹ Das Leben der Architektin Zsuzsanna Bánki (1912–1944)«. In: *Entfernt: Frauen des Bauhauses während der NS-Zeit*. S. 159–174.

BAYER, IRENE

Rössler, Patrick, und Herbert Bayer: *Die Berliner Jahre – Werbegrafik 1928–1938*. Berlin: Vergangenheitsverlag, 2013.

Rössler, Patrick, und Gwen Chanzit. *Der einsame Großstädter: Herbert Bayer: eine Kurzbiografie*. Berlin: Vergangenheitsverlag, 2014.

BERGER, OTTI

Berger, Otti. »Stoffe im Raum«. In: ReD 3, Nr. 5 (1930); Neudruck in: *Das Bauhaus webt.*

Lösel, Regina. »Die Textildesignerin Otti Berger (1898–1944): Vom Bauhaus zur Industrie«. In: *Textildesign: Voysey, Endell, Berger*. Hrsg. von Anne Wauschkuhn, Elke Torspecken, Regina Lösel. Berlin: Ed. Ebersbach, 2002. S. 215–294.

Lucadou, Barbara von. »Otti Berger: Stoffe für die Zukunft«. In: *Wechselwirkungen: Ungarische Avantgarde in der Weimarer Republik*. Marburg 1986. S. 301–311.

BEYER-VOLGER, LIS

Keß, Bettina. »Eine Bauhaus-Absolventin in Würzburg: Lis Beyer«. In: *Tradition und Aufbruch: Würzburg und die Kunst der 1920er Jahre*. Hrsg. von Bettina Keß. Würzburg: Königshausen & Neumann, 2003. S. 137–141.

Rössler, Patrick, und Anke Blümm. »Soft Skills and Hard Facts: A Systematic Overview of Bauhaus Women's Presence and Roles«. In: *Bauhaus Bodies*. S. 3–25.

BLÜHOVÁ, IRENA

Secklehner, Julia. »A School for Becoming Human«: The Socialist Humanism of Irene Blühová's Bauhaus Photographs«. In: *Bauhaus Bodies*. S. 289–311.

Škvarna, Dušan, Václav Macek, und Iva Mojžišová (Hrsg.). *Irena Blühová*. Martin: Vydavateľstvo Osveta, 1992.

BOTH, KATT

Maasberg, Ute, und Regina Prinz. »Katt Both: Mobil und Flexibel«. In: *Die neuen kommen! Weibliche Avantgarde in der Architektur der zwanziger Jahre*. Hamburg: Junius, 2005. S. 73–78.

BRANDT, MARIANNE

Brockhage, Hans, und Reinhold Lindner. *Marianne Brandt: »Hab ich je an Kunst gedacht«*. Chemnitz: Chemnitzer Verlag. 2001.

Otto, Elizabeth. *Tempo, Tempo! The Bauhaus Photomontages of Marianne Brandt*. Berlin: Bauhaus-Archiv und Jovis Verlag, 2005.

Weber, Klaus (Hrsg.). *Die Metallwerkstatt am Bauhaus*. Berlin: Bauhaus-Archiv, 1992.

Wynhoff, Elisabeth (Hrsg.). *Marianne Brandt: Fotografieren am Bauhaus*. Ostfildern: Hatje Cantz, 2003.

DAMBECK-KELLER, MARGARETE

Keller, Walter M. *Lebensbilder meiner Mutter: Margret Keller-Dambeck 1908–1952*. Göppingen: Keller, 2017.

DICKER-BRANDEIS, FRIEDL

Heuberger, Georg. *Vom Bauhaus nach Terezin: Friedl Dicker-Brandeis und die Kinderzeichnungen aus dem Ghetto-Lager Theresienstadt*. Frankfurt a. M.: Jüdisches Museum, 1991.

Makarova, Elena. *Friedl Dicker-Brandeis, Vienna 1898–Auschwitz 1944*. Beverly Hills: Tallfellow Press, 1999.

Otto, Elizabeth. »Passages with Friedl Dicker Brandeis: From the Bauhaus through Theresienstadt.« *Passages of Exile*. Hrsg. v. Burcu Dogramaci und Elizabeth Otto. München: Edition Text + Kritik, 2017. S. 230–251.

DRIESCH-FOUCAR, LYDIA

Driesch-Foucar, Lydia. »The Dornburg Pottery and the Weimar Bauhaus 1919–1923«. *Marguerite Wildenhain and the Bauhaus: An Eyewitness Anthology*. Hrsg. v. Dean und Geraldine Schwarz. Louisville: South Bear Press, 2007. S. 116–120.

FEHLING, ILSE

Dürr, Bernd (Hrsg.). *Ilse Fehling: Bauhaus, Bühne, Akt, Skulptur, 1922–1967*. München: Galerie Bernd Dürr, 1990.

FRIEDLAENDER-WILDENHAIN, MARGUERITE

Becker, Ingeborg, und Claudia Kanowski. *Avantgarde für den Alltag: Jüdische Keramikerinnen in Deutschland 1919–1933, Marguerite Friedlaender-Wildenhain, Margarete Heymann-Marks, Eva Stricker-Zeisel*. Berlin: Bröhan-Museum, 2013.

Rössler, Patrick, und Anke Blümm. »Soft Skills and Hard Facts: A Systematic Overview of Bauhaus Women's Presence and Roles«. In: *Bauhaus Bodies*. S. 3–25.

Schwarz, Dean und Geraldine (Hrsg.). *Marguerite Wildenhain and the Bauhaus: An Eyewitness Anthology*. Louisville: South Bear Press, 2007.

GROPIUS, ISE

Breuer, Gerda, und Annemarie Jaeggi (Hrsg.). *Walter Gropius' Amerikareise 1928*. Berlin: Bauhaus-Archiv, 2008.

Gropius Johansen, Ati. *Walter Gropius: The Man Behind the Ideas*. Boston: Historic New England 2012.

Gropius Johansen, Ati. *Ise Gropius*. Boston: Historic New England, 2013.

Isaacs, Reginald R. *Walter Gropius: Der Mensch und sein Werk*. 2 Bde. Berlin: Mann, 1983–1984.

Rössler, Patrick, und Gwen Chanzit. *Der einsame Großstädter: Herbert Bayer: eine Kurzbiografie*. Berlin: Vergangenheitsverlag, 2014.

Rössler, Patrick. *The Bauhaus and Public Relations: Communication in a Permanent State of Crisis*. New York: Routledge 2014.

Valdivieso, Mercedes. »Ise Gropius: ›Everyone Here Calls me Frau Bauhaus‹«. In: *Bauhaus Bodies*. S. 171–195.

GROSCH, KARLA

Funkenstein, Susan. »Paul Klee and the New Woman Dancer: Gret Palucca, Karla Grosch, and the Gendering of Constructivism«. In: *Bauhaus Bodies*. S. 147–169.

Graf, Seraina. »Karla Grosch – eine Spurensuche«. In: *Zwitscher-Maschine: Journal on Paul Klee / Zeitschrift für internationale Klee-Studien 5* (2018). S. 17–46. (online: http://doi.org/10.5281/zenodo.1213784)

Kleinknecht, Inga. »Karla Grosch: ›Bauhausmädel‹, Tänzerin und Sportmädel am Bauhaus«. In: *Bauhaus: Beziehungen Oberösterreich*. Hrsg. v. Inga Kleinknecht. Weitra: Verlag Bibliothek der Provinz, 2017. S. 84–97.

Pichit, Halina. »›Der Lenz ist da!‹ Das ›Deutsche Theater‹, Paul Klee und Karla Grosch: Ein unbekanntes Kapitel im Leben des Schauspielers, Kabarettisten und Lyrikers Max Werner Lenz«. In: *Jahresbericht 2009/2010*. Hrsg. vom Stadtarchiv Zürich. Zürich: Stadtarchiv, 2011. S. 215–254.

GRUNOW, GERTRUD

Burchert, Linn. »The Spiritual Enhancement of the Body: Johannes Itten, Gertrud Grunow, and Mazdaznan at the Early Bauhaus«. In: *Bauhaus Bodies*. S. 51–74.

Radrizzani, René. *Die Grunow-Lehre: Die bewegende Kraft von Klang und Farbe*. Wilhelmshaven: Florian Nötzl, 2004.

Vadillo Rodríguez, Marisa. »La Música en la Bauhaus (1919–1933): Gertrud Grunow como profesora de Armonía: La Fusión del Arte, el Color y Sonido«. In: *Anuario Musical 71* (2016). S. 223–232.

HEYMANN-LOEBENSTEIN-MARKS, MARGARETE

Becker, Ingeborg, und Claudia Kanowski. *Avantgarde für den Alltag: Jüdische Keramikerinnen in Deutschland 1919–1933, Marguerite Friedlaender-Wildenhain, Margarete Heymann-Marks, Eva Stricker-Zeisel*. Berlin: Bröhan-Museum, 2013.

Hudson-Wiedenmann, Ursula. *Haël-Keramik: wenig bekannt, bei Sammlern hoch geschätzt*. Velten: Ofen-und Keramikmuseum, 2006.

Hudson-Wiedenmann, Ursula, und Judy Rudoe. »Grete Marks, Artist Potter«. In: *The Decorative Arts Society 1850 to the Present 26,1* (2002). S. 101–119.

Weber, Klaus (Hrsg.). *Keramik und Bauhaus.* Berlin: Bauhaus-Archiv und Kupfergraben Verlagsgesellschaft mbH, 1989.

HENRI, FLORENCE

Du Pont, Diana. *Florence Henri: Artist Photographer of the Avant-Garde.* San Francisco: San Francisco Museum of Art, 1990.

Krauss, Rosalind. »The Photographic Conditions of Surrealism«. In: *October 19* (Winter 1981). S. 3–34.

Zelich, Christina, u. a. *Florence Henri: Mirror of the Avant-Garde, 1927–40.* New York: Aperture, und Paris: Jeu de Paume, 2015.

HOLLÓS-CONSEMÜLLER, RUTH

Herzogenrath, Wulf, und Stefan Kraus (Hrsg.). *Erich Consemüller: Fotografien Bauhaus-Dessau.* München: Schirmer/Mosel 1989.

Thönissen, Anne. »›Design ist kein Beruf, Design ist eine Haltung‹: Ruth Hollós-Consemüller und die Herforder Teppichfabrik«. In: *Der Remensnider: Zeitschrift für Herford und das Wittekindsland 27* (1999), Nr. 3. S. 14–18.

HUBBUCH, HILDE

Eskildsen, Ute. *Fotografieren hieß teilnehmen: Fotografinnen der Weimarer Republik.* Essen: Museum Folkwang, 1995.

Honnef, Klaus, und Frank Weyers. *Und sie haben Deutschland verlassen … müssen: Fotografen und ihre Bilder 1928–1997.* Köln: Proag, 1997. S. 250–251.

Koschkar, Karin. »Hilde Hubbuch: zwischen Karlsruhe, Dessau und New York«. In: *Karl Hubbuch und das Neue Sehen.* Hrsg. von Ulrich Pohlmann und Karin Koschkar. München: Schirmer-Mosel/Münchener Stadtmuseum, 2011. S. 188–191.

KALLIN-FISCHER, GRIT

Boyer, Patricia Eckert, und Karin Anhold. *Grit Kallin-Fischer: Bauhaus and Other Works.* New Brunswick: Zimmerli Museum/Rutgers University Press, 1986.

Eskildsen, Ute. *Fotografieren hieß teilnehmen: Fotografinnen der Weimarer Republik.* Essen: Museum Folkwang, 1995.

KÁRÁSZ, JUDIT

Iparmüveszeti Múzeum (Hrsg.). *Judit Kárász (1912–1977).* Budapest: Fotoi, 1987.

Kœrulf Møller, Lars, und Finn Terman Frederiksen (Hrsg.). *Judit Kárász: Fotografien von 1930 bis 1945.* Bornholm: Bornholm Kunstmuseum, 1994.

KOCH-OTTE, BENITA

Below, Irene. »Vereitelte Karrieren im Umbruch der Zeit: Benita Koch-Otte (1892–1976)«. *Entfernt: Frauen des Bauhauses während der NS-Zeit.* S. 69–94.

Herzogenrath, Wulf, und Werner Pöschel (Hrsg.). *Vom Geheimnis der Farbe: Benita Koch-Otte, Bauhaus, Burg Giebichenstein, Bethel.* Bielefeld: Gieseking, 1972.

Schneider, Katja. *Burg Giebichenstein: Die Kunstgewerbeschule unter Leitung von Paul Thiersch und Gerhard Marcks 1915 bis 1933.* Weinheim: VCH, 1992.

LEISCHNER, MARGARET

Conlan, Frank. »Margaret Leischner (1907–1970): A Bauhaus Designer in Newbridge, Co. Kildare«. In: *Creative Influences. Selected Irish-German Biographies.* Hrsg. von Joachim Fischer und Gisela Holfter. Trier: Wissenschaftlicher Verlag, 2009. S. 99–108.

Dogramaci, Burcu. »Bauhaus-Transfer: Die Textildesignerin Margarete Leischner (1907–1970) in Dessau und im britischen Exil«. *Entfernt: Frauen des Bauhauses während der NS-Zeit.* S. 95–116.

LEITERITZ, MARGARET

Hohmann, Claudia (Hrsg.). *Margaret Camilla Leiteritz: Bauhauskünstlerin und Bibliothekarin.* Frankfurt a. M.: Museum für Angewandte Kunst, 2004.

Lindemann, Klaus (Hrsg.). *Die Bauhaus-Künstlerin Margaret Leiteritz: Gemalte Diagramme.* Karlsruhe: Info, 1993.

Mühlmann, Heinrich P. (Hrsg.). *Margaret Camilla Leiteritz: Studium am Bauhaus.* Bramsche: Rasch, 2006.

LEUDESDORFF-ENGSTFELD, LORE

Goergen, Jeanpaul. *Walter Ruttmann: Eine Dokumentation.* Berlin: Freunde der Deutschen Kinemathek, 1989.

Schilling, Susanne. *Die Bauhausschülerin Lotte Leudesdorff: Leben und Werk.* Masterarbeit, Universität Halle, 2009.

Steffen, Kai (d. i. Lore Leudesdorff). *Unter dem weiten Himmel.* Düsseldorf: Bour, undatiert (ca. 1970).

MEYER-BERGNER, LENA

Baumann, Kristen. »Weben nach dem Bauhaus: Bauhaus-Weberinnen in den dreißiger und vierziger Jahren«. *Das Bauhaus webt: Die Textilwerkstatt am Bauhaus.* S. 43–51.

Volpert, Astrid. »Hannes Meyers starke Frauen der Bauhauskommune am Moskauer Arbatplatz 1930–1938«. *»Als Bauhäusler sind wir suchende«: Hannes Meyer (1889–1954), Beiträge zu seinem Leben und Wirken.* Bernau: Bundesschule Bernau bei Berlin, 2013. S. 41–54.

MEYER-WALDECK, WERA

Hérvas y Heras, Josenia. »Eine Bauhaus-Architektin in der BRD: Wera Meyer-Waldeck«. *Frau Architekt.* S. 166–171.

MITTAG-FODOR, ETEL

Mittag-Fodor, Etel. *Not an Unusual Life, for the Time and the Place / Ein Leben, nicht einmal ungewöhnlich für diese Zeit und diesen Ort.* Berlin: Bauhaus-Archiv Berlin, 2014.

Stutterheim, Kerstin. *Interviews mit Etel Mittag-Fodor: Audiodateien.* (online: https://vimeo.com/channels/814591)

MOHOLY, LUCIA

Moholy, Lucia. *Marginalien zu Moholy-Nagy: Dokumentarische Ungereimtheiten.* Krefeld: Scherpe, 1972.

Sachsse, Rolf. »Die Frau an seiner Seite. Irene Bayer und Lucia Moholy als Fotografinnen«. *Fotografieren hieß teilnehmen.* S. 67–75.

Sachsse, Rolf. *Lucia Moholy: Bauhaus-Fotografin.* Berlin: Bauhaus-Archiv, 1999.

Schuldenfrei, Robin. »Bilder im Exil: Lucia Moholys Bauhaus-Negative und die Konstruktion des Bauhaus-Erbes«. *Entfernt: Frauen des Bauhauses während der NS-Zeit.* S. 252–274.

Schuldenfrei, Robin. »Images in Exile: Lucia Moholy's Bauhaus Negatives and the Construction of the Bauhaus Legacy«. In: *History of Photography 37* (2013). S. 182–203.

Valdivieso, Mercedes. »Eine ›symbiotische Arbeitsgemeinschaft‹ und die Folgen: Lucia und László Moholy-Nagy.« In: *Liebe Macht Kunst: Künstlerpaare im 20. Jahrhundert.* Hrsg. v. Renate Berger. Köln: Böhlau, 2000. S. 63–83.

REICH, LILLY

Günther, Sonja. *Lilly Reich 1885–1947. Innenarchitektin, Designerin, Ausstellungsgestalterin.* Stuttgart: Deutsche Verlagsanstalt, 1988.

Hochman, Elaine S. *Architects of Fortune: Mies van der Rohe and the Third Reich.* New York: Fromm, 1990.

McQuaid, Matilda. *Lilly Reich, Designer and Architect*. New York: Museum of Modern Art, 1996.

Lange, Christiane. *Mies van der Rohe & Lilly Reich: Möbel und Räume*. Ostfildern: Hatje Cantz, 2007.

REICHARDT, MARGARETHA

Menzel, Ruth. *Margaretha Reichardt*. Erfurt: Galerie am Fischmarkt, 1985 (Monographien, Nr. 8).

Kreis Weimarer Land und Anger-Museum Erfurt (Hrsg.). *Margaretha Reichardt, 1907–1984: Textilkunst*. Erfurt: Kunsthaus Avantgarde/Kulturhof Krönbacken, 2009.

SCHEPER-BERKENKAMP, LOU

Scheper, Renate. *Farbenfroh! Die Werkstatt für Wandmalerei am Bauhaus*. Berlin: Bauhaus-Archiv, 2005.

Scheper, Renate. *Phantastiken: Die Bauhäuslerin Lou Scheper-Berkenkamp*. Berlin: Bauhaus-Archiv, 2012.

SCHWERIN, RICARDA

Schwerin, Jutta. *Ricardas Tochter: Leben zwischen Deutschland und Israel*. Leipzig: Spector Books, 2012.

Sonder, Ines. »Vom Bauhaus nach Jerusalem: Die Fotografin Ricarda Schwerin (1912–1999)«. *Entfernt: Frauen des Bauhauses während der NS-Zeit*. S. 197–211.

Sonder, Ines, Werner Müller und Ruwen Egri, *Vom Bauhaus nach Palästina: Chanan Frenkel, Ricarda und Heinz Schwerin*. Leipzig: Spector Books, 2013 (Bauhaus Taschenbuch 6).

SOUPAULT, RÉ

März, Ursula. »*Du lebst wie im Hotel*«: *Die Welt der Ré Soupault*. Heidelberg: Wunderhorn: 1999.

Heroldt, Inge, Ulrike Lorenz und Manfred Metzner (Hrsg.). *Ré Soupault: Künstlerin im Zentrum der Avantgarde*. Heidelberg: Wunderhorn: 2011.

Emmert, Claudia, Manfred Metzner und Frank-Thorsten Moll. *Ré Soupault: Das Auge der Avantgarde*. Heidelberg: Wunderhorn, 2015.

STAM-BEESE, LOTTE

Damen, Hélène, und Anne-Mie Devolder. *Lotte Stam-Beese, 1903–1988: Dessau, Brno, Charkow, Moskou, Amsterdam, Rotterdam*. Rotterdam: De Hef, 1993.

Oosterhof, Hanneke. »Lotte Stam-Beese: Engagierte Architektin und Stadtplanerin«. *Frau Architekt*. S. 178–187.

STERN, GRETE

Marcoci, Roxana, und Sarah Hermanson Meister. *From Bauhaus to Buenos Aires: Grete Stern and Horacio Coppola*. New York: Museum of Modern Art, 2015.

Sandler, Clara, und Juan Mandelbaum. »Grete Stern (1904–1999)«. *Jewish Women's Archive*. (online: https://jwa.org/encyclopedia/article/stern-grete)

STEYN, STELLA

Kennedy, S. B. *Stella Steyn: A Retrospective View with an Autobiographical Memoir*. Dublin: Gorry Gallery, 1995.

STÖLZL, GUNTA

Baumhoff, Anja. »Vereitelte Karrieren im Umbruch der Zeit: Gunta Stölzl (1897–1983)«. *Entfernt: Frauen des Bauhauses während der NS-Zeit*. S. 51–68.

Droste, Magdalena, und Bauhaus-Archiv Berlin (Hrsg.). *Gunta Stölzl: Weberei am Bauhaus und aus eigener Werkstatt*. Berlin: Bauhaus-Archiv, 1987.

Radewaldt, Ingrid, und Monika Stadler (Hrsg.). *Gunta Stölzl – Meisterin am Bauhaus Dessau. Textilien, Textilentwürfe und freie Arbeiten*. Stiftung Bauhaus Dessau, Ostfildern-Ruit, 1997.

Stadler, Monika, und Yael Aloni (Hrsg.). *Gunta Stölzl: Bauhausmeister*. Ostfildern: Hatje Cantz, 2009.

TOMLJENOVIĆ, IVANA

Koševi, Želimir. *Ivana (Koka) Tomljenović: Bauhaus Dessau, 1929–1930*. Zagreb: Galerije Grada Zagreba, 1983.

Mehulii, Leila. *Bauhaus Ivana Tomljenović Meller: Works from The Marinko Sudac Collection*. Zagreb: Radnika Galerija, 2012.

Mehulii, Leila. *Ivana Tomljenović Meller: A Zagreb Girl at the Bauhaus*. Zagreb: Stadtmuseum, 2010.

Peji, Bojana. »*Bauhaus in 57 Seconds: Ivana Tomljenović, the Moving Image*, and the Avant-Garde Film-Net Around 1930«. *Bauhaus: Networking Ideas and Practice*. Zagreb: Museum für Zeitgenössische Kunst, 2015. S. 94–119.

TUDOR-HART, EDITH

Forbes, Duncan (Hrsg.). *Edith Tudor-Hart: Im Schatten der Diktaturen*. Ostfildern: Hatje Cantz, 2013.

Jungk, Peter Stephan. *Die Dunkelkammern der Edith Tudor-Hart: Geschichten eines Lebens*. Frankfurt a. M.: S. Fischer, 2015.

Jungk, Peter Stephan (Regisseur). Film: *Tracking Edith 2016*, Peartree Entertainment.

Suschitzky, Wolf. *Edith Tudor Hart: Das Auge des Gewissens*. Berlin: Dirk Nishen, 1988.

ULLMANN-BRONER, BELLA

Kunstvilla und Andrea Dippel (Hrsg.). *Unsere Künstler am Bauhaus: Bella Ullmann-Broner und Rudolf Ortner*. Nürnberg: Kunstvilla, 2019.

VAN DER MIJLL DEKKER, KITTY

Boot, Caroline, und Karla Olgers. Bauhaus. *De weverij en haar invloed in Nederland*. Tilburg: Nederlands Textielmuseum, 1988.

Boot, Caroline, und Vimal Korstjens. *In het spoor van het Bauhaus. Weefwerk van Kitty van der Mijll Dekker*. Tilburg: Textielmuseum, 2007.

Groot, Marjan Hester. *Vrouwen in de vormgeving in Nederland 1880–1940*. Rotterdam: 010 Publishers, 2007.

YAMAWAKI, MICHIKO

Ćapková, Helena. »Bauhaus and Tea Ceremony: A Study of Mutual Impact in Design Education in Germany and Japan in the Interwar Period«. *Eurasian Encounters: Museums, Missions, Modernities*. Hrsg. v. Carolien Stolte und Yoshiyuki Kikuchi. Amsterdam: Amsterdam University Press, 2017. S. 103–120.

Yamawaki, Michiko. *Bauhausu to Chanoyu* (Bauhaus und Teezeremonie). Tokio: Shinchosha, 1995.

Dank

Angesichts der Fülle an erforderlichen Nachweisen, die für die Entstehung dieses Buches notwendig waren, wäre unsere Arbeit ohne die Unterstützung von Archiven und Wissenschaftlern aus aller Welt nicht möglich gewesen. Unser besonderer Dank gilt unseren ausgewählten Gastautorinnen, die ihr Fachwissen in einigen Artikeln des Buches mit uns teilten, und zwar namentlich Esther Bánki, Anke Blümm, Andrea Dippel, Burcu Dogramaci, Magdalena Droste, Ulrike Müller, Ingrid Radewaldt und Julia Secklehner. Wir sind sehr dankbar für die Unterstützung durch Sabine Hartmann, Leiterin des Fotoarchivs am Bauhaus Archiv in Berlin, die uns auf vielfältige Weise bei oftmals kaum bekannten Aspekten zum Bauhaus weiterhalf. Wir danken Zuzana Blüh, Stephan Consemüller, Gisela Driesch, Walter Keller, Stephan Leudesdorff, Heinrich Mühlmann und Allen Shawn, die uns mit Informationen zu ihren Familienangehörigen weiterhelfen.

Ein Dank an Hayley Haupt, die die deutschen Artikel ins Englische übersetzte, und Chihiro Heckman, die uns bei der Recherche für den Artikel über Michiko Yamawaki unterstützte. Unsere akademischen Heimstätten ermöglichten unsere Forschungsarbeit. Durch das Frank-H.-Kennan-Stipendium am National Humanities Center erhielt Elizabeth Otto Zeit zum Schreiben. Ihr Dank gilt zudem der großartigen Forschungsunterstützung der Bibliothekare Brooke Andrade, Sarah Harris und Joe Milillo sowie ihrer Heimatuniversität, der State University of New York in Buffalo, die ihr ebenfalls wesentliche Unterstützung gewährte. Patrick Rösslers Arbeit wäre ohne die dauerhafte Unterstützung des Präsidenten der Universität Erfurt, Prof. Dr. Walter Bauer-Wabnegg, ihres Kanzlers Dr. Jörg Brauns und des Direktors der Universitätsbibliothek, Gabor Kuhles, sowie der Abteilungsleiterin Medienbearbeitung Susanne Werner kaum möglich gewesen. Zum Schluss geht ein herzlicher Dank an Jo und Jon Rippon und die Mitarbeiter von Palazzo Editions, die von Anfang an fest an das Projekt geglaubt haben und sich trauten, etwas anderes zu wagen.

Wir widmen das Buch allen Bauhaus-Frauen, sowohl denen, die hier vorgestellt werden, als auch jenen, die noch immer darauf warten, entdeckt zu werden. Erst durch diese Frauen wurde das Bauhaus zu dieser facettenreichen, lebendigen und nachwirkenden Institution, als die es bekannt ist: Sie beweisen, dass der Geist des Bauhauses im Grunde genommen immer auch weiblich war.

Bildnachweise

McQuaid, Matilda. *Lilly Reich, Designer and Architect*. New York: Museum of Modern Art, 1996.

Lange, Christiane. *Mies van der Rohe & Lilly Reich: Möbel und Räume*. Ostfildern: Hatje Cantz, 2007.

REICHARDT, MARGARETHA

Menzel, Ruth. *Margaretha Reichardt*. Erfurt: Galerie am Fischmarkt, 1985 (Monographien, Nr. 8).

Kreis Weimarer Land und Anger-Museum Erfurt (Hrsg.). *Margaretha Reichardt, 1907–1984: Textilkunst*. Erfurt: Kunsthaus Avantgarde/Kulturhof Krönbacken, 2009.

SCHEPER-BERKENKAMP, LOU

Scheper, Renate. *Farbenfroh! Die Werkstatt für Wandmalerei am Bauhaus*. Berlin: Bauhaus-Archiv, 2005.

Scheper, Renate. *Phantastiken: Die Bauhäuslerin Lou Scheper-Berkenkamp*. Berlin: Bauhaus-Archiv, 2012.

SCHWERIN, RICARDA

Schwerin, Jutta. *Ricardas Tochter: Leben zwischen Deutschland und Israel*. Leipzig: Spector Books, 2012.

Sonder, Ines. »Vom Bauhaus nach Jerusalem: Die Fotografin Ricarda Schwerin (1912–1999)«. *Entfernt: Frauen des Bauhauses während der NS-Zeit*. S. 197–211.

Sonder, Ines, Werner Müller und Ruwen Egri, *Vom Bauhaus nach Palästina: Chanan Frenkel, Ricarda und Heinz Schwerin*. Leipzig: Spector Books, 2013 (Bauhaus Taschenbuch 6).

SOUPAULT, RÉ

März, Ursula. »*Du lebst wie im Hotel*«: Die Welt der Ré Soupault. Heidelberg: Wunderhorn: 1999.

Heroldt, Inge, Ulrike Lorenz und Manfred Metzner (Hrsg.). *Ré Soupault: Künstlerin im Zentrum der Avantgarde*. Heidelberg: Wunderhorn: 2011.

Emmert, Claudia, Manfred Metzner und Frank-Thorsten Moll. *Ré Soupault: Das Auge der Avantgarde*. Heidelberg: Wunderhorn, 2015.

STAM-BEESE, LOTTE

Damen, Hélène, und Anne-Mie Devolder. *Lotte Stam-Beese, 1903–1988: Dessau, Brno, Charkow, Moskou, Amsterdam, Rotterdam*. Rotterdam: De Hef, 1993.

Oosterhof, Hanneke. »Lotte Stam-Beese: Engagierte Architektin und Stadtplanerin«. *Frau Architekt*. S. 178–187.

STERN, GRETE

Marcoci, Roxana, und Sarah Hermanson Meister. *From Bauhaus to Buenos Aires: Grete Stern and Horacio Coppola*. New York: Museum of Modern Art, 2015.

Sandler, Clara, und Juan Mandelbaum. »Grete Stern (1904–1999)«. *Jewish Women's Archive*. (online: https://jwa.org/encyclopedia/article/stern-grete)

STEYN, STELLA

Kennedy, S. B. *Stella Steyn: A Retrospective View with an Autobiographical Memoir*. Dublin: Gorry Gallery, 1995.

STÖLZL, GUNTA

Baumhoff, Anja. »Vereitelte Karrieren im Umbruch der Zeit: Gunta Stölzl (1897–1983)«. *Entfernt: Frauen des Bauhauses während der NS-Zeit*. S. 51–68.

Droste, Magdalena, und Bauhaus-Archiv Berlin (Hrsg.). *Gunta Stölzl: Weberei am Bauhaus und aus eigener Werkstatt*. Berlin: Bauhaus-Archiv, 1987.

Radewaldt, Ingrid, und Monika Stadler (Hrsg.). *Gunta Stölzl – Meisterin am Bauhaus Dessau. Textilien, Textilentwürfe und freie Arbeiten*. Stiftung Bauhaus Dessau, Ostfildern-Ruit,1997.

Stadler, Monika, und Yael Aloni (Hrsg.). *Gunta Stölzl: Bauhausmeister*. Ostfildern: Hatje Cantz, 2009.

TOMLJENOVIĆ, IVANA

Koševi, Želimir. *Ivana (Koka) Tomljenović: Bauhaus Dessau, 1929–1930*. Zagreb: Galerije Grada Zagreba, 1983.

Mehulii, Leila. *Bauhaus Ivana Tomljenović Meller: Works from The Marinko Sudac Collection*. Zagreb: Radnika Galerija, 2012.

Mehulii, Leila. *Ivana Tomljenović Meller: A Zagreb Girl at the Bauhaus*. Zagreb: Stadtmuseum, 2010.

Peji, Bojana. »*Bauhaus in 57 Seconds: Ivana Tomljenović, the Moving Image*, and the Avant-Garde Film-Net Around 1930«. *Bauhaus: Networking Ideas and Practice*. Zagreb: Museum für Zeitgenössische Kunst, 2015. S. 94–119.

TUDOR-HART, EDITH

Forbes, Duncan (Hrsg.). *Edith Tudor-Hart: Im Schatten der Diktaturen*. Ostfildern: Hatje Cantz, 2013.

Jungk, Peter Stephan. *Die Dunkelkammern der Edith Tudor-Hart: Geschichten eines Lebens*. Frankfurt a. M.: S. Fischer, 2015.

Jungk, Peter Stephan (Regisseur). Film: *Tracking Edith 2016*, Peartree Entertainment.

Suschitzky, Wolf. *Edith Tudor Hart: Das Auge des Gewissens*. Berlin: Dirk Nishen, 1988.

ULLMANN-BRONER, BELLA

Kunstvilla und Andrea Dippel (Hrsg.). *Unsere Künstler am Bauhaus: Bella Ullmann-Broner und Rudolf Ortner*. Nürnberg: Kunstvilla, 2019.

VAN DER MIJLL DEKKER, KITTY

Boot, Caroline, und Karla Olgers. Bauhaus. *De weverij en haar invloed in Nederland*. Tilburg: Nederlands Textielmuseum,1988.

Boot, Caroline, und Vimal Korstjens. *In het spoor van het Bauhaus. Weefwerk van Kitty van der Mijll Dekker*. Tilburg: Textielmuseum, 2007.

Groot, Marjan Hester. *Vrouwen in de vormgeving in Nederland 1880–1940*. Rotterdam: 010 Publishers, 2007.

YAMAWAKI, MICHIKO

Ćapková, Helena. »Bauhaus and Tea Ceremony: A Study of Mutual Impact in Design Education in Germany and Japan in the Interwar Period«. *Eurasian Encounters: Museums, Missions, Modernities*. Hrsg. v. Carolien Stolte und Yoshiyuki Kikuchi. Amsterdam: Amsterdam University Press, 2017. S. 103–120.

Yamawaki, Michiko. *Bauhausu to Chanoyu* (Bauhaus und Teezeremonie). Tokio: Shinchosha, 1995.

Dank

Angesichts der Fülle an erforderlichen Nachweisen, die für die Entstehung dieses Buches notwendig waren, wäre unsere Arbeit ohne die Unterstützung von Archiven und Wissenschaftlern aus aller Welt nicht möglich gewesen. Unser besonderer Dank gilt unseren ausgewählten Gastautorinnen, die ihr Fachwissen in einigen Artikeln des Buches mit uns teilten, und zwar namentlich Esther Bánki, Anke Blümm, Andrea Dippel, Burcu Dogramaci, Magdalena Droste, Ulrike Müller, Ingrid Radewaldt und Julia Secklehner. Wir sind sehr dankbar für die Unterstützung durch Sabine Hartmann, Leiterin des Fotoarchivs am Bauhaus Archiv in Berlin, die uns auf vielfältige Weise bei oftmals kaum bekannten Aspekten zum Bauhaus weiterhalf. Wir danken Zuzana Blüh, Stephan Consemüller, Gisela Driesch, Walter Keller, Stephan Leudesdorff, Heinrich Mühlmann und Allen Shawn, die uns mit Informationen zu ihren Familienangehörigen weiterhalfen.

Ein Dank an Hayley Haupt, die die deutschen Artikel ins Englische übersetzte, und Chihiro Heckman, die uns bei der Recherche für den Artikel über Michiko Yamawaki unterstützte. Unsere akademischen Heimstätten ermöglichten unsere Forschungsarbeit. Durch das Frank-H.-Kennan-Stipendium am National Humanities Center erhielt Elizabeth Otto Zeit zum Schreiben. Ihr Dank gilt zudem der großartigen Forschungsunterstützung der Bibliothekare Brooke Andrade, Sarah Harris und Joe Milillo sowie ihrer Heimatuniversität, der State University of New York in Buffalo, die alle ebenfalls wesentliche Unterstützung gewährte. Patrick Rösslers Arbeit wäre ohne die dauerhafte Unterstützung des Präsidenten der Universität Erfurt, Prof. Dr. Walter Bauer-Wabnegg, ihres Kanzlers Dr. Jörg Brauns und des Direktors der Universitätsbibliothek, Gabor Kuhles, sowie der Abteilungsleiterin Medienbearbeitung Susanne Werner kaum möglich gewesen. Zum Schluss geht ein herzlicher Dank an Jo und Jon Rippon und die Mitarbeiter von Palazzo Editions, die von Anfang an fest an das Projekt geglaubt haben und sich trauten, etwas anderes zu wagen.

Wir widmen das Buch allen Bauhaus-Frauen, sowohl denen, die hier vorgestellt werden, als auch jenen, die noch immer darauf warten, entdeckt zu werden. Erst durch diese Frauen wurde das Bauhaus zu dieser facettenreichen, lebendigen und nachwirkenden Institution, als die es bekannt ist: Sie beweisen, dass der Geist des Bauhauses im Grunde genommen immer auch weiblich war.

Bildnachweise